Schaduwhart

CECILIA SAMARTIN

Schaduwhart

2003 – De Boekerij – Amsterdam

Oorspronkelijke titel: Ghost Heart (Bantam Press)
Vertaling: Nienke van der Meulen
Omslagontwerp: Studio Eric Wondergem BNO
Omslagillustratie: Getty Images, Hoa Qui

Tweede druk

ISBN 90-225-3704-8

© 2003 by Cecilia Samartin
By arrangement with John Hawkins & Associates, Inc., New York
© 2003 voor de Nederlandse taal: De Boekerij bv, Amsterdam

Opmerking van de schrijfster

Toen ik veertig jaar geleden uit Cuba wegging, kon ik geen herinneringen meenemen omdat ik nog maar negen maanden was. Maar ik kon me gelukkig prijzen met een aantal fantastische vertellers. Mijn ouders en grootouders, ooms en tantes deelden de verhalen van hun leven voor en na de Revolutie in Cuba met mij. Hun herinneringen werden mijn herinneringen en lange tijd stilden zij mijn verlangen en nieuwsgierigheid naar mijn vaderland en familiegeschiedenis. Maar het was niet genoeg.

Het schrijven van *Schaduwhart* stelde me in staat op vragen in te gaan die me al bezighielden vanaf het moment dat ik besefte dat ik niet geboren was in het land dat ik mijn thuis noemde. Vragen als: 'Stel dat ik nooit weggegaan was uit Cuba?' en 'Wat voor iemand was ik daar geworden?' Soms, als ik de behoefte had het leven van alledag te ontvluchten, idealiseerde ik mijn vaderland en stelde me voor dat ik zorgeloos in de tropen leefde. Andere momenten was ik gewoon dankbaar omdat ik Amerikaanse was en mij het lijden bespaard was gebleven dat zo veel Cubanen moesten ondergaan en nog steeds ondergaan. Altijd had ik het gevoel dat ik tussen twee werelden in hing, verdriet had over wat had kunnen zijn en me ondertussen vastklampte aan iets waarvan ik om te beginnen al niet wist of het wel van mij was.

Mijn pogingen om dit soort ervaringen te doorgronden hebben me in wezen aangespoord om het werk te gaan doen dat ik nu doe: ik ben psychotherapeut voor immigranten in Los Angeles. Ik heb naar talloze verhalen van mijn dappere cliënten geluisterd, en heb begrepen dat mijn strijd door velen gedeeld wordt, ongeacht uit welk land ze komen of om welke reden ze daar weggegaan zijn. Ik hoop dat *Schaduwhart* de lezers niet alleen aangenaam zal bezighouden, maar ook iets duidelijk zal maken over dat wankele evenwicht tussen hoop en verdriet dat het hart van de immigrant bepaalt.

Dankbetuiging

Ik kan naar eer en geweten niet mijn naam aan dit boek
verbinden zonder een aantal mensen te noemen die het mogelijk
hebben gemaakt het te schrijven. Mensen als mijn agent, Moses
Cardona van John Hawkins Literary Associates Inc., wiens kennis
van de uitgeverij, opgewektheid en vasthoudendheid me door het
soms moeilijke schrijfproces heen geholpen hebben; Selina Wal-
ker, mijn redacteur bij Transworld Publishers, die met opmerkelij-
ke vakkennis en elegantie mijn woorden gevormd heeft tot de ro-
man die het moest worden. Ik zou nog veel meer kunnen zeggen,
maar het is voldoende te vermelden dat hun namen eigenlijk naast
de mijne op het omslag van dit boek zouden moeten staan, en dat
dat in mijn hart ook zo is en altijd zal zijn.

Dit boek heeft ook baat gehad bij het talent en de inspanningen
van andere vakmensen in de literaire wereld zoals Frederike Lef-
felaar van uitgeverij De Boekerij, Kate Samano van Transworld
Publishers, Sarh Menguc, Monique Oosterhof en alle werknemers
van de bovengenoemde uitgeverijen. Ik ben hen voor altijd dankbaar voor hun bijdragen en ondersteuning.

Ik had nooit de moed gehad met dit project te beginnen zonder
de steun van mijn familie: mijn echtgenoot Steven Myles, mijn
stiefkinderen Jack en Lucy en de hele familie Myles; mijn ouders,
Jose en Tania; mijn broers en zusters, Susana, Virginia, Andy en
Jeff en alle neven en nichten, ooms en tantes en vrienden die me
voortdurend aangemoedigd hebben. Ik dank God dat Hij mij gezegend heeft met de liefde en het talent van de hierboven genoem-
de mensen en van anderen, te veel om op te noemen, die ik echter
niet minder waardeer.

Voor al mijn neven en nichten

Lieve Alicia,

Ze hebben me gezegd dat deze brief je misschien niet bereikt omdat de communisten hem zullen verscheuren, maar toen ik de foto van ons samen op het strand van Varadero zag, wist ik dat ik je hoe dan ook moest schrijven. Ik kijk er iedere avond naar en denk eraan hoe het leven was toen ik nog leefde. Ik hoor hier niet thuis en iedere keer dat ik 's ochtends wakker word en merk dat ik nog steeds hier ben, wil ik mijn ogen dichtdoen en voor altijd blijven slapen.

Het enige wat ik nu nog heb zijn herinneringen. Ik hou van ze, maar ik heb er ook een hekel aan om wat ze me aandoen. Ik hou van ze omdat die knagende pijn in mijn hart eventjes ophoudt als ik me verlies in de beelden die door mijn herinneringen opgeroepen worden. Ik heb er een hekel aan omdat ze zo mooi zijn dat ze maken dat ik denk dat ik echt thuis ben en dan moet ik weer helemaal opnieuw afscheid nemen.

Ik wou dat ik bij jou was. Ik wou dat we onze tas voor Varadero aan het inpakken waren en geen andere zorgen hadden dan of het nu wel of niet voor de middag zou gaan regenen…

Cuba

1956 – 1962

I

Het heerlijkste vind ik de warmte, hoe zij zich naar binnen dringt en zich uitbreidt tot de toppen van mijn vingers en tenen, totdat het voelt alsof ik deel van de zon ben, alsof hij binnen in me groeit. Heb je ooit gezien hoe de oceaan glad wordt als een spiegel of met een zucht op het strand krult? Als je mijn land zou kennen, zou je weten dat de zee van alles kan zijn: het ene moment trouw en blauw als de lucht en het volgende een glinsterend turkoois dat zo schittert dat je zou zweren dat de zon vanonder de golven scheen.

Ik sta vaak aan de rand van het water, met mijn tenen begraven in het vochtige zand, uit te kijken naar de spookachtige grijze lijn van de horizon die zee en lucht scheidt. Ik knijp mijn ogen een beetje toe zodat ik niet langer meer zeker weet wat wat is en ik zweef in een blauwgroen universum. Ik ben een vis, en dan een vogel. Ik ben een gouden zeemeermin met lang golvend haar dat wappert in de wind. Met een slag van mijn staart zou ik terug kunnen keren naar de zee en de kusten van andere landen verkennen, maar hoe kan ik hier weg, van dit land dat mijn ziel tot rust brengt in een gebed?

Ik kan beter blijven en op de deken van fijn wit zand gaan liggen en urenlang omhoogkijken naar de koningspalmen, zoals we altijd doen. Ze zwaaien zachtjes heen en weer in de zeebries en ik zou bijna in slaap vallen als mijn nichtje Alicia niet aan één stuk door zou kletsen. Ze is amper een jaar ouder dan ik – dertien dagen per jaar zijn we zelfs precies even oud – maar ze lijkt veel ouder en verstandiger. Misschien komt dat doordat ze zo goed weet wat ze wil. Zij twijfelt er niet aan dat ze mango-ijs lekkerder vindt dan kokosijs en dat negen haar lievelingsgetal is omdat ze negen is en omdat als negen een persoon was, dat een mooie dame zou zijn, een revuedanseres met lange benen en wiegende heupen. Ik daarentegen vind het altijd moeilijk om tussen mango en kokos te kiezen, en als papaja erbij zou komen, zou ik er helemaal niet meer uit komen.

Alicia kijkt met toegeknepen ogen, die soms goud en soms groen zijn, naar de zon en vertelt me wat ze ziet. 'Kijk hoe de palmen in de wind bewegen.'

'Ik zie ze,' antwoord ik.

'Ze vegen met hun grote bladeren de wolken weg, zodat we regelrecht de hemel in kunnen kijken en God kunnen zien.'

'Zie je God dan?' vraag ik.

'Als ik op de goede manier kijk wel. En als ik dat doe, dan vraag ik Hem om wat ik maar wil, en dan geeft Hij het aan me.'

Ik wend me van de zwiepende palmbomen af om naar Alicia's gezicht te kijken. Soms vindt ze het leuk om me voor de gek te houden, en zegt ze me pas de waarheid als ze zeker weet dat ik erin getrapt ben. Maar ik weet wanneer ze haar lachen probeert in te houden, omdat ze dan kuiltjes in haar wangen krijgt. Ze zijn er bijna.

'Zeg of het echt zo is,' dring ik aan.

'Echt.' Dan doet ze haar ogen zo wijd mogelijk open en kijkt regelrecht naar de zon en vervolgens knijpt ze ze stijf dicht zodat de tranen langs haar slapen glijden. Ze draait me haar gezicht toe, met schitterende ogen en een triomfantelijk lachje. 'Ik heb Hem net gezien.'

'Wat heb je gevraagd?'

'Dat mag ik je niet zeggen, anders geeft Hij het niet.'

Ook ik wend mijn gezicht naar de zon en probeer mijn ogen net zo wijd open te sperren als Alicia, maar ik kan ze nog geen halve seconde openhouden en ik zie God absoluut niet, zelfs niet een glimp van een vleugel van een engel. Ik kom tot de slotsom dat bruine ogen niet zo ontvankelijk zijn voor de wonderen van de hemel als haar schitterende gouden ogen.

Alicia gaat opeens rechtop zitten, waardoor de zon achter haar schuilgaat, en kijkt op me neer. 'Wat heb je gevraagd?'

'Je zei toch dat we dat niet mochten zeggen?' protesteer ik, want ik wil niet toegeven dat ik helemaal niets heb kunnen zien.

Ze gaat weer op het zand liggen en de zon koestert ons weer. Weldra zullen we terug moeten, voor het middageten. Deze ochtenduren op het strand glijden zo snel voorbij. Ik had gehoopt dat we zouden kunnen zwemmen, maar we mogen niet verder dan onze knieën als er geen vertrouwde volwassene in de buurt is om op ons te letten. Sinds er drie jaar geleden een jongetje aan het strand van Varadero verdronken is, is dat de regel en het heeft geen zin te proberen hem te veranderen.

'Ik wil zwemmen,' zeg ik.

Alicia draait zich om om naar de oceaan te kijken. We zien de golven tegen de witte bocht van het strand aan kabbelen en we weten dat de zee net een warm bad is. We zouden lekker in het rustige water kunnen drijven en misschien zouden we zelfs kunnen leren om meer te zwemmen zoals de volwassenen het doen, en onze armen rustig en betrouwbaar als windmolens te bewegen. En misschien zou onze grootvader, abuelo Antonio, ongetwijfeld de beste zwemmer van heel Cuba, met ons mee willen gaan en dan zouden we ons om de beurt veilig op zijn schouders verder in het diepe kunnen wagen.

'Laten we gaan!' roept Alicia en we springen overeind en rennen zo hard we kunnen. Een spoor van fijn wit zand zweeft achter ons aan.

Alle kamers in het grote huis van mijn grootouders in Varadero keken op zee uit, de eetkamer ook. Abuela liet de ramen meestal openstaan omdat ze frisse lucht de beste verdediging vond tegen de vele ziekten waar ze zich zorgen over maakte. De kanten gordijnen wapperden in de zeebries terwijl abuelo de zegen uitsprak over ons maal. Pas als hij zijn hoofd hief en zijn vork pakte, mochten wij hetzelfde doen.

Ik had het geluk het dichtst bij de gebakken banaan te zitten, en ook nog Alicia naast me te hebben. Thuis wisten onze ouders wel beter: ze haalden ons altijd uit elkaar zodat we niet zouden praten en giechelen in plaats van tafelmanieren te leren. Het leek wel of mami zich drukker maakte over of ik wel de goede vork voor de salade gebruikte, dan over mijn schoolwerk. Meestal vermaakte ons dolle gedoe abuelo en abuela en moesten ze lachen om wat onze ouders 'dwaasheden' noemden.

'Kijk eens hoe donker je wordt,' zei abuela toen ze me een grote schaal met luchtige, gele rijst aangaf. 'Straks denken de mensen nog dat je een *mulatica* bent en niet een volbloed Spaanse.' Het was ook heel belangrijk een volbloed Spaanse te zijn, nog belangrijker dan goede manieren.

Ik schepte mezelf royaal rijst op. 'En Alicia dan? Die is bijna net zo donker als ik,' kaatste ik terug.

'Alicia is op en top een Spaanse,' zei abuela. 'Met haar lichte ogen en haar is er over haar afkomst geen vergissing mogelijk. Ook al wordt ze zo zwart als een rijpe dadel, dan ziet ze er nog als een Spaanse uit.'

Op zulk soort momenten was de enige reden waarom ik Alicia niet benijdde om de kleur van haar haren en ogen, het feit dat ze me altijd te hulp schoot. 'Ik vind dat Nora er prachtig uitziet, als een tropische prinses,' zei ze.

'Ja, abuela. Ik zie eruit als een tropische prinses.'

Abuelo lachte. Omdat hij in Spanje geboren was, was hij Spaanser dan wie ook, maar hij gaf niet zo veel als abuela om waar mensen vandaan kwamen of wie hun ouders waren. En zelfs al schepte hij er nooit over op, toch wist iedereen dat hij een echte Spanjaard was door zijn accent en zijn vloeiende manier van spreken, zo anders dan de kortaffe Cubaanse manier. 'Zou de prinses mij misschien de *platanos* willen doorgeven voor ze ze allemaal zelf opeet?' vroeg hij met een lichte buiging van zijn hoofd.

Later die middag, na ons verplichte slaapje, konden we abuelo gemakkelijk overhalen om met ons naar het strand te gaan en zijn zwemlessen voort te zetten. Ik had papi beloofd een goede zwemster te worden in deze vakantieweek, maar ik was nu nog lang niet genoeg vooruitgegaan om indruk op hem te kunnen maken.

'Jullie hebben te veel gespeeld en te weinig geoefend,' verklaarde abuelo toen hij met ons op het strand stond in een donkerblauwe zwembroek en zijn witte guayabera-overhemd, dat die ochtend – zoals alle ochtenden – keurig door abuela gestreken was.

Alicia en ik stonden naast hem en hielden allebei een grote hand vast terwijl we naar de vredige zee keken. Samen stapten we het water in en voelden we hoe de golven onze voeten streelden. We waagden ons verder en de zijden deken wervelde tot onze knieën en vervolgens tot ons middel, maar we konden onze tenen in het zand nog gemakkelijk zien bewegen.

We stonden zwijgend en zenuwachtig te wachten op abuelo's instructies. Misschien moesten we op onze rug drijven, zoals we meestal deden. Misschien moesten we oefenen om met onze voeten te trappelen terwijl we ons hoofd onder water hielden en hij ons rondtrok aan onze handen, die hem wanhopig vastgrepen als hij het waagde ons los te laten. Of misschien dook hij het diepere water in terwijl we ons aan zijn nek vastklemden, lachend en proestend als hij bovenkwam om adem te halen. 'Niet zo diep, abuelo!' riepen we dan, terwijl we hoopten dat hij nog een beetje dieper zou gaan.

Maar in plaats van dit alles wees hij naar het platform dat zo'n honderd meter buiten de kust lag te dobberen. 'Zien jullie dat daar?'

We kenden het platform goed. Dat was de beroemde plek waar onze vaders toen ze nog kind waren naartoe hadden moeten zwemmen om tot echte zwemmers uitgeroepen te worden en om zonder toezicht van volwassenen in de oceaan te mogen zwemmen. We hadden die verhalen al duizend keer gehoord en toen onze ouders ons brachten, hadden we opgeschept dat we als de week voorbij was het platform veroverd zouden hebben.

Meestal waren er oudere kinderen bezig op of rond het platform, die in het water doken, zichzelf met gemak optrokken op de houten planken en er weer af sprongen als lawaaierige, vrolijke zeehonden. Maar deze middag lag het daar zonder een sterveling op en neer te dobberen. Trouwens, het hele strand was leeg, afgezien van een stelletje in de verte dat hand in hand liep. Iedereen leek nog siësta te houden.

'Nou, zien jullie het?' vroeg abuelo met nog steeds uitgestrekte vinger.

Ik voelde de vlinders in mijn buik. 'Ja, ik zie het,' antwoordden we allebei. Ook in Alicia's stem hoorde ik een trillinkje doorklinken.

Hij gaf een kneepje in onze handen. 'Vandaag gaan jullie daar helemaal alleen naartoe zwemmen. Wie wil eerst?'

We zeiden geen van beiden iets. 'Wat? Wil er niemand het eerst?' Abuelo keek glimlachend op ons neer en toen zei hij, terwijl hij een overdreven verbaasd en bezorgd gezicht trok: 'Jullie zijn toch niet bang?'

'Ik ben geloof ik een beetje bang,' zei ik.

Alicia stak haar kin naar voren. 'Ik niet. Ik ga eerst.'

'Goed zo, meisje, zo ken ik je weer!' Abuelo liet mijn hand los en hield die van Alicia omhoog alsof ze een bokswedstrijd had gewonnen. 'Kom maar achter me aan en beweeg je armen zo, terwijl je trappelt.' Abuelo liet zijn armen boven zijn hoofd rondcirkelen en Alicia deed hem zo goed mogelijk na terwijl ik erbij stond met mijn armen stijf langs mijn zij, in het besef dat deze les niet voor mij bestemd was. Abuelo trok zijn guayabera over zijn hoofd, gooide hem in het zand en dook toen soepel de zee in, het water spatte amper. Hij maakte drie of vier slagen met zijn sterke armen en even later trok hij zich op op het platform en zwaaide naar Alicia dat ze hem moest volgen.

Ze begon met een onhandige duik, maar toch juichte abuelo. Haar hoofd dook schokkerig het water in en uit terwijl ze langzaam maar zeker naar het platform zwom. Ze probeerde haar armen over haar hoofd te zwaaien zoals abuelo had voorgedaan, maar het lukte niet helemaal en ze viel terug op haar niet zo elegante maar betrouwbare hondjesslag. Ze had nog nooit in haar leven zo ver aan één stuk gezwommen, maar ze ging door tot voorbij het punt waar het water van lichtgroen onheilspellend donkerblauw werd. En abuelo bleef haar aanmoedigen. Hij stond op het randje van het platform en stak zijn armen naar haar uit, ook al was ze nog te ver weg. Ze strekte haar hals van inspanning terwijl ze dichter bij het platform kwam en ze kwam nog maar amper vooruit, maar abuelo bukte zich en trok haar aan haar armen uit het water. Ze plofte met een doffe bons op de planken neer, hijgend en lachend, terwijl ze naar haar zij greep. Toen ze weer op adem was, kwam ze overeind en ging naast abuelo staan. Triomfantelijk en glanzend van het water... een echte zwemmer.

Ze riep naar me. 'Kom op, Nora! Je kunt het.'

Abuelo richtte zijn aandacht op mij, nu Alicia zichzelf bewezen had. Hij wilde dubbel trots zijn. 'Nergens meer aan denken, gewoon duiken, net als je nichtje.'

Ze leken zo ver weg, daar op dat ereplatform, maar ik kon ze zelfs vanaf daar naar me zien lachen. Ze geloofden in me. Ze wisten dat ik het ook kon.

Ik dook het water in en voelde de bekende warmte die voor het eerst in mijn leven mijn hart niet tot rust kon brengen. Mijn voeten trapten en mijn gebogen handen maakten scheppende bewegingen in een dappere hondjesslag. Plotseling voelde het water dik als jam aan en het vulde mijn oren, mijn neusgaten, mijn mond en stompte mijn zintuigen op een wonderlijke manier af. Ik vulde tussen de happen zout water door af en toe mijn longen met lucht. Aanmoedigingskreten drongen door mijn monotone gehijg heen. Ik keek naar mijn doel en zag hun lach, hun armen wuifden wild in de helderblauwe lucht. Kortstondig was ik blind en doof en probeerde ik wanhopig een ritme voor mijn armen en benen te vinden dat me vooruit zou brengen. Ik moest het halen. Ik moest bewijzen dat ik het ook kon.

Ik luisterde of ik hun geroep hoorde, ik strekte mijn armen uit naar abuelo's grote handen, die nog maar een paar centimeter van me af moesten zijn, en toen keek ik weer op. Maar ze stonden nog steeds te zwaaien, niet dichterbij dan daarnet. Was het misschien niet zo dat ik zelfs nog verder weg was? Ik strekte mijn tenen naar de zanderige bodem. Als ik die bereikte, zou ik mezelf op kunnen duwen en diep ademhalen, maar de bodem was veel verder weg dan ik had gedacht. Ik wist opeens dat ik niet meer moest proberen vooruit te komen, als ik maar omhoogging. Omhoog naar de zon die een flits waterig licht was, omhoog naar de vogels die naar me keken terwijl ze in trage cirkels boven mij en mijn geploeter om te blijven drijven rondvlogen, want zelfs een vogel kon weten dat het geen zwemmen was waarmee ik bezig was.

Op de een of andere manier slaagde ik erin mijn neus en mond nog één keer boven water te krijgen, maar toen bedekte de zee mij en er was geen geluid, geen lucht, geen wind, alleen gesuis in mijn hoofd terwijl ik dieper wegzonk in het stille blauw. Het was koel en donker, alleen waren er belletjes, helderwitte belletjes die me rond deden tollen.

Toen ik wakker werd, lag ik op het strand en de namiddagzon scheen vol op me neer. Ik voelde mijn borst omhoogkomen en weer omlaaggaan in oppervlakkige sidderingen, maar toen ik probeerde diep in te ademen hoestte ik genoeg zeewater op om er een flinke kruik mee te kunnen vullen. Abuelo's gezicht was heel dichtbij en ik rook de zoete lucht van sigaren in zijn adem. Alicia hurkte naast hem, maar hij hield haar met een beschermende arm bij me weg. Hun monden bewogen, maar er was alleen stilte. Eindelijk ging het vage gezoem van de vertrouwde stemmen over in duidelijke, begrijpelijke woorden.

'Nora, hoor je me?' vroeg abuelo, hoewel zijn stem resoluut klonk, meer alsof hij me iets opdroeg dan alsof hij me iets vroeg. 'Ja, je kunt me horen. Ze is weer in orde,' zei hij tegen Alicia en toen grinnikte hij nerveus, zoals hij deed als hij door abuela op een leugentje om bestwil was betrapt.

Alicia mocht nu wat dichterbij komen, maar hij gaf haar te verstaan me de ruimte te laten om te ademen. Ik wilde me omdraaien en zeggen dat het goed met me ging, zoals ik altijd deed als ik met rolschaatsen was gevallen, maar ik kon me amper bewegen.

'Je bent bijna verdronken, Nora,' zei Alicia op verwonderde toon.

Abuelo kwam weer vlakbij en ze lieten allebei druppels op me vallen, waardoor ik met mijn ogen moest knipperen. 'Kom, kom, Alicia, dat is niet waar,' zei hij. 'Ik hield haar constant in de gaten. Ze kon absoluut niet verdrinken.'

'Maar haar hand kwam omhoog, zo, abuelo,' zei Alicia terwijl ze haar hand in de lucht stak als een klauw die in het niets greep. 'En haar gezicht zag er afschuwelijk uit.'

'Je was geen moment in gevaar, Norita. Ik zou nooit toestaan dat jou iets overkwam.'

Ik probeerde te knikken en voelde mijn hoofd in het zand bewegen, maar deze kleine beweging maakte dat hun gezichten ronddraaiden en ik moest mijn ogen weer sluiten om mijn maag, die nog steeds voelde alsof hij naar de zeebodem zakte, tot rust te brengen.

Een paar minuten later voelde ik me veel beter en kon ik gaan zitten en om me heen kijken. De wereld was nog precies hetzelfde als daarvoor, behalve dat abuelo en Alicia naar me keken alsof ik net uit een ei was gekropen of plotseling hoorntjes had gekregen.

Abuelo zei tegen Alicia dat ze een glas ijskoude cola uit de keuken moest halen en toen ze terugkwam dronk ik het leeg. Algauw kon ik staan en slenterden we hand in hand terug naar het huis, net zoals we gekomen waren. Abuelo herinnerde ons eraan dat abuela had beloofd ons na onze zwempartij met een stukje van haar heerlijke rumcake op te wachten.

'Trouwens, we hoeven jullie grootmoeder niet te vertellen wat hier vandaag gebeurd is,' zei hij. 'Dan raakt ze maar van streek en gaat ze zich druk maken om niets.'

We hoefden niet van de noodzaak tot geheimhouding overtuigd te worden. We wisten precies hoe onze grootmoeder zou reageren, en we kenden haar typerende manier om zich druk te maken maar al te goed. Als zij zich druk maakte, moest de hele wereld stilstaan tot ze klaar was. Er kwamen gewoonlijk allerlei ingewikkelde beloftes aan verschillende heiligen aan te pas, zoals nagels en wimpers afknippen en nooit meer lippenstift dragen. Misschien zouden dit keer onze wimpers afgeknipt worden, en we konden het risico niet nemen dat we nooit meer lippenstift mochten dragen. We hadden de kleuren al uitgezocht voor als we oud genoeg waren. Het minste wat er zou gebeuren was dat we nooit meer met abuelo zouden mogen gaan zwemmen, dat wisten we in ieder geval zeker.

2

HET VERWOEDE GEKLIK VAN DE HOGE HAKKEN VAN MAMI ECHO-
de door de betegelde gang naar mijn kamer toe. We waren weer terug in Havana en ik had allang moeten ontbijten. Ze kwam binnenstormen en zag me op het bed liggen, met mijn schoolboeken
in een slordige hoop naast me.

'Beba heeft marmelade op je geroosterde boterham gesmeerd,
precies zoals je lekker vindt, hij ligt er al tijden.'

Ik lag heel stil in mijn grijze truitje en mijn gesteven witte bloes.
Beba had mijn haar in een strakke paardenstaart gedaan met boven op mijn hoofd een enorme rode strik. Als ik hem bedierf, zou
ze kwaad zijn.

'Mijn hemel, Nora, sta op. Je kreukt je uniform nog.'

'Ik voel me niet goed,' zei ik, terwijl ik mijn hoofd een klein
stukje oplichtte.

'Wat heb je dan?'

'Mijn buik, denk ik. Ik heb sinds gisteren buikpijn.'

Mami's gezicht vertrok een beetje toen ze me vanuit de deuropening opnam, maar ik zag geen teken van moederlijke bezorgd-
heid. Ze liep naar me toe en streek met haar hand over mijn voorhoofd, waarbij ze me amper aanraakte. 'Er mankeert je niets.' Ze
pakte mijn boeken bij elkaar en legde ze op mijn buik. 'Je zusje
wacht op je.' Ik kon niet anders dan mezelf dwingen op te staan en
bij Marta bij de voordeur gaan staan om op de chauffeur te wachten.

Niet dat ik een hekel had aan school. Ik vond het alleen veel in-
teressanter om thuis te blijven en Beba te helpen de groente te snijden en de was op te vouwen terwijl ze verbazingwekkende verha-

len vertelde over de zwarte mensen van het platteland en over de Afrikaanse geesten met exotische namen als Ochun en Yemaya. Ze hielden rituele feesten in nederige hutjes in het oerwoud of rond het vuur, waar de mensen koortsachtig urenlang omheen dansten. Beba vertelde me over hen als mami weg was, winkelen of op bezoek bij vriendinnen, omdat we allebei wisten dat zij het niet goed zou vinden. En daarna maakte ze dan altijd een grote vanillepudding, een *flan*, en dan hield ze een stukje apart omdat ze wist dat ik het lekker vond om hem te eten als hij nog warm en drillerig was.

Mami leunde over de balustrade van het balkon dat uitzicht bood op de brede avenue beneden en de Caribische zee in de verte. 'Daar is de chauffeur!' riep ze. Dit was het seintje voor Beba om op te houden met datgene waar ze mee bezig was in de keuken, en ons naar de lift te brengen, zes verdiepingen naar beneden en dan naar buiten naar de auto die ons iedere ochtend om acht uur kwam ophalen.

Ik verheugde me zelfs op die korte momenten met Beba. Ze was net zo lang als papi, had brede schouders en een verrassend diepe, gouden stem: ze was de fascinerendste persoon die ik kende. Ze droeg altijd wit: een witte jurk, witte schoenen, witte kousen, ze had zelfs een witte zakdoek.

Vroeger kleedde ze zich net als de andere dienstmeisjes in een uniform, een schort en een gesteven mutsje op haar enorme hoofd, maar op een dag had ze aan mami gevraagd of ze in het wit mocht werken, vanwege haar geloof. Mami zei dat dat mocht, als ze dat Santeria-gedoe verder maar buiten de deur hield. 'We zijn hier allemaal katholiek, vergeet dat niet,' had mami streng gezegd.

Ik was kwaad op mami dat ze zo naar tegen Beba gesproken had, want, op Alicia na, beschouwde ik haar als m'n beste vriendin. Waarschijnlijk was ze ook mami's beste vriendin, want ik had haar vaak in de keuken betrapt terwijl ze met Beba zat te fluisteren en haar geheimen vertelde. Ik hoorde haar zelfs eens over papi klagen, over hoe hij haar uitgaven in de gaten hield. Beba knikte alleen maar en klakte op het goede moment met haar tong, zoals ze ook deed als ik over Marta klaagde. En dan moesten we uiteindelijk op de een of andere manier altijd lachen en huilen terwijl we haar hielpen de uien te snijden en dan was alle ruzie weer voorbij.

Ik voelde me het veiligst als ik Beba's hand vasthad, en ik probeerde dat zo vaak mogelijk te doen. 's Avonds rook hij naar uien en knoflook en groene pepers die gebakken werden in de olijfolie, en 's ochtends naar lavendelzeep en vers brood met boter. Ook de glanzende schoonheid van haar huid fascineerde me. Ze had geen sproeten of adertjes zoals ik, alleen een volmaakte, gladde, donkere huid, als sterke koffie met een heel klein beetje melk. Ik drukte mijn neus tegen haar arm en ademde diep in. Dit maakte Beba aan het lachen. 'Waarom doe je dat, Norita?' 'Omdat je huid prachtig is. Ik wil iedere dag naar het strand, zodat ik net zo'n huid als jij krijg.'

'Ik vind je ook mooi,' viel Marta me bij. 'Ik wil net zulk haar als jij hebben en dan neem ik een middenscheiding, met aan elke kant een clipje.'

Hoe Marta aan dat kapsel kwam wist niemand, maar het bezorgde Beba een lachstuip die maakte dat we allebei kronkelden van plezier en onze strijd om haar liefde en aandacht vergaten. Als Beba gelukkig was, was de hele wereld in orde. Zelfs het weer was beter. En als ze verdrietig was, hoewel dat weinig voorkwam, dan waren we bang dat de zon uit de hemel zou vallen.

'Dank de goede God dat Hij je gemaakt heeft zoals je bent,' zei ze vaak. 'Danken jullie de goede God maar.'

Het was me een raadsel hoe de nonnen bij ons op school, de El Angel de la Guardia, zich zo geruisloos konden voortbewegen. Er kon er een achter je aan komen sluipen en dan had je het pas in de gaten als het te laat was. Niet dat we veel te verbergen hadden. Je kon je weinig moeilijkheden op de hals halen, behalve dat de oudere meisjes af en toe op het dragen van lippenstift werden betrapt. De zusters voerden zo'n meisje regelrecht naar de badkamer af om haar gezicht te wassen en dan leek ze een hele week roder dan haar lippenstift. Verder ging onze zondigheid niet.

Niettemin liepen we iedere ochtend precies om tien uur in een lange rij naar de kapel om onze zonden op te biechten en om vergeving te bidden. De meeste meisjes vonden kapeltijd vervelend en ik deed net of ik het ook vervelend vond, hoewel het voor mij eigenlijk het prettigste deel van de schooldag was. Ik genoot van de zoete wierook die in wazige wolken ronddreef en omhoogwervelde in de veelkleurige banen zonlicht die naar binnen vielen door de glas-in-loodramen hoog boven ons. Honderden witte kaarsjes flakkerden aan de blote voeten van de heiligen, het kaarsvet drupte als vloeibaar kant naar beneden terwijl ze hun rokerige boodschap naar de hemel uitdroegen. Alle zusters, zelfs de snelle met de scherpe ogen, bogen hun hoofd terwijl ze met gelijkmatige precisie hun gebeden fluisterden, hun lippen amper bewegend in aaneenschakelingen van halfgevormde woorden.

Ik was vooral gefascineerd door de Staties van de Kruisweg die in wit steen uitgehakt waren en boven de biechtstoelen hingen. Ik staarde naar de afbeelding van Jezus die daar hing met zijn armen wijd uitgespreid terwijl hij omhoogkeek naar de hemel en God vroeg de zondaars te vergeven. Ik dacht aan abuela en haar beloftes. Zou het verkeerd zijn aan Jezus te vragen me te helpen leren zwemmen? Misschien dat als ik hem nu iets beloofde, hij er dan voor zou zorgen dat ik iedere dag naar het strand kon gaan om te oefenen. Ik kon beloven dat ik mijn haar kort zou knippen als een jongen, en dat ik m'n nieuwe rolschaatsen aan Marta zou geven. Ik kon beloven dat ik Beba nooit meer iets zou vragen over de Afrikaanse heiligen; maar dat was toch te veel gevraagd? De gedachte dat ik nooit meer met Beba zou kunnen praten over de dingen waarvan ik wist dat ze die het fijnste vond om over te vertellen, bracht tranen in mijn ogen en terwijl ik ze wegveegde zag ik zuster Margarita vanaf de andere kant van de kapel naar me kijken. Ik boog mijn hoofd. Het was verboden het gebed te onderbreken. Voor wat dan ook.

Zuster Margarita was een van de belangrijkste en meest gevreesde nonnen op school. Ze had zelden de tijd om apart met een leerlinge te spreken, alleen bij officiële gelegenheden sprak ze ons allemaal tegelijk toe. Maar toen we in een rij de kapel verlieten, gaf ze me een tikje op mijn schouder en leidde me een klein zijportaal in, weg van de anderen.

In het halfduister keek haar ronde, gerimpelde gezicht op me neer. Het zag er net zo heilig en teer uit als de oude bijbel die achter glas in de bibliotheek werd bewaard. Een lichtbundel die door de halfopen deur naar binnen viel, verlichtte de fijne donkere haartjes boven haar lippen, lippen die glimlachten, terwijl ze zich zouden moeten voorbereiden op het standje wegens mijn wangedrag. Ik zette me schrap.

'Waarom huilde je tijdens het gebed, Nora?' Tot mijn verbazing wist ze mijn naam.

Ik kon het onzevader, het weesgegroet, en de Akte van Berouw voordragen, de Tien Geboden en de Staties van de Kruisweg moeiteloos opsommen. Als ze me had gevraagd hierover iets te vertellen, dan had ik zelfverzekerd antwoord gegeven. Maar hoe kon ik haar vertellen dat ik verdrietig was omdat ik niet meer met ons dienstmeisje over Santeria zou kunnen praten?

Ik zei het enige wat in me op kwam, het enige wat mij en mijn familie zou behoeden voor de ultieme schande weggestuurd te worden, die hier vast op zou volgen. 'Ik was verdrietig om wat er met Jezus gebeurd is. Het moet echt pijn gedaan hebben toen ze die spijkers in zijn handen sloegen.' Mijn gezicht gloeide en het voelde alsof ik misschien opnieuw zou gaan huilen.

Zuster Margarita lachte een wetend lachje, alsof ik precies had gezegd wat ze verwacht had. Ze boog haar hoofd dichter naar het mijne zodat haar donkere habijt langs mijn wang streek. 'Weet je,' fluisterde ze, en ik kon het anijszaad op haar adem ruiken, 'we worden op verschillende manieren geroepen. Ik voel dat er voor jou in de toekomst een religieus leven is weggelegd. Heb je daar ooit aan gedacht?'

'Een religieus leven?'

Ze knikte ernstig. 'Ja, Nora. Heb je ooit overwogen non te worden?'

Mijn hart bonsde zo hard dat ik dacht dat ik een hartaanval kreeg. Zou het kunnen dat zuster Margarita me apart zou nemen in een of ander geheim kamertje waar ik gedwongen zou worden mijn leven weg te tekenen op een kant-en-klaar contract met de hemel? En hoe werd een meisje een non? Daar had ik nooit echt over nagedacht, hoewel ik mijn hele leven al door nonnen omringd was. Zo ging dat natuurlijk. Hier, en nu.

'Heb je gehoord wat ik zei?'

'Ja, zuster Margarita.'

'Ik was ongeveer net zo oud als jij toen ik geroepen werd, en mij maakte het ook een beetje bang.'

'Ja, zuster Margarita.'

'Ik zal er maar eens met je ouders over praten.' Ze legde haar grote handen die ze meestal onder haar habijt verstopte op mijn schouders. 'Ik heb gelijk over jou, nietwaar?'

Ik rechtte mijn knieën om overeind te blijven onder het gewicht van haar handen en haalde diep adem. 'Ja, zuster Margarita.'

Ik lag op mijn bed en keek naar het plafond. Mijn ouders waren vroom katholiek. We gingen iedere zondag naar de mis, zelfs als het zo hard regende als bij een orkaan en de ramen in de sponningen klapperden. Mijn moeder leek dan op de Maagd Maria zelf, met een zwartkanten sluier over haar schouders gedrapeerd, terwijl ze de kaarsen aanstak met een lange lucifer. Ik wist dat haar gebeden voor mij en voor Marta en voor alle mensen van wie ze hield waren, en ze liet mij een, soms twee kaarsen voor mezelf aansteken. We hielden ons aan alle katholieke voorschriften zoals geen vlees eten op vrijdag en een kruisteken slaan als we langs een kerk kwamen. En papi en mami gaven de nonnen altijd gelijk. Toen ze zeiden dat ik op pianoles moest, waren ze het daarmee eens. En toen ze zeiden dat ik bijles in rekenen nodig had, waren ze het daar ook mee eens.

Een religieus leven – wat betekende dat? Dan kon ik nooit meer naar het strand, of van een heuvel af rolschaatsen zonder te vallen. Ik zou nooit lippenstift opdoen of hoge hakken en gladde kousen dragen. In plaats daarvan zou ik door verduisterde gangen lopen, met mijn handen verborgen en mijn hoofd omlaag, constant aan het bidden terwijl ik me oefende om zonder geluid te lopen. En ik zou in het donker baden om te voorkomen dat ik mijn lichaam per ongeluk zou zien, omdat iedereen wist dat nonnen niemand naakt mochten zien, zelfs zichzelf niet.

Er werd zachtjes op de deur geklopt. Ik wist dat het Beba was die zich afvroeg waarom ik haar niet had gevraagd mijn hapje voor de middag klaar te maken.

'Wat is er? Heb je vandaag geen honger?'

'Nee, ik voel me niet zo lekker.'

'Dat heb ik gehoord,' zei Beba. Ze deed de deur helemaal open en kneep haar ogen dicht tot een grappige blik. 'Je moeder zei dat je vanochtend deed alsof, omdat je niet naar school wilde.'

Ik draaide me om. Het was makkelijk voor Beba om me aan het lachen te krijgen. Ze hoefde me alleen maar een tijdje zogenaamd ernstig aan te kijken. Het werkte altijd, maar de neiging te lachen verdween toen ik weer aan mijn dilemma moest denken.

'Goed. Laten we eens kijken of je koorts hebt.' Ze legde haar grote hand op mijn voorhoofd en ik sloot getroost door haar aanraking mijn ogen. Alles leek beter als Beba in de buurt was. Ze nam de dingen niet te serieus en aan haar oplossing voor de meeste problemen kwam een flinke dosis humor te pas, samen met iets zoets en lekkers om te eten. De enige twee dingen die Beba serieus nam, waren haar geloof en politiek. Als ze het over Batista had, dan rolden haar ogen zo snel in hun kassen heen en weer dat ik bang was dat ze ergens achter haar hersens zouden verdwijnen. Ze had een enorme hekel aan hem en vertelde dat aan iedereen. Gelukkig voor haar, en voor ons, waren er in ons huishouden geen aanhangers van Batista.

Ze haalde haar hand van mijn voorhoofd en plaatste hem op

haar brede heup. 'Nou, koorts heb je niet. Maar ik zal toch thee voor je zetten. Misschien eet je dan ook nog wat.'

Beba ging weg en ik greep mijn kussen vast. Als ik non zou worden, zou Beba er niet meer zijn om thee voor me te zetten of me te temperaturen. Nonnen moesten dat allemaal zelf doen.

Papi kwam op de gewone tijd thuis van zijn werk, net over zevenen. Hij zat dan met de krant in zijn stoel tot mami ons allemaal voor het avondeten riep. Ik wist dat papi soms niet zo gedwee was als mami, en dat als zuster Margarita alleen met hem sprak, er een kleine kans was dat hij het er misschien niet mee eens zou zijn dat ik non moest worden. Maar papi en mami gingen zelden zonder elkaar ergens naartoe, en het was zeker dat hij het met alles wat mami dacht eens zou zijn, omdat hij zo veel van haar hield. Hij kon het niet verdragen haar ook maar een tel van streek te zien. Hij zei haar steeds dat ze mooi was en holde naar beneden om suikerrietsap of verse guyaba te kopen als hij de belletjes of het roepen van de straatverkopers hoorde. Ze hoefde maar met haar wimpers naar hem te knipperen of hij sprong uit zijn stoel en vloog naar de lift voor de verkopers de straat uit waren.

Hij vertelde haar zelfs nog dat ze mooi was op de dag dat ze de gestippelde bikini aanpaste. Ze had zo hard aan de twee stukjes stof getrokken dat ik bang was dat ze als elastiekjes zouden knappen. Toen ze zich er uiteindelijk in geworsteld had, haar wangen roze van de inspanning, giechelde Marta en ik keek haar ontzet aan en zei haar dringend zich niet aan papi te laten zien.

'Waarom zou ik je vader niet naar me laten kijken? Ik heb twee kinderen van hem gekregen.'

'Omdat je er niet zo uitziet als die mevrouwen op de televisie, mami. Misschien houdt hij straks wel niet meer van je.'

Mami lette niet op mijn woorden maar bekeek haar mollige, bleke lichaam in de passpiegel. Ze zag eruit als brooddeeg dat te ver uit het blik was gerezen. Ik greep haar hand en trok haar bij de spiegel weg naar het bed, waar ze haar jurk neergegooid had. Ik wist zeker dat haar sterkste punt op lichamelijk gebied haar prachtige gezicht was met de grote, donkere ogen en de lange wimpers die net op de goede manier in de hoekjes krulden, als waaiertjes.

'Doe je jurk aan, mami. Die staat je echt goed.'

Ze trok haar hand weg. 'Doe niet zo mal.' Toen liep ze direct naar de zitkamer, waar papi zijn krant zat te lezen. Marta en ik volgden haar wiegende achterwerk.

'Nou,' zei mami met een verleidelijk stemmetje, terwijl ze de houding van een badpakkenmodel aannam. 'Wat vind je ervan?' Papi's ogen gingen wagenwijd open en hij liet de krant op de vloer vallen. 'Je bent een engel, Regina! Een mooie engel.' 'Niet echt meer het meisje met wie je getrouwd bent. Die twee kleintjes hebben helaas mijn figuur een beetje veranderd.' 'Je bent mooier dan ooit, liefste.'

Marta en ik keken elkaar ongelovig aan. Weer een bewijs van de onvoorstelbare krachten van mami. Ze hoefde me alleen maar aan te kijken met die doordringende ogen van haar om te weten wat ik dacht, vooral als ik iets verkeerds dacht. En ze hoefde maar te knipogen en te glimlachen naar papi, om hem te laten denken wat ze wilde dat hij dacht. De enige mensen die meer krachten hadden dan mami waren de nonnen. Dat was het probleem.

Ik bleef achter papi's krant staan wachten tot hij me opmerkte. Hij liet de krant zakken en wenkte me dichterbij zodat hij een stevige kus op mijn voorhoofd kon drukken. 'Hoe is het met m'n meisje?'

'Goed, papi.'

'Komt je moeder gauw thuis?'

'Ja. Ze is naar tía Maria, maar ze komt zo thuis.'

Hij verdiepte zich weer in zijn krant en ik leunde tegen de leuning van zijn stoel en bekeek zijn donkerglanzende haar, dat precies paste bij zijn gepoetste schoenen. Het gouden horloge dat mami hem vorig jaar met kerst had gegeven piepte onder de witte manchetten van zijn overhemd uit.

Ik liep om, om hem in zijn gezicht te kijken. 'Papi?'

Hij bromde iets zonder zijn ogen van de krant op te slaan.

'Vind jij dat priesters en nonnen altijd gelijk hebben?'

'Ik begrijp niet wat je bedoelt, Nora. Waarin gelijk?'

'Nou ja, dat ze weten wat je in het leven moet doen?'

Hij liet zijn krant weer zakken, zijn belangstelling was gewekt. 'Dat is een interessante vraag. Nu je het zegt, ik denk dat dat nu precies is waar ze voor zijn – om ons te helpen een beter leven te leven. Het antwoord is ja. Ze weten wat we in het leven moeten doen. Absoluut.'

De rest van de week ontweek ik zuster Margarita, maar waar ik ook heen ging, steeds leken haar bruine, kalme ogen me op te sporen en te proberen me te vangen in weer een ogenblik van mysterieus begrijpen. In de kapel boog ik mijn hoofd dieper dan wie ook en mijn lippen bewogen snel in voortdurend gebed. Glanzende stromen regenboogkleurig licht hadden me van de bank kunnen vegen zonder dat ik een spier vertrokken zou hebben. De Staties van de Kruisweg hadden tot leven kunnen komen, om me heen kunnen dansen en zingen, en dan nog had ik geen kraal van de rozenkrans gemist.

Tegen het einde van de week voelde ik enige verlichting. Ik was twee keer in een enkele rij langs zuster Margarita gelopen zonder dat ze me had opgemerkt. Ze was de hoofdnon, dus ze had wel iets anders aan haar hoofd dan mijn bekering tot een heilig leven. Ik was ervan overtuigd dat ze de hele zaak vergeten was, en vrijdag kreeg ik weer trek.

'Je lijkt je echt beter te voelen,' zei Beba toen ze me een extra portie gepureerde guave met roomkaas opschepte. Hoe kon het ook anders? Ik had m'n leven terug. Alicia en ik konden verder dromen dat we nachtclubdanseressen zouden worden, met veren in ons haar en capes met slepen. Alles was mogelijk.

3

OP ZONDAG GINGEN WE NA DE KERK ALTIJD NAAR HET HUIS VAN mijn oudtante, tía Maria, voor het middageten. Ik verheugde me hier gewoonlijk al op, maar ik had me er nog nooit zo op verheugd als op deze zondag nu ik nog nagenoot van mijn ontsnapping aan het nonschap. De hele familie zou er zijn, neven en nichten, tantes en ooms die bij elkaar kwamen voor het wekelijkse feestmaal van *arroz con pollo* en *brazo gitano*, gemaakt door tía Maria. Vooral verheugde ik me erop Alicia te zien en haar over mijn ontsnapping aan een lot erger dan de dood te vertellen.

Terwijl de volwassenen buiten op de veranda domino speelden, over elkaar zaten te roddelen, te lachen en af en toe hun stem verhieven als ze het hadden over de 'plunderende aanhangers van Batista' en de noodzaak van 'democratische verkiezingen', slopen wij weg en dwaalden door het grote huis, verstopten ons in kasten vol oude kleren en deden net of we een slechte man ontvluchtten die ons probeerde te ontvoeren. Marta liep achter ons aan en had er geen idee van dat we haar de rol van slechterik hadden toebedeeld. Als ze daar eindelijk achter kwam begon ze keihard te brullen en dan schoot een aantal volwassenen haar te hulp, mami voorop. Als Juan, onze oudste neef, er was, dan mocht hij ons voorgaan in een potje opwindend maar verwarrend honkbal, dat hij graag met zijn nichtjes speelde omdat hij altijd won.

Alicia en ik hielden ons onder de veranda schuil voor Marta, toen we mami's stem hoorden. 'José, weet je nog wie zuster Margarita is?'

'Ik geloof het wel,' antwoordde mijn vader. 'De zuster met de snor.'

'Nee, even serieus. Ze heeft me gisteren opgebeld en gezegd dat ze met ons over Nora wilde praten.'

'Zijn er problemen?'

Ik legde mijn hand stevig op de mond van Alicia. 'Heb je dat gehoord?' vroeg ik haar.

Ze knikte en haalde mijn hand weg. 'Krijg je straf?' fluisterde ze.

'Erger. Ze willen een non van me maken!'

De afschuw stond op haar gezicht te lezen. 'Waarom?'

'Weet ik niet. Maar zuster Margarita denkt dat ik non moet worden en ze gaat dat tegen papi en mami zeggen.'

'Hoe word je non?'

'Ze sturen je naar een speciale nonnenschool, waar ze je haar afknippen en je nagels en je wimpers. Je mag alleen maar bidden en kaarsen aansteken en de heiligenbeelden afstoffen.'

We slopen naar de verste hoek van de achtertuin van tía Maria en hurkten achter haar grootste rozenstruik om een plan te maken. Dit was een echt probleem, dat om een echte oplossing vroeg, en het volwassen karakter van ons gesprek deed mijn hart sneller kloppen. We klonken bijna als onze ouders op de veranda als ze het over de problemen in de regering hadden, op een toon die nu eens geestdriftig, dan weer berustend was.

'Je kunt maar één ding doen,' zei Alicia, terwijl ze een steentje van haar ene in haar andere hand gooide. 'Je moet weglopen. En dat moet vandaag... voor jullie naar huis gaan.'

Alicia en ik hadden al jaren over weglopen gefantaseerd. We zouden bij het circus gaan en leren koorddansen en op olifanten rijden alsof het paarden waren. We zouden langs de spoorweg lopen en van vijgen en bananen leven, ons lievelingskostje. We zouden een vlot maken en overal naartoe gaan waar we maar wilden, te beginnen met New York, waarvan we hadden gehoord dat alles er groter, schitterender en beter was.

'Maak je niet druk,' zei Alicia, die mijn angst voelde. 'Ik ga met je mee.'

'Echt?'

'Tuurlijk. Je moet iemand bij je hebben.'

Marta vond ons uiteindelijk achter de rozenstruik. Ze voelde dat er iets anders dan anders aan ons spel was en begon te jammeren en te dreinen dat ze ook in het geheim wilde delen, zelfs nadat we haar weggejaagd hadden met het dreigement haar de eerstvolgende keer dat we op de *malecón* gingen wandelen aan de haaien te voeren. Ze deed een laatste poging met een aanbod: koekjes, haastig in een papieren servetje gewikkeld. Plotseling, en heel onverwachts, had ik medelijden met haar en zag ik dat haar grote bruine ogen vochtig waren.

'Onze ouders zullen ongerust zijn als ze ons niet kunnen vinden,' probeerde ik Alicia over te halen. 'Na een week kan Marta hun vertellen waarom we zijn weggelopen.'

'Kan Marta een week een geheim bewaren?' vroeg Alicia, met de handen op haar heupen. Twijfel sluimerde in haar gouden ogen.

Bij ieder woord sprong Marta op en neer. 'Jawel. Ik kan een week een geheim bewaren! Een hele week!'

We maakten plaats voor haar achter de rozenstruik en gingen weer zitten in de stille namiddag terwijl we onze plannen in haar oor fluisterden. Ze begreep het eerst niet en begon te giechelen toen we harder probeerden te fluisteren. Eindelijk, na nog drie pogingen, was het duidelijk dat ze het begreep, want ze begon weer te brullen. 'Ik wil niet dat je weggaat, Nora. Ik wil dat je altijd bij mij en papi en mami blijft.' Ze sloeg in een wanhopig vertoon van liefde haar armen om me heen.

Ik stak mijn hoofd om de rozenstruik in de verwachting mami's hoge hakken op ons toe te zien stappen, maar de kust was veilig. Alicia sloeg haar ogen ten hemel. 'Ik wist het. We hadden haar niets moeten vertellen.'

Ik klopte Marta op haar rug. 'Marta, luister nou eens. Je weet toch hoe vaak we ruzie hebben omdat jij met mijn speelgoed wilt spelen? Nu mag je met alles spelen, en je hebt Beba ook helemaal voor jezelf.'

Dit leek haar enigszins te kalmeren. 'Ik wil toch niet dat je weggaat,' zei ze, wat rustiger nu.

'We moeten,' antwoordde Alicia voor mij. 'Het gaat om Nora's leven. Je wilt toch niet dat ze non wordt?'

Marta schudde haar hoofd en ze greep mijn hand stevig vast. Normaal gesproken zou ik hem losgewurmd hebben, maar het was troostend haar warme hand veilig in mijn eigen hand weggestopt te voelen.

We liepen met z'n drieën naar het huis om met de eerste fase van ons plan te beginnen en Marta trok aan mijn arm om aan te geven dat ze me iets in wilde fluisteren dat alleen voor mij bestemd was.

Weer was ik heel wat toegeeflijker tegen haar dan gewoonlijk. Ik bukte me en hield haar mijn oor voor.

Ze hield haar handen voor haar mond. 'Hoe lang duurt een week?'

In de provisiekamer vonden we een lege jutezak die voor ruwe suiker werd gebruikt en daar pakten we onze voorraden voor de vlucht in. De prettige geluiden van gepraat en gelach kwamen vanaf de veranda binnenzweven, met de branderige, zoete geur van sigaren en sterke Cubaanse koffie. De twijfels die ik al over ons plan had, escaleerden nu tot een bibberend gevoel diep in mijn maag. Ik stond als verlamd in het midden van de keuken, die nog steeds naar de *arroz con pollo* van tía Maria rook. Marta profiteerde volop van mijn ongewone vriendelijkheid en hield mijn hand stijf vast.

Alicia neuriede zachtjes in zichzelf terwijl ze kaas, brood en bananen in de open zak gooide. 'Dat moet genoeg zijn,' zei ze opgewekt en ze veegde haar handen aan haar rok af. 'We moeten hem niet te zwaar maken, want dan komen we niet ver.'

Ik hielp haar de zak van de stoel op de grond te tillen. 'Vind je echt dat we moeten gaan? Ik bedoel, ze proberen van jou toch geen non te maken?'

Alicia greep me bij mijn schouder en schudde me een beetje heen en weer. 'Ik laat je niet alleen gaan.' Haar wangen gloeiden en haar mond trilde terwijl ze een glimlach probeerde te onderdrukken omdat ze wist dat dat niet gepast was op zo'n ernstig moment. Toen wendde ze zich tot Marta, die ons met een mistroostig gezicht aankeek, bijna weer op het punt in tranen uit te barsten. 'Luister, Marta, als ze naar ons gaan zoeken, moet je ze zeggen dat we verstoppertje spelen. Dan zullen ze niet meteen beginnen écht te zoeken. Je moet sterk zijn, goed?'

Marta knikte en hield mijn hand steviger vast.

Ik drukte mijn benen tegen elkaar omdat ik bang was dat ik het in m'n broek zou doen, wrong mijn hand uit die van Marta en rende naar de dichtstbijzijnde wc. Misschien zou mami, als ik er lang genoeg over deed, ons komen zoeken voor we de kans hadden weg te lopen. Maar terwijl ik door het open raampje luisterde, begreep ik dat de volwassenen nog lang niet van plan waren op te staan. Ze zaten midden in zo'n gesprek dat steeds verhitter werd naarmate er meer sigaren werden opgestoken en kleine glaasjes cognac werden rondgedeeld. Ik hoopte dat papi en de vader van Alicia, mijn tío Carlos, niet weer ruzie zouden krijgen. De vorige keer dat ze ruzie hadden gehad, had papi de hele weg terug naar huis zitten uitrazen. Hij bleef maar doorgaan over 'revoluties' en 'vrije verkiezingen' en 'die klootzak van een Batista', terwijl mami hem steeds tot stilte maande. Ik vroeg hem wat een revolutie was, maar hij wilde het niet zeggen en werd nog bozer omdat ik geluisterd had, terwijl mami hem een veelzeggende blik toewierp.

'Hier hoeven jullie meisjes je geen zorgen over te maken,' had mami op haar overdreven sussende manier gezegd, wat betekende dat het iets was wat alleen voor volwassenen bestemd was. 'Het enige waar jullie je druk om moeten maken is jullie huiswerk en manieren.'

Dat was eenvoudig genoeg, en terwijl ik daar zat met mijn katoenen onderbroek om mijn enkels was ik absoluut niet nieuwsgierig naar andere zaken. Morgenochtend, als mijn klas, de vijfde, in de rij stond om naar de kapel te gaan, zou er een lege plek tussen Maria Luisa en Carmen zijn waar ik hoorde te staan. Zuster Roberta zou zich afvragen of ik ziek was en ze zou waarschijnlijk speciaal voor mij een gebed tot Onze-Lieve-Vrouwe van Fatima opzeggen. En in plaats van dat ik na het middageten mijn sommen maakte, zou ik blootsvoets aan de kant van een stoffige weg zitten en een banaan of een paar vijgen eten. En dan zou ik op zoek moeten naar een plek om te slapen waar de muggen niet bij me zouden kunnen komen, of de harige spinnen uit de wildernis.

Alicia en Marta stonden bij de keukendeur op me te wachten. Alicia had de zak met eten over haar schouder gelegd en wapperde met een aantal bankbiljetten naar me alsof ze een Spaanse signorita was die met haar waaier flirtte.

'Waar heb je al dat geld vandaan?'

'Ik heb de handtassen op het bed doorzocht,' zei ze, terwijl ze zichzelf koelte toewuifde met het geld en koket met haar wimpers knipperde. Marta giechelde om Alicia en probeerde springend het geld te pakken, maar Alicia hield het boven haar hoofd buiten het bereik van Marta. 'Hé, afblijven. We hebben dit geld nodig om te overleven.'

Mijn handpalmen werden vochtig en mijn mond werd droog.

'Leg het terug. Je krijgt anders enorm veel moeilijkheden.'

'We gaan weg, we kunnen geen moeilijkheden meer krijgen.' De groengouden ogen stonden vastberaden en ze propte het geld in haar rok.

Ik keek naar Marta en ik hoopte voor het eerst in mijn leven dat ze zou verklikken wat ik van plan was, maar ze zag er niet meer zo bedroefd uit. Alicia's diefstal had haar opgewonden gemaakt en haar naar nieuwe poorten naar spannende dingen geleid. Nu deed ze zelfs de achterdeur voor ons open, gevleid dat ze deelde in onze vlucht.

Buiten was de lucht zwaar van het vocht en het geheimzinnige gezoem van de avond: krekels en dikke gevleugelde torren die tegen je gezicht aan konden botsen als je niet oppaste.

Alicia was ongeduldig. 'Kom op. Ze zullen al snel zeggen dat het tijd is om naar huis te gaan omdat we morgen weer naar school moeten.' Ze stapte naar buiten, de avond in. Het licht van de veranda weerkaatste zachtjes op haar golvende haar. Een paar plukken waren aan haar haarlint ontsnapt en wapperden in de avondbries. 'Kom op,' fluisterde ze hard. Ze draaide zich niet om maar liep op haar tenen het achtertrapje af, als een inbreker, de etenszak dansend op haar rug.

Ik liep achter haar aan door de tuin van tía Maria, een angstige ziel die naar de rand van de wereld geleid werd door een meisje met warrige gouden haren en korte sokjes. We zochten onze weg over het grasveld onder de donker wordende lucht waarin sterren schitterden en die omsluierd was met de tere roze resten van een ondergaande zon.

We stortten ons in die rusteloze avond en bereikten het hek dat tía's tuin van de rest van de wereld scheidde. We mochten nooit verder dan hier, en toch had Alicia al brutaal, zonder blikken of blozen, een been over het hek geslagen. Ik bleef staan en liet de kracht van mijn angst de woorden en gevoelens die in mijn keel vastzaten, ontwarren. Als ik nu niets zei, dan zou ik het nooit doen.

Ik legde mijn hand op Alicia's arm toen ze de zak met eten wilde pakken. 'Ik denk dat we terug moeten gaan.' Mijn stem was zacht, maar helder door een weten dat ik zelf niet helemaal begreep.

Alicia draaide zich om om me aan te kijken en in het ijle licht van de sterren zag ik de angst in haar ogen sluipen. Ze keek weer de andere kant op, maar maakte geen verdere aanstalten over het hek te klimmen.

We stonden op de rand van de wereld, de zak met proviand tussen ons in, Alicia's been nog steeds op het hek, terwijl we nadachten over de rest van ons leven. Toen hoorde ik dat mami me vanaf de veranda riep. Ze was in een goede bui en de klank van haar stem verwarmde mijn binnenste met heimwee, alsof ik al jaren weg was en een dierbare herinnering van mijn vorige leven herbeleefde, het enige wat ik er nog van had. Het kostte me al mijn kracht om niet zo snel als ik kon terug te rennen.

'Je moet niet zo bang zijn,' zei Alicia.

'Dat ben ik niet... alleen...'

Mami's goede humeur verdween snel. 'Marta, waar is je zusje?' Dit werd gevolgd door het angstige, zachte antwoord van Marta, dat ik niet precies kon verstaan, maar zelfs vanaf deze afstand klonk het niet overtuigend.

Alicia pakte de zak eten en zwaaide haar been weer van het hek af. 'Als we tot volgende week wachten, kunnen we misschien meer spullen meenemen.'

Papi's stem overstemde bulderend de avondgeluiden. 'Nora, kom ogenblikkelijk hier!' We renden in amper vijf seconden door de tuin en het trapje van de achterveranda op en verloren onderweg bijna onze schoenen. We deden de achterdeur voorzichtig open en gluurden naar binnen. Er was niemand in de keuken, maar de groeiende ongerustheid van de volwassenen in de voorkamer was duidelijk te horen. Alicia gebaarde zwijgend naar me dat ik naar binnen moest gaan en de volwassenen alleen onder ogen moest komen, terwijl zij het eten en het geld terug zou leggen. We hadden geen tijd om erover te bekvechten.

In het verleden waren mijn leugentjes weinig succesvol geweest, en mijn hart bonsde toen ik de zitkamer binnenging. Marta lag met opgetrokken benen en een kussen over haar gezicht op de bank en snikte wild. Mijn ooms en tantes stonden in een kring om haar heen en mami knielde op de vloer, haar gezicht verwrongen van angst.

Ik haalde diep adem en probeerde onschuldig te kijken. 'Hier ben ik, mami.'

Ze keerde zich met donkere, smeulende ogen naar me om. 'Waar zat je in godsnaam?'

Marta gooide bij het horen van mijn stem het kussen van zich af en sprong van de bank, sloeg voor de tweede keer op een dag haar armen om me heen, snikte verward en stamelde woorden die niemand kon verstaan.

'Wat heb je met je zusje gedaan?'

Ik sloeg mijn armen om Marta heen en begroef mijn neus in haar haar, dat naar seringen en sigarenrook geurde. Alicia's ouders, tío Carlos en tía Nina, stonden samen in de deuropening.

'Ik zou als ik jou was maar ogenblikkelijk antwoord geven, jongedame.'

'We deden niets... We speelden alleen maar.'

38

'En wat speelden jullie dan dat je zusje zo van streek is?'

Ik keek naar mijn moeders gezicht en voelde het schuldgevoel vanaf mijn voetzolen omhoogborrelen. Ik deed mijn mond al open om alles over ons vluchtplan te vertellen toen Alicia de kamer lachend binnenglipte terwijl ze riep: 'Ik heb gewonnen! Ik heb gewonnen, Nora. Nu is het Marta's beurt om zich te verstoppen.'

Alicia's ouders deden een stap naar voren. 'Speelden jullie verstoppertje, schatje?'

'Ja. Het was reuzeleuk en ik heb gewonnen.'

'Zie je wel, Regina? Het was maar een spelletje. Bedaar,' zei tío Carlos terwijl hij een kalmerende hand op mami's schouder legde.

Even overwoog mami te doen wat hij zei, maar toen keerde ze zich met nieuwe twijfel tot mij. 'Als het gewoon verstoppertje was, waarom was je zusje dan zo bang?'

'Omdat,' begon Alicia, 'we haar gezegd hebben dat als ze ons niet kon vinden, dat betekende dat we in geesten veranderd waren en dat we terug zouden komen om de rest van haar leven bij haar te spoken. Ik denk dat we haar te bang hebben gemaakt.'

'Dat denk ik ook,' zei mami. Ze tilde Marta op en wierp me een van die blikken toe die betekenden dat ik meteen naar mijn kamer zou moeten als we thuiskwamen. Maar ik ging tenminste naar huis. Ik zou de hele nacht mijn kussen vast kunnen houden en Beba's lach zou me 's morgens net als altijd wakker maken.

We reden in stilte naar huis en Marta viel met haar hoofd in mijn schoot in slaap. Ik liet mijn eigen hoofd tegen de rugleuning aan leunen terwijl ik door de voorruit naar de duisternis tuurde. De lichtjes langs de malecón flitsten voorbij als kwade kometen die uit zee opstegen terwijl het gezoem van de motor me half in slaap bracht. Ik hoorde het geruis van de golven en verre stemmen die me vanuit het diepe riepen.

Mijn ouders spraken gedempt met elkaar. 'Carlos weet niet waarover hij het heeft,' zei mijn vader. 'De mensen zouden op dit moment geen revolutie steunen. De economie is te sterk, te veel mensen verdienen meer geld dan ze ooit verdiend hebben.'

'Mensen als wij verdienen geld… maar Carlos had het niet over mensen zoals wij…'

'Ik zeg niet dat het allemaal volmaakt is.'

'Maar wat zeg je dan wel, José?'

'Het is niet voldoende… een paar rebellen in de heuvels die lastig zijn. Ik wil net zo goed als iedereen van Batista af, maar op deze manier gebeurt het niet. Ik hoop alleen maar dat die rare broer van me niet iets doms doet.'

'Dat hoop ik ook,' zei mami.

Een paar minuten stilte werden gevangen in het geronk van de motor. Toen sprak papi weer. 'Ik vind dat Nora te veel tijd met Alicia doorbrengt.'

'Ach, dat weet ik niet. Alicia is een lief kind. Heel slim en heel mooi.'

'Mij iets te slim en mooi. De manier waarop Carlos en Nina haar opvoeden staat me niet aan, ze verwennen haar. Ze is veel te vrijmoedig, vrijmoediger dan goed voor haar is, en ik wil niet dat ze Nora beïnvloedt. Misschien gaat daar dat gesprek op school over.'

'Zuster Margarita heeft me verzekerd dat er geen problemen met Nora waren.'

Nu was het de beurt van mijn vader om te zeggen: 'Dat hoop ik dan maar.'

Vrijmoedig, wat een prachtig woord. Ik sloot mijn ogen en de lichten van de malecón gloeiden achter mijn oogleden, roze en paars en groen. En ik dacht aan lange, zonnige dagen op het strand, dagen waarop je niets te doen had behalve zwemmen, in het zand rollen en ijskoude cola drinken. En daar had je het ijskraampje op de hoek, El Tropicream, met lachende kinderen eromheen, met hun blije monden onder het ijs, als clowns in een circus.

Ik was er ook, ik hing in een vogelkooi aan de hoogste palm, ergens tussen hemel en aarde, in een zwarte jurk die tot mijn enkels reikte, en ik bad om een windstoot die me naar beneden zou werpen, naar het zand waar ik hoorde.

We liepen onder de zachte blik van de Maagd door. Haar beeld, met de rozenkrans die 's avonds oplichtte, stond boven op het grote hek van de El Angel de la Guardia-school en heette iedereen die binnenkwam welkom. Na al die jaren dat ik onder haar door gelopen was, was dit de eerste keer dat ik bad om haar tussenkomst. 'Alstublieft, lieve Maagd, laat zuster Margarita vandaag ziek zijn. Niet een ernstige ziekte, gewoon iets kleins dat alleen in New York of Chicago behandeld kan worden, of ergens anders echt ver weg.'

Marta kuste papi en mami gedag en rende toen naar haar klas, het rode lint in haar haar wapperde achter haar aan als de staart van een vlieger. 'Denk eraan dat je gewoon loopt,' zei een gewoonlijk zwijgende zuster toen Marta langs haar zoefde en ze minderde vaart tot een flinke pas, tot ze buiten was, waarna ze nog sneller dan eerst naar haar klas rende. Wij drieën werden door een met donker hout gelambriseerde gang geleid, langs de officiële ontvangstkamers waar pianoconcerten en examenlunches gehouden werden. Helemaal aan het eind van de gang was het kantoortje van zuster Margarita, het enige kantoor in de school met dubbele deuren. Ik had altijd gedacht dat het vol wonderbaarlijke, exotische spullen zou staan. Tot mijn verbazing bleek het een eenvoudige, maar ruime kamer te zijn met honderden in leer gebonden boeken op planken van de vloer tot de zoldering. Het enige luisterrijke was het enorme boograam achter het grote bureau vol stapels papier en hier en daar een snoepwikkel.

Door het facetglas kon je de leerlingen zien die in de rij stonden om naar hun klaslokaal te gaan en voor het eerst verlangde ik ernaar om bij hen te zijn in plaats van hier op een rechte houten stoel te zitten met voeten die net niet bij de vloer konden.

Papi en mami bekeken me nieuwsgierig terwijl ze over onze nieuwe buren praatten die drie verdiepingen lager waren komen wonen. Ze hadden me al een paar keer gevraagd waar dit gesprek over zou gaan, maar ik had de moed niet het hun te vertellen. Ik wilde mijn lot zo lang mogelijk uitstellen. Ik had de strijd om de pianolessen en de rekenbijles verloren, maar ik was niet van plan deze te verliezen en ik had meer tijd nodig om mijn strategie uit te stippelen.

Zuster Margarita kwam haar kantoor binnen door een deurtje tussen de boekenplanken en zweefde geluidloos over de vloer. Ze ging achter haar bureau zitten en vouwde haar handen in een soepel en waardig gebaar van geheiligde autoriteit. Het zonlicht stroomde door het raam achter haar naar binnen; zo zag ze eruit als een aartsengel die de hemelpoort bewaakt.

'Heeft Nora verteld waarom ik u heb gevraagd vandaag hier te komen?' vroeg ze.

'Nee,' antwoordde mijn moeder.

Zuster Margarita wendde zich tot mij. 'Wil je het hun nu vertellen, mijn kind?'

Mijn keel was droog en zat dichtgeknepen. Ik greep de zitting van mijn stoel vast. Ik kon niet spreken. Ik kon alleen mijn hoofd schudden en met mijn benen heen en weer zwaaien.

'Zal ik het hun dan vertellen?' Zuster Margarita keek glimlachend op mij neer en even was ik met ontzag vervuld. Een glimlach van zuster Margarita was een gift die slechts een paar uitverkorenen ten deel viel en een fractie van een seconde dacht ik dat ik maar gewoon non moest worden om haar niet teleur te stellen. Ik knikte dat ze het woord voor me mocht doen en voelde een felle hitte opstijgen uit het oventje in mijn maag.

Ze keek mijn ouders gloeiend van trots aan. 'Het lijkt erop dat kleine Nora geroepen is.'

'Geroepen?' vroeg papi met een halve glimlach.

Mami leunde naar voren en legde haar hand even op mijn knie om het gezwaai met mijn benen te laten ophouden. 'Wat bedoelt u, zuster?'

'Ik heb Nora al heel wat maanden gadegeslagen en ik geloof dat ze geroepen is om Christus in een heilig leven te volgen.' Zuster Margarita's woorden klonken zo helder als een slaande klok en ze sloeg haar ogen op naar het plafond alsof ze in extase was.

Ik durfde haar blik niet te volgen uit angst dat ik Gods gezicht zou zien, dat de aanstelling bekrachtigde. Ik voelde me duizelig, greep de stoel steviger vast en keek strak voor me uit, langs zuster Margarita's glimlachende gezicht, naar buiten, naar de meisjes die in de zonneschijn lachten. Een heldere straal licht viel recht in mijn gezicht, maar ik kon zelfs niet met mijn ogen knipperen terwijl de tranen erin opwelden.

Alle drie keken ze nu naar me. Mijn ouders leken verschrikt, alsof ze me nog nooit eerder gezien hadden. Zuster Margarita keek alsof ze verwachtte dat ik vleugels zou krijgen, en een heiligenkrans.

Papi verbrak de stilte. 'Is dat zo, Nora? Wil je non worden?'

Ik knipperde een keer en keek naar hem, en toen naar zuster Margarita, wier glimlach nog vriendelijker was geworden. Hoe kon ik haar teleurstellen? Ze leek er zo zeker van dat ik net zo wilde worden als zij, en niet een revuedanseres met lichtroze veren op mijn hoofd, of echtgenote en moeder, die haar kinderen in zachte, geborduurde kleertjes kleedde.

Mami's keurig aangezette wenkbrauwen gingen nieuwsgierig omhoog en ze legde haar hand op papi's arm die op het punt stond iets te gaan zeggen.

Mijn onderlip begon te bibberen. Ik probeerde hem stil te houden, maar hoe harder ik het probeerde, hoe erger het werd. Ik kon hun onderzoekende blikken niet langer verdragen en boog mijn hoofd. Ik zag de hooggehakte schoenen van mami op de vloer drukken toen ze overeind wilde komen, maar ik sprong van mijn stoel en rende de kamer door voor ze bij me was. Ik gooide de deur van het kantoor open en rende de gang door, stormde de hoofdingang uit, waarbij ik zuster Roberta bijna omverliep.

'Nora, wat heb je?' hoorde ik haar me achternaroepen toen ik met twee treden tegelijk de trap af rende, en pas stilstond toen ik op het grasveld beneden was. Ik stond met mijn rug naar de school na te hijgen en keek naar het smalle streepje oceaan dat tussen de verzameling pastelkleurige gebouwtjes voor me fonkelde. Ik kon doorrennen, het hek door, onder de Maagd Maria door en nooit meer terugkomen. Ik kon naar Alicia's school gaan en haar overhalen nu met me weg te lopen. De spoorbaan leek achteraf toch zo slecht nog niet. Ik zou niet doodgaan aan een paar nachten in de wildernis.

Ik hoorde het zuigende geluid van voetstappen op het gras achter me. Met zijn lange benen kon papi bijna zo hard lopen als ik rende. Hij greep me bij mijn schouders, draaide me om en hurkte neer zodat onze ogen op dezelfde hoogte waren. 'Niemand gaat je dwingen iets te doen waar je je niet gelukkig bij voelt.'

Ik keek in papi's donkere ogen en ademde de geruststellende lucht van zijn aftershave in. 'Wil je echt een non worden net als zuster Margarita?' vroeg hij, terwijl hij me zachtjes aan mijn schouders schudde.

Mijn antwoord kwam er zo krachtig uit dat ik hem bijna op het gras omvergooide. 'Nee, papi. Ik wil nooit non worden. Ik denk dat zuster Margarita me wil stelen en naar een geheime nonnenschool brengen.'

'Doe niet zo gek. Zelfs als je non zou wíllen worden, dan kun je daarvoor pas gaan leren als je veel ouder bent.'

Inmiddels was mami aan haar tocht over het grasveld begonnen, voorzichtig op haar tenen, om niet weg te zakken met haar hoge hakken. Zuster Margarita stond in de deuropening van de hoofdingang, maar ze kwam de trap niet af naar ons toe, en hoewel ze te ver weg was voor me om haar gezichtsuitdrukking te kunnen zien, wist ik dat ze niet langer glimlachte.

Mami keek op ons neer, haar ogen toegeknepen in de ochtendzon en zocht toen in haar tas naar haar zonnebril. 'Nora, het is ontzettend onbeleefd om zomaar weg te hollen. Je moet ogenblikkelijk je excuses bij zuster Margarita gaan maken.'

Een zware last gleed langzaam van mijn schouders terwijl we terugliepen over het grasveld.

'Ze wil geen non worden, Regina,' zei mijn vader.

'Natuurlijk niet,' snauwde mami. 'Wie heeft er nou ooit van een non van negen gehoord?'

4

Tía Panchita was nog een oudtante van vaders kant. Ze had een groot hoofd met zilvergrijs haar dat ze in een strakke knot achter in haar nek droeg en ze droeg een vlinderbril met dikke glazen die haar ogen zo enorm maakten dat je de groene vlekjes in het bruin, als bladeren die op een modderige rivier dreven, kon tellen. Ze woonde alleen in een groot, rommelig huis op een suikerrietplantage midden op het eiland in de buurt van een stadje dat Guines heette. Ik wist altijd dat we er bijna waren als de auto begon te hobbelen over wegen die of niet geplaveid waren, of maar zelden hersteld werden. Als Marta en ik zongen en lachten sloegen onze stemmen over door de hobbels in de weg, waardoor we als dronken operazangeressen klonken, terwijl papi vloekte en voorspelde dat we nieuwe schokbrekers moesten nemen als we in Havana terug waren. Bomen strekten hun takken boven ons uit en af en toe bukten ze zich om ter begroeting het dak van de auto te strelen.

Tía Panchita had zelf geen kinderen gekregen en haar echtgenoot was lang voordat ik geboren was overleden. Ze vertelde ons, terwijl ze op zijn elegante portret op de piano wees, dat hij een heel belangrijk man was geweest omdat hij de modernste technologieën aanwendde en erom bekendstond dat hij het beste suikerriet in de wijde omtrek had.

Het was vreemd dat zo'n belangrijk man aan een muggenbeet moest overlijden. De beet was geïnfecteerd geraakt en uiteindelijk hadden ze zijn been moeten afzetten, maar zelfs dat had hem niet kunnen redden. Tía had ons dit verhaal vele malen verteld en als ik naar zijn foto keek, zoals hij daar zat met over elkaar geslagen benen en zijn panamahoed achteloos op zijn knie, kwam ik in de verleiding haar te vragen welk been afgezet was. Natuurlijk durfde ik het nooit, maar op een dag vroeg Marta het voor me. En tía raakte niet, zoals ik verwacht had, in tranen. Ze knipperde alleen maar even met haar enorme ogen en zei: 'Weet je, dat weet ik eigenlijk niet meer.'

In Guines kende iedereen iedereen. En de meest geliefde bezigheid daar was het grootste deel van de warme dagen rond te hangen op de brede veranda's en naar vrienden te zwaaien en met iedereen te kletsen die maar besloot langs te komen voor een kopje Cubaanse koffie of een glas koele *guarapo*. Het enige lastige hieraan was dat tía erop stond dat we er voortdurend uitzagen alsof we naar een feestje moesten, ook al deden we niets en gingen we nergens naartoe. Op deze manier, zei ze, kon ze al haar bezoekers met haar mooie *sobrinitas* imponeren.

Hoewel we al zo lang we ons konden heugen tía Panchita bezocht hadden, mochten we pas toen ik twaalf en Marta tien was, daar alleen blijven logeren. Toen vonden onze ouders onze manieren goed genoeg en konden we plezierig gezelschap zijn voor een oude chique dame als tía Panchita. Het hielp ook dat tía altijd vroeg: 'Wanneer komen de meisjes eens bij me logeren?' Als ze 'meisjes' zei, dan bedoelde ze ook Alicia en soms vergat ze dat wij drieën geen zusjes waren, en dat vonden we helemaal heerlijk.

Tía gaf Marta en mij gewoonlijk de kamer naast de hare. Er stonden twee tweepersoonsbedden in op heel hoge poten, waaromheen een wolk muskietengaas hing dat ze overdag met een satijnen strik opzij bond. De lakens waren van wit linnen dat tía zelf geborduurd had tijdens de eindeloze uren koffiedrinken en schommelen in haar schommelstoel op de veranda.

Alle kamers waren met elkaar verbonden, net als een trein, en alle kamers hadden bovendien een deur die toegang gaf tot de veranda en tot de velden en het bos daarachter. Als we van onze slaapkamer naar de keuken wilden, moesten we door tía Panchita's kamer lopen, door een lege slaapkamer, door de eetkamer en de grote huiskamer, en dan waren we er eindelijk. Het kon alleen sneller als je over de veranda rende tot je bij de deur was die je wilde hebben. Marta en ik vonden het leuk om deuren open te doen en weer te sluiten en tía Panchita leek het niet erg te vinden zolang ze maar wist waar we waren. Ze vertelde ons dat het oude huis al generaties lang in de familie was, al sinds de Spaanse oorlog halverwege de negentiende eeuw, en dat we het mochten verkennen en doen wat we wilden, maar dat we niet moesten schrikken als we af en toe een spook tegenkwamen.

'Wat moeten we dan doen?' vroegen we haar ontzet.

'Bied hem maar een lekker kopje koffie aan. Dat ontwapent spoken gewoonlijk wel, net zo goed als mensen.'

Maar meestal vonden we het leuker om bij tía Panchita te blijven, op haar veranda te zitten en naar de mensen te kijken die bij haar op bezoek kwamen. Vooral bezoekers die te paard kwamen fascineerden ons. Met een zwaai stegen ze van hun paarden af, bonden ze vast aan de balustrade van de veranda, dronken koffie met tía en praatten urenlang met haar. Marta en ik schuifelden om de beurt naar de paarden toe en daagden elkaar uit om hun fluwelen snoeten aan te raken, waarvan je nooit precies wist wat ze zouden gaan doen door hun voortdurende gekauw en gesnuif. We sprongen achteruit, giechelden nerveus en slopen weer behoedzaam naar voren, om weer te schrikken en opnieuw in gegiechel uit te barsten. Alicia durfde de paarden kalm te naderen en hun neuzen te strelen en ze lieve woordjes toe te fluisteren, waardoor ze rustig werden.

'Die gedraagt zich niet als een stadsmeisje,' merkten de bezoekers dan goedkeurend op.

Net als iedereen had tía Panchita een zwarte dienstmeid, maar in hun geval was het soms moeilijk uit te maken wie de dienstmeid en wie de *patrona* was. Lola, een tengere vrouw die ongeveer even oud was als tía, met peper-en-zoutkleurig springerig haar, kwam iedere ochtend voor er nog iemand op was en zette koffie. Soms bakte ze brood en soms bracht ze het kant-en-klaar mee van de bakker. Het rook hoe dan ook verrukkelijk.

Marta en ik vonden het heerlijk om met Lola in de keuken te zitten en te kijken hoe ze boter maakte. Eerst roomde ze de melk af, dan deed ze er zout bij en roerde urenlang. Lola was niet spraakzaam zoals Beba. Meestal vond ze het prettiger te luisteren en dat was geweldig voor Marta die aan een stuk door allerlei onzin uitkraamde. Maar Lola leek altijd geïnteresseerd, ze knikte met haar hoofd en sperde haar ogen wijd open als Marta vroeg: 'En wat denk je dat er toen gebeurde?' Het interesseerde mij allang niet meer en Lola ook niet, dacht ik, maar ze moet toch echt geluisterd hebben, want meestal raadde ze het goed.

Vaak kwam tía de keuken binnenstormen en griste de lepel uit Lola's handen. 'Lola, ik heb je al eerder gezegd dat het niet nodig is boter van de restjes melk te maken. Ik koop hem kant-en-klaar en jij bent te oud om nog zo hard te werken.'

Lola schudde haar peper-en-zoutkleurige hoofd en grijnsde en beweerde dat boter uit de winkel niet hetzelfde was. Ik was het met haar eens.

De twee vrouwen konden uren op de veranda zitten, allebei in hun eigen rieten schommelstoel, pratend en lachend en bezoekers verwelkomend als een stel oude kippen. Om de beurt maakten ze de versnaperingen klaar en als ze te moe waren schakelden ze ons in, waarbij ze ons door het openstaande keukenraam aanwijzingen gaven. Wanneer we dan het huis uit kwamen voelden we ons heel wat als we op de bladen koffiekopjes, lepeltjes, suiker, koekjes en guavepuree in evenwicht hielden.

Als het avond werd en de meeste bezoekers weg waren, sloten tía Panchita en Lola de dag altijd op dezelfde wijze af. Tía ging naar binnen en haalde de houten sigarenkist van de plank in de eetkamer en zette hem op het tafeltje tussen hun schommelstoelen. Ze stond erop dat Lola eerst koos. Ze rolden de sigaren tussen hun vingers en tikten erop terwijl ze ze vlak bij hun oor hielden. Dan staken ze elkaars sigaar aan en rookten en schommelden nog minstens een uur tot de sterren verschenen in de blauwzwarte lucht boven ons.

Bij een van onze logeerpartijen, net toen het sigarenritueel zou beginnen, kwamen Alicia's ouders haar brengen om de rest van de week met ons door te brengen. Tía vond het heerlijk en samen met Lola sleepte ze het bed op wieltjes de grote slaapkamer in die Marta en ik deelden. Als je het bed vlak naast het mijne schoof, kon het muskietennet ons allebei bedekken.

Toen het bedtijd was en Lola weg was, stopte tía ons in, maar voor ze het muskietennet had geschikt en had gekeken of er gaatjes in zaten, sloot ze de deuren naar buiten af. Dat duurde wel even, want iedere kamer had precies dezelfde deur die afgesloten moest worden met een zware houten plank. De echo's galmden door het huis, iedere keer als ze een plank op z'n plek liet zakken. Ze sloot de ramen op dezelfde manier af, behalve dan die ramen die met een metalen knip sloten die makkelijk dicht te schuiven was. Toen ze klaar was, controleerde ze alle deuren en ramen nog eens om er zeker van te zijn dat ze er geen een had overgeslagen. Het hele proces had bijna een halfuur in beslag genomen.

'Het lijkt wel of u zich op een tornado voorbereidt,' zei ik.

Tía ging op de rand van mijn bed zitten en keek naar ons drieën met haar vergrote ogen. 'Het is nog iets ergers. Luister maar.'

Eerst hoorden we niets anders dan het snerpen van de krekels, dat altijd begint als de zon ondergaat. Toen hoorde ik het: een stille, ritmische donder die vanuit de grond scheen op te stijgen, aan alle kanten om ons heen, tegelijkertijd overal en nergens. Mijn hart klopte wat sneller op het sneller wordende ritme en het aanzwellende geluid van wat ik wist dat Afrikaanse trommels waren.

Alicia sprong uit haar bed op het mijne en kroop onder mijn dekens. 'Vertel ons over de trommels, tía,' smeekte ze, ook al hadden we er allemaal al eerder over horen vertellen. We kenden de verhalen van mensen die bezeten door boze geesten op de grond vielen en kronkelden als slangen. Dat waren degenen die geluk hadden. De minder gelukkigen werden in geiten veranderd, of zelfs in rotsblokken of bomen. Er deden de griezeligste verhalen over de bloedoffers de ronde. Ze doodden kippen en varkens en... en blanke kinderen die zich zo misdragen hadden dat hun ouders hen niet meer wilden hebben.

Marta gooide haar dekens af en rende om het bed heen om op tía Panchita's magere schoot te kruipen. Ze klemde zich als een baby aan haar vast en ik rolde met mijn ogen, hoewel de koude rillingen ook langs mijn nek omhoogkropen.

Tía streelde Marta's haar. 'Wees maar niet bang, kleintje. Ik plaagde je maar. Dat zijn gewoon de trommels van de Santero's. Ze spelen vanavond heel hard. Het is de oude muziek uit Afrika en de zwarte mensen denken dat zij speciale krachten heeft.'

'Wat voor krachten?' vroeg Alicia.

Tía dacht even na. 'Het zijn krachten die ik niet helemaal begrijp. Maar wanneer je bang bent als je de trommels hoort dan moet je het onzevader en het Wees Gegroet Maria opzeggen en bidden dat papa Dios je spaart. Je moet het steeds maar weer doen tot je in slaap valt. Kom, ga in je bed, dan zeggen we ze samen op.'

Marta kroop weer in haar bed en we trokken onze linnen lakens tot onze kin op en vouwden onze handen samen. We baden zachtjes en overstemden het slaan van de trommels, die diep en vol klonken zoals je zou verwachten dat het hart van de wildernis in het verre Afrika zou klinken. We probeerden het bedwelmende ritme te negeren, dat ons dwong in zijn exotische cadans te bidden.

'Onze Vader,' *(boem)* 'die in de Hemelen zijt' *(boem)*. 'Uw naam zij geheiligd' *(boem boem)*... Nog nooit hadden onze gebeden zo mooi geklonken. Ik wilde ze nog eens opzeggen, ze hardop zingen. Voor het eerst in mijn leven wilde ik dansen op het Wees Gegroet en mijn Amens zingen op die vreugdevolle mystieke glorie van de trommels. Opeens rende ik met blote voeten over de groene deken buiten, op zoek naar een wilde geest om me mee te nemen en me de manieren van de onderwereld te leren. De plek waar Beba me over verteld had moest mooi zijn, en slaap moest makkelijk komen op een plaats waar de dromen het ritme van de nacht volgden.

'Slaap lekker, mijn lieve *sobrinitas*,' hoorde ik tía Panchita zeggen terwijl ze het muskietennet dichtdeed en het licht uitknipte.

Vanaf dat ik een klein meisje was, had ik me afgevraagd hoe het zou zijn om vrouw te worden. Ik stelde me voor dat die transformatie geleidelijk zou plaatsvinden, net zoals een rozenknop zijn blaadjes een voor een opent, tot hij al zijn pracht openbaart. En toen ik mami en Beba vroeg of dat zo was, bevestigden ze dat, en gingen snel op iets anders over. Maar met Alicia ging het anders. Alicia werd vlak voor mijn ogen in één moment vrouw, en na die dag was ze nooit meer helemaal wie ze geweest was.

Het gebeurde de volgende ochtend, toen we op de zonovergoten veranda van tía Panchita zaten te babbelen in de warmte terwijl we naar de wespen keken die om de lege guarapo-glazen zoemden die nog op de treden stonden. Tía en Lola schommelden, dronken koffie en maakten opmerkingen over de ongewone hitte van die dag.

'Vandaag zullen we niet veel bezoekers krijgen,' zei tía, terwijl ze met toegeknepen ogen door haar beslagen brillenglazen de weg afkeek.

'Verstandige mensen blijven vandaag binnen,' was Lola het met haar eens.

Op dat moment zagen we het silhouet van een jongeman te paard vorm aannemen op de van hitte zinderende, stoffige weg. Hij zag eruit als een geest die in een bruine nevel rondzweefde. Eerst konden we niet goed zien of hij naar ons toe kwam, maar met een kleine beweging van zijn pols stuurde hij zijn kastanjebruine paard behendig het smalle pad op dat naar het huis voerde. Ook al wisten we niets van paarden en ook al zaten we nog zo ver van dit speciale dier af, toch wisten we dat het anders was dan alle paarden die we gezien hadden. Het was jong en vurig, het soort paard waarop alleen een ervaren ruiter rijden kon.

'Tony! Hola, Tony!' Lola kwam overeind uit haar schommelstoel en zwaaide met beide handen naar hem.

'Fijn dat hij er is, dat is al een tijdje geleden,' zei tía Panchita, terwijl ze de lege glazen verzamelde en een beetje opruimde voor deze nieuwe bezoeker, voor ons nieuw in ieder geval.

De jongeman dreef zijn paard tot vlak bij de balustrade en zwaaide met één soepele beweging zijn been over de rug en sprong eraf. Het kastanjebruine dier hief zijn grote hoofd protesterend op toen hij vastgebonden werd en niet bij het gras onder zijn hoeven kon. Zelfs ik kon zien dat dit een paard was dat moest bewegen en rennen, niet een paard om naar mensen te kijken die koekjes zaten te knabbelen. Ik was gefascineerd door zijn perfecte snoet en de pittige precisie van al zijn bewegingen, zo gefascineerd dat de ongelooflijke jongeman die hem bereden had, me eerst niet opviel.

Maar toen hij dat wel deed, lette ik niet langer op het paard. Tony was meer dan mooi. Zijn mulattohuid had de kleur van gebrand goud en ik dacht dat als ik met het puntje van mijn tong zijn wang zou aanraken, die naar honing zou smaken. Zijn lichte ogen hadden de kleur van de ondiepe zee waar het water van blauw in turkoois en dan weer in blauw verandert, en ze stonden dromerig, alsof hij plezierige gedachten had.

Hij sprong met twee treden tegelijk het trapje van de veranda op. Het was duidelijk dat hij zich prettig voelde en zich er niet van bewust was dat al zijn bewegingen een elegantie en kracht bezaten die gewone mensen niet hadden, en hij kuste Lola en tía Panchita hartelijk op hun wang. Ik weet niet meer wat hij zei, ik weet alleen nog maar dat zijn stem diep was, maar niet zo diep als die van papi, want er klonk een zoete toon in door die aangaf dat hij zijn jongenstijd nog niet helemaal ontgroeid was. Toch lieten de breedte van zijn schouders en de suggestie van zijn gespierde lichaam onder zijn kleding er geen twijfel over bestaan dat hij niet zo was als onze neven die net zo oud waren als hij, maar die we nog steeds met bemoedigend succes aankonden.

Hij had niet gezien dat we naar hem staarden en ik vond het prettiger hem van veilige afstand te bekijken, bang dat de eigenaardige sensaties die door mijn lichaam trokken, zichtbaar zouden worden. Een ongewone warmte had zich in het diepste deel van mijn buik genesteld en vloeide naar beneden om een prikkeling tussen m'n benen te veroorzaken die ik nog nooit gevoeld had. Het was het warme gevoel van als je op een leugentje betrapt werd, maar dan prettig en het deed denken aan het bedwelmende ritme van de trommels.

Alicia trok haar rok glad, streek met een hand over haar haren en liep regelrecht naar de volwassenen toe zonder een woord tegen Marta en mij. Tony zat met zijn rug naar ons toe gekeerd toen Alicia zich voorstelde en boven de vloeiende lijn van zijn brede schouder konden we haar gezicht zien.

Haar gezicht gloeide, haar lippen glansden rood, alsof ze net aardbeien had gegeten en niet de moeite had genomen haar mond af te vegen. Een paar lokken waren aan haar paardenstaart ontsnapt en omlijstten haar gezicht als gekrulde gouden linten. Haar goudgroene ogen liepen over van charme en zelfvertrouwen terwijl ze een hand op haar heup liet rusten en met de andere met een lok haar speelde die over haar schouder was gevallen. Ik had de zwelling onder haar bloesje nog niet eerder opgemerkt, of de manier waarop haar heupen wiegden terwijl ze meer gewicht op een been zette, zoals nu. Alicia was naar de andere kant van de veranda gelopen en vrouw geworden.

'Komen jullie Lola's neef eens begroeten,' riep tía Panchita naar Marta en mij.

We liepen schoorvoetend naar de andere kant van de veranda, maar mij wachtte het wonder van de transformatie niet. Ik voelde me ontzettend opgelaten toen Tony overeind kwam en me zijn hand toestak. Die was stevig en een beetje eeltig, en de combinatie van zijn aanraking en blik sloeg me met stomheid. Marta giechelde en vroeg hem dingen over zijn paard, terwijl ik probeerde eenzelfde vrouwelijke pose aan te nemen als Alicia, maar mijn sokken waren afgezakt en mijn bloesje, waarover tía me gezegd had dat ik het in moest stoppen, bobbelde uit m'n rokband en verborg zodoende effectief alles wat ik aan taille bezat. En toen Tony me toelachte en met een van die ongelooflijke ogen naar me knipoogde, voelde ik mijn knieën in pudding veranderen en mijn tong in lood.

'Tony, waarom waren de trommels gisteravond zo hard?' vroeg Panchita.

Tony's ogen schitterden van plezier. 'Was u bang, doña Panchita?'

'Zeker! Ik dacht dat de duivel zelf op m'n bed danste. Ik kon amper slapen.'

Hierom moesten Lola en Tony allebei lachen en ik zag dat Tony's tanden volmaakt recht en wit waren. Mami zei altijd dat zwarte mensen de beste tanden hadden van alle rassen. Ze zei ook dat mulattomensen het mooist van iedereen zijn omdat ze de beste trekjes van zwart en blank in zich verenigen.

'U hoeft niet bang te zijn. De duivel was gisteravond heel ver weg. Ze waren zich aan het opmaken voor de inwijdingsceremonie van vanavond.' Tony lachte nog steeds toen hij dit zei, en ook al sprak hij met tía, hij stond naar Alicia toe gedraaid.

'O, lieve god, dat betekent dat er vanavond weer getrommeld wordt! Ik moet nog wat koffie, goed en sterk dit keer.' Tía ging weg om de koffie te zetten en Alicia ging vlug in haar schommelstoel zitten.

Ze sloeg haar benen over elkaar en prutste aan de zoom van haar rok. 'Ben jij er vanavond bij?'

Tony's glimlach was zacht, en zijn stem was nog zachter. 'Ja zeker.'

'En wat doe je dan?'

'Ik dans met vrienden... we maken plezier.'

'Je bent vast een goeie danser.'

Tony's glimlach lichtte weer op en even leek hij zijn zelfverzekerdheid te verliezen toen zijn blik snel over Alicia gleed, van top tot teen, en even bleef dralen bij haar ontblote knieën, die in zijn richting wezen en die een heel klein beetje gescheiden waren. Er zou niet meer dan het fijnste papier tussendoor gehaald kunnen worden, maar ze waren gescheiden. Het gebeurde zo snel dat ik het bijna niet gemerkt had. Maar ik merkte het wel, en ook zag ik de lichte trilling van Alicia's hand toen ze een ontsnapte lok haar achter haar oor veegde.

Ik voelde me opeens schuldig, en wilde me omdraaien om naar Marta te gaan, die langzaam naar Tony's paard toe schoof toen tía Panchita terugkwam met een groot blad vol koekjes en drie koppen koffie. Tony kwam overeind en hielp haar met het blad en verontschuldigde zich toen omdat hij zaken te doen had in de stad, zei hij. Gelukkig maar, dacht ik.

Met een haastige groet en een laatste glimlach naar Alicia sprong hij weer op zijn paard en reed het pad af. Hij was bijna bij de weg toen Alicia een handvol koekjes pakte en ze haastig in een servet wikkelde. Ze sprong het trappetje af en rende achter hem aan, en ook al reageerde zijn paard een beetje schichtig, ze strekte zonder aarzelen haar hand uit om hem de koekjes aan te bieden. Toen hij ze aanpakte, liet ze niet meteen los, en hun handen raakten elkaar even aan. Ik zag dit ook, ook al deed ik net alsof ik me verbaasde over de paardenvijgen waarop Marta me wees en alsof ik luisterde naar haar gebabbel over het stro dat eruit stak.

Ik was blij toen ik het glanzende bronzen achterwerk van het paard, zijn als een bezem zwiepende staart, in de verte zag verdwijnen. En ik was opgelucht dat de eigenaardige gewaarwordingen die ik sinds Tony's komst had gehad, begonnen weg te ebben en ik mezelf weer was. Maar Alicia leek wel bezeten, en de rest van de dag werd ze heen en weer geslingerd tussen melancholie en uitgelatenheid. Ze liet Marta en mij links liggen en zat de hele middag met tía Panchita en Lola op de veranda, stelde hun onophoudelijk vragen over Tony. Hoe oud hij was, waar hij zo goed had leren rijden, wat voor zaken hij te doen had in de stad, hoe je de kleur van zijn ogen het best kon omschrijven. Hierover dacht ze zeker een uur na, en uiteindelijk kwam ze tot de slotsom dat ze de kleur van de hemel bij zonsondergang hadden, net voor de sterren zichtbaar worden.

Marta en ik probeerden haar over te halen tot een wandeling door de suikerrietvelden of een potje domino, maar ze wilde niet, en tuurde de weg af die Tony naar de stad genomen had.

Eindelijk, toen Alicia ervan overtuigd was dat ze alles wat er te horen viel van Lola en tía Panchita gehoord had, stond ze op van haar stoel, zuchtte hardop en drentelde het huis binnen, in zichzelf glimlachend en meeneuriënd met muziek die alleen zij kon horen.

'Ik geloof dat je nichtje verliefd is,' zei Lola, terwijl ze het laatste koekje van het blad pakte.

Tía Panchita knikte en kauwde nadenkend op haar eigen koekje. 'Geen twijfel mogelijk.'

Die avond zeiden we onze gebeden weer op bij het geluid van de trommels. Ze klonken dit keer luider, en ook sneller. Je kon je goed voorstellen hoe de dansers rond een enorm kampvuur wervelden, hoe hun reusachtige schaduwen zich tegen de bomen aftekenden, hoe de kralen om hun hals op en neer zwaaiden en het licht vingen als miniatuurplaneetjes in een jachtige baan. Ik zag hun hoofden voor me, omwikkeld met zakdoeken, sommige helemaal wit zoals die van Beba, die doken en zwaaiden op het hypnotiserende ritme. Zelfs vanaf deze afstand was het onmogelijk mijn tenen onder de deken niet te bewegen op die heerlijke beat die als een gewond hart zijn smeekbede uitte, smekend om bemind te worden, het leven inruilend voor de belofte van de verleiding. Geen prijs was te hoog voor een moment van zaligheid. Dat had Beba gezegd en zelfs al had ik amper begrepen waar ze het over had, het had me heerlijker dan wat ook in de oren geklonken.

Zodra tía de lichten uit had gedaan, werd Marta's ademhaling zwaar en regelmatig. Maar ik voelde dat Alicia nog wakker was en met ingehouden adem in het donker lag te wachten. Sinds Tony was weggegaan, was ik kwaad op haar en ik had haar geen antwoord willen geven toen ze me terwijl ze voor de spiegel stond vroeg wat ik mooier vond: haar haar in een paardenstaart of los over haar schouders. Ik keek naar haar bed, maar ze lag een eindje onder de enige manestraal die door de jaloezieën voor het raam naar binnen viel, en ik kon haar niet zien.

Ik sloot mijn ogen. Het geluid van de trommels glipte mijn dromen binnen en de woede begon met de belofte van een nieuwe dag weg te smelten. Morgen zou het vast weer zijn zoals altijd. Na het ontbijt zouden we op de veranda zitten en een nieuw spelletje verzinnen. Marta zou ons achternakomen in het suikerrietveld en tía zou ons waarschuwen dat we niet vuil mochten worden voor het geval er bezoek zou komen. De hoeken van mijn mond begonnen al omhoog te krullen tot een glimlach toen ik Alicia iets tegen me hoorde zeggen. Eerst dacht ik dat ik droomde omdat haar stem zo zacht was. Maar toen hoorde ik het weer, een wanhopig gefluister: 'Nora, ik ga erheen.'

Ik deed mijn ogen open en zag haar rechtop in bed zitten, haar gezicht glanzend in een smalle baan maanlicht, haar ogen groot van opwinding. Ze droeg de witte jurk die ze normaal op zondag naar de mis droeg.

'Waarom heb je die jurk aan?'

'Ik ga naar de trommels. Ik ga naar Tony.'

Ik geloofde het niet. Naar de trommels? Naar Tony? De grote deuren van het huis van tía waren afgesloten, allemaal. En de trommels... de trommels waren niet voor ons.

Ik wilde net bezwaar maken, toen ze naar me toe leunde en haar hand over mijn mond legde en ik de bittere smaak van het dure parfum van tía Panchita op haar vingers proefde. 'Stil, je hoeft niet te proberen me ervan af te houden. Ik moet Tony zien. Ik weet dat je het niet begrijpt.'

Ze had gelijk. Ik kon met geen mogelijkheid begrijpen wat haar bezielde om er in de avond op uit te gaan en haar leven in de waagschaal te stellen om deze man te ontmoeten, om welke man dan ook te ontmoeten. Ze was nog een kind. En toch, op dat moment, in het maanlicht met haar haren los op haar schouders, zag ze er opvallend volwassen uit. Het kwam niet door haar gezicht, of de ontluikende rijpheid van haar lichaam, maar door de uitdrukking in haar ogen: vastbesloten, zelfverzekerd en glanzend van een licht dat van binnenuit kwam.

Ze haalde haar hand van mijn mond. 'Ga je nu? Midden in de nacht?' fluisterde ik.

'Ik weet dat Tony er is. Je mag mee, als je wilt.'

Ik schudde mijn hoofd, ontzet bij de gedachte er in de nacht op uit te gaan. Dit ging verder dan dingen die gewoon verboden waren, dit was veel erger dan onze oude plannen om weg te lopen. Het was dodelijk voor de ziel. 'Ik... ik kan niet.'

Alicia schoof de dekens weg, streek haar rok glad en ik zag dat ze haar schoenen al aanhad, maar geen sokjes, en haar blote enkels weerspiegelden het maanlicht. Stil liep ze naar de deur die toegang tot de veranda gaf en tot het veld daarachter. Met haar handen op de zware houten plank wachtte ze even, toen lichtte ze hem handig op en zette hem zonder geluid te maken tegen de muur. Marta verroerde zich niet, ook al kraakten de vloerplanken en piepte de deur, die Alicia langzaam, nauwelijks merkbaar, opende.

Het tromgeroffel stroomde onze slaapkamer binnen. Alicia hield een ogenblik haar adem in voor ze over de drempel stapte en wegglipte, de nacht in.

Hoewel het warm en vochtig was, lag ik onder de dekens te bibberen, naar het leek uren. Ik bleef in bed, staarde met wijdopen ogen in het donker en bad vurig, een non had niet vuriger kunnen bidden. Ik liet de vaste gebeden die ik in de loop der jaren uit het hoofd geleerd had voor wat ze waren, maar sprak in mijn eigen woorden met God in een wanhopige smeekbede om hulp. Maar vooral lag ik naar de geluiden te luisteren die door de nacht naar binnen kwamen zweven. Waren dat voetstappen buiten? Was Alicia verstandig geworden en teruggekomen? Of waren de mensen die haar gevangen hadden op zoek naar nieuwe slachtoffers?

Ik sloot mijn ogen weer. 'Maak dat deze nachtmerrie verdwijnt, papa Dios,' bad ik koortsachtig. 'Alstublieft, maak dat hij verdwijnt en laat de zon opkomen boven de toppen van de groene bergen zodat we net als altijd *café con leche* kunnen drinken en domino spelen op de veranda.'

Maar het geluid van de trommels zwol aan tot wat ongetwijfeld het ritme van de dood was. Ze hadden Alicia gevangen en maakten haar klaar om geofferd te worden. Tony glimlachte en zijn spookachtig groene ogen glansden bij de aanblik van deze volmaakte prooi. Hoe kon ik hier gewoon maar liggen en dit laten gebeuren? Ik moest Alicia redden. Zij zou dat ook voor mij doen. Dat wist ik zeker.

Ik duwde de dekens van me af, dook onder het muskietengaas door en zocht met knikkende knieën onder het bed naar mijn pantoffeltjes. Uiterst behoedzaam liep ik naar de deur en stak mijn neus naar buiten. De lucht was koel en onheilspellend nu de wind van richting was veranderd en het geluid van de trommels in de lucht de bomen, de grond en elke grashalm doortrilde. Buiten op de veranda nam ik de nachtelijke schaduwen in me op. Alles was donker en mistig groen. Sterren overdekten de tropische hemel. Ik keek achterom de kamer in om me ervan te vergewissen dat Marta nog sliep en begon langzaam het trapje af te dalen. Ik had al twee treden genomen, ik wist dat er nog drie waren. En dan? Het grote veld lag voor me, met daarachter het groepje bomen dat zelfs in het daglicht somber was. En dáárachter lag San Nicolas, een zwart dorp waar Lola woonde, en Tony ongetwijfeld ook. Alicia had vast het zandpad door het bos genomen en als ik haar wilde vinden, dan moest ik mezelf door die zwarte leegte voor me laten opslokken.

Toen zag ik beweging. Zwart tegen zwart, het bewoog, veranderde van plaats. Kwam Alicia terug? Mijn hart sprong op bij de gedachte dat dat kon en bijna riep ik naar haar. Maar als het Alicia nu eens niet was, wat dan? Als het nu eens een van die boze nachtgeesten was waar Beba me over verteld had? Als we in de lichte, zonnige keuken uien en groene pepers sneden was ik niet bang, maar hier, in de klauwen van de nacht, terwijl iedereen sliep, zou het heel goed kunnen dat een boze geest me verslond.

Na enkele minuten daar aan de grond genageld te hebben gestaan, zag ik dat de beweging in het zwart steeds dichterbij kwam, op en neer bewoog op de bekende manier die me gerustgesteld zou hebben als ik niet verlamd van angst was geweest. Het was Alicia, die in gedachten verzonken liep, alsof ze schelpen op het strand voor zich uit schopte. Haar loshangende haar golfde in de nachtlucht, ving het licht van de sterren. Ze zag me niet en ik zou haar toegeroepen hebben op te schieten als ik niet bang was geweest Marta en tía Panchita wakker te maken.

Toen Alicia eindelijk opkeek, verstijfde ze en snakte ze naar adem. Toen drong het tot haar door dat ik het was en versnelde ze haar pas. Ik keek achter haar om te zien of iets of iemand haar volgde, maar ze was helemaal alleen.

'Waar bleef je zo lang?' Mijn angst sloeg om in woede.

Ze glimlachte zo'n beetje terwijl ze zei: 'Ik was bij Tony. Hij heeft me gekust.'

Haar lippen waren opgezwollen, alsof ze iets gegeten had waar ze niet tegen kon.

'Op je lippen?' vroeg ik ongelovig. Alleen volwassenen kusten elkaar op de lippen.

Alicia knikte en wreef in haar ogen. Ze liep langs me en deed achteloos de deur open, alsof ze terugkwam van een ontspannen dagje strand. Ze schopte haar schoenen uit, trok haar jurk over haar hoofd en liet hem in een hoopje op de vloer vallen. Toen kroop ze in bed en viel direct in slaap.

Ik sloot de deur weer af zonder geluid te maken, hing Alicia's jurk in de kast en liep op mijn tenen door de kamer om alles precies zo te zetten als het gestaan had toen tía het licht uitknipte, een eeuwigheid geleden. Ze zou nooit weten dat er iets gebeurd was. Alicia was terug, alles was in orde.

Toen ik wakker werd, kon ik aan de manier waarop de zon op de houten vloer scheen, vol en helder, zien dat hij bijna halverwege de hemel stond. De bedden van Marta en Alicia waren leeg en ik hoorde het geluid van borden en lepels in de keuken.

Ik schopte het muskietennet opzij en rende naar de keuken, waar ik tía en Lola aantrof, die zich net als altijd druk maakten om de koffie, de boter en het brood. Marta had haar ellebogen op tafel en zat lekker te knabbelen aan een dampende snee brood waar de boter vanaf droop.

'Waar is Alicia?' vroeg ik toen ik zag dat er voor haar niet gedekt was.

Tía keek me niet aan en Lola trok zwijgend mijn stoel onder de tafel vandaan en begon een stuk brood voor me te smeren.

'Je tío Carlos is haar vanmorgen vroeg komen halen,' zei tía uiteindelijk.

Ik was geschokt. 'Maar ze zou nog twee dagen blijven. Waarom moest ze zo snel weg?' De mogelijke antwoorden op deze vraag maakten dat de haren in mijn nek overeind gingen staan en ik propte mijn mond gauw vol met brood met boter.

Tía Panchita roerde energiek in haar koffie en schepte er toen drie theelepels suiker in, terwijl ik wist dat ze er maar één lustte. Toen het getinkel van het lepeltje verstomd was, keek ze me door haar dikke brillenglazen aan. Haar enorme ogen knipperden niet. Ik wist dat ik mijn vraag niet hoefde te herhalen en ik voelde me uiterst ongemakkelijk onder haar scherpe blik.

Ze nam een slok koffie en zette toen haar kopje kletterend op het schoteltje. 'Het was tijd dat Alicia naar huis ging.'

5

WEKEN GINGEN VOORBIJ ZONDER DAT IK IETS VAN ALICIA HOOR-
de. Steeds als ik mami vroeg of ik haar mocht bellen of naar haar
toe mocht, keek ze een andere kant op en mompelde iets over dat
ze ziek was, of dat ze de stad uit waren. Maar niemand ging tijdens het schooljaar de stad uit. Als ik haar daaraan herinnerde,
keek ze me aan zoals tía Panchita op de ochtend dat Alicia weggegaan was, alsof ze aan de hand van de manier waarop ik haar blik
beantwoordde mijn onschuld of schuld kon vaststellen. Ik door-
stond deze tests, maar het kostte me moeite, en ik durfde ze niet te
vaak te riskeren. Dus maakte ik me in stilte zorgen over Alicia en
vroeg me af wanneer ik haar weer zou zien.

Toen het kerstavond werd, had ik goede hoop. Op deze dag
kwam de hele familie altijd bij elkaar in het huis van tía Maria in
Havana om een varken te roosteren. We roosterden het boven een
grote kuil in de grond die gevuld was met gloeiende kolen en stenen. Er werd de hele dag gekookt en er werd 's ochtends meteen
mee begonnen. De mannen stonden buiten in een kring om het
varken heen, rookten sigaren, lachten en zeiden dingen die de
vrouwen niet mochten horen. Ik was nog geen vrouw, maar toen
ik ernaartoe liep om te kijken hoe het varken eruitzag, uitgespreid
als een kleedje, en om de verleidelijke geur van het varkensvet dat
op de gloeiende kolen siste op te snuiven, stootten ze elkaar met de
ellebogen aan en hoestten. Dit werkte als een soort code, waardoor ze beleefde opmerkingen gingen maken dat ik al zo groot
werd en dat papi straks als ik groter was problemen zou krijgen
omdat ik zo mooi was dat alle jongens langs zouden komen. Ik
luisterde niet echt naar ze, snoof alleen diep de lucht op en vroeg

of ik het varken met een stok mocht prikken, net als ik hen had zien doen.

De huishoudelijke hulp had die dag vrij gekregen, dus waren de vrouwen allemaal binnen en kookten de rijst, de zwarte bonen en de yucca met *mojo*-saus. Ze lachten en roddelden over wie er toevallig niet was, klaagden over hun mannen, of schepten over ze op, terwijl ze hun voorhoofd met de rug van hun hand afveegden en hun handen weer aan de schorten die hun modieuze jurken bedekten die speciaal voor de gelegenheid door de huisnaaisters gemaakt waren. Zij hielden niet op met hun gesprek als een van de mannen binnenkwam voor een koel biertje of een hapje zwarte bonen. Ze praatten zelfs een beetje harder en lachten ongegeneerd als hij schaapachtig op hun woorden reageerde.

'Ik ben in de minderheid,' zei hij dan, waarna hij zich haastig uit de voeten maakte. 'Trouwens, we hebben het erg druk daar buiten.'

Een van mijn lievelingsplekjes om de tijd door te brengen terwijl het feestmaal bereid werd, was buiten, bij Alicia's vader, tío Carlos. Hij zat graag op de veranda wat te tokkelen op zijn kleine gitaar terwijl de familie de oude Cubaanse liedjes meezong. Hij had een prachtige stem en expressieve ogen, die van droevig vrolijk werden naar gelang het liedje dat hij zong. Ik vroeg hem vaak waarom hij geen zanger was op de televisie, want hij zong beter en was knapper dan de sterren die ik daar zag. Dit leverde me altijd een van tío Carlos' schitterende glimlachjes op en de gelegenheid een verzoeknummer aan te vragen. En dan zong hij 'Piel Canela' alleen voor mij, wat me het gevoel gaf dat ik misschien toch echt mooi was.

Ik wist dat ik Alicia niet helemaal voor mezelf zou hebben. Er waren te veel andere neven en nichtjes die om haar aandacht vochten, die nieuwe verbintenissen smeedden die een paar uur of minuten later weer verbroken werden, en die alles deden wat ze konden om hun positie in de pikorde te handhaven of te verbeteren. Ik wist ook dat Alicia het populairste meisje in de familie was. De kleine meisjes wilden net zo zijn als zij, en de jongens waren verliefd op haar en wilden dat ze hen leuk vond, zelfs Juan, die de oudste was.

Gewoonlijk hinderde mij dat niet, maar sinds Tony's komst bij tía Panchita waren de dingen voor Alicia veranderd, op een manier die ik niet kon begrijpen. Ik wilde wanhopig graag met haar praten zonder door de anderen gestoord te worden. Als we eventjes alleen waren, zou ze me vast alles vertellen, zoals ze altijd had gedaan, en ik had me niet eerder zo bereid gevoeld te luisteren.

Terwijl we op de veranda van tía Maria wachtten tot de rest van de familie arriveerde, keek ik vooral uit naar de witte Chevy van Alicia. Juan, die officieus de baas was, besloot dat we tía Maria's schuur in de achtertuin moesten verkennen, waarvan werd gezegd dat de geest van tía's oudtante Carlotta er rondspookte. De deur was gewoonlijk afgesloten, maar dit keer was hij opengelaten nadat er extra stoelen uit de schuur gehaald waren voor het toenemende aantal gasten. De lucht gonsde van opwinding toen we onze plannen maakten. De hele dag lag voor ons en een groot deel van de avond. De kleintjes waren door het dolle heen en wachtten op instructies, ze wilden allemaal als eerste achter de ouderen aan die griezelkamer betreden.

Alicia en haar ouders kwamen pas in de middag opdagen. Het varken was al halfgaar en ik had ons bezoek aan de schuur weten uit te stellen tot Alicia er was, omdat het zonder haar lang zo leuk niet zou zijn. Juan en ik glimlachten allebei toen we hun auto zagen, maar toen Alicia uitstapte zag ze eruit alsof ze verbleekt was tot een oude zwartwitfoto, waarop mensen in de lens staren alsof ze al dood zijn.

Ze droeg een bruine jurk die bijna tot haar enkels kwam en haar haar was strak weggetrokken in een vlecht. Alicia had een hekel aan bruin. Ze hield van roze en lichtblauw en geel. Misschien had mami gelijk en was Alicia ziek geweest. Ze zag er eigenlijk uit alsof ze nog steeds een beetje ziek was. We zwaaiden opgewonden naar haar, maar ze hief amper haar hand op.

Toen ze bij het gezelschap op de veranda gekomen was, kwam iedereen om haar heen staan. Ik was niet de enige die naar haar verlangd had, en een paar minuten lang was haar glimlach van vroeger er weer, en schitterden haar ogen weer afwisselend groen en goud. Ze was nog net zo mooi als altijd.

Ik zag dat haar figuur weer meer op dat van een volwassen vrouw leek dan bij tía Panchita; de stijve stof van haar jurk zat strak om haar borsten. En de vingers waarmee ze onze kleine neefjes en nichtjes op hun bol tikte en de kipkroketjes aannam van mijn moeder, waren lang en elegant.

Mijn moeder drukte een stevige kus op haar bleke wang. 'We hebben je gemist,' fluisterde ze.

Alicia en ik vonden een ogenblik om elkaar onder vier ogen spreken na onze verkenningtocht in de schuur, die heel wat minder opwindend bleek dan we gedacht hadden. Zelfs Juan kreeg er genoeg van en nam nu stiekem als zijn vader even niet keek trekjes van diens sigaar.

We zaten op het trappetje van de veranda. De hitte van de dag werd verkoeld door de oceaanbries die langs de avenue kwam aanwaaien en om het grote huis wervelde, op zoek naar de heerlijke geur van het varken dat bijna klaar was. Alicia tikte met haar zwarte schoenen op een tree en keek met een afwezige uitdrukking op haar gezicht naar de straat.

Ik had altijd geweten hoe ik een gesprek met Alicia moest beginnen. Het was net zo gewoon als ademhalen. Maar dit keer was mijn hoofd leeg en mijn mond droog, en ik keek af en toe ongemakkelijk naar haar.

'Alicia...'

Ze keerde zich naar me toe. Haar ogen stonden afwezig en haar aandacht leek in beslag genomen door de grote gesp op haar schoen, die ze geconcentreerd recht begon te duwen.

'Wat is er gebeurd bij tía Panchita? Waarom ben je zo snel weggegaan?'

Alicia schudde haar hoofd. Haar ogen werden plotseling vochtig en in het glanzende laagje zag ik het licht als in een vergrootglas weerspiegeld worden. 'Ik mag er niet over praten,' fluisterde ze.

'Waarom niet?'

'Dat heb ik beloofd.'

'Aan wie?'

Alicia werd rood en haar ogen keken me weinig overtuigend aan. 'Aan God. Ik moest het aan God beloven.' Ze wendde zich af en begon nu met beide handen aan de gespen van haar schoenen te trekken.

'Heb je Tony nog gezien?' vroeg ik.

Alicia schrok op bij het horen van zijn naam, en werd toen heel stil. Als ik haar niet zo nauwlettend in het oog had gehouden, had ik het bijna onmerkbare schudden van haar hoofd niet opgemerkt.

'Ik wel,' zei ik. 'Ik heb hem vorige week nog gezien, bij tía Panchita.'

Haar stem was nog zachter dan een fluistering. Het was een voorbijgaande gedachte, die weggedragen werd door de oceaanbries die ons omgaf. 'Hoe gaat het met hem?'

'Dat weet ik niet. Hij kwam niet op bezoek. Ik zag hem langsrijden op zijn paard en hij zwaaide.'

Alicia knikte nauwelijks merkbaar, zonder me aan te kijken. En hoe ik ook doorvroeg, ze wilde verder niets zeggen over waar ze geweest was of over wat er met haar gebeurd was. Ze meed me de rest van de avond en bleef bij haar ouders in de buurt. Hoe kon ze in zo'n korte tijd zo veranderd zijn? vroeg ik me af. Mijn beste vriendin was verdwenen, of hield zich ergens onder een bruine jurk en een somber bleek gezicht schuil.

Ik zag Alicia twee zondagen later weer bij tía Maria thuis. Ze droeg dit keer een lange, donkerblauwe jurk met dezelfde zwarte schoenen en haar haar was uit haar gezicht weggetrokken en in elkaar gedraaid zodat er geen krul te bekennen viel. Maar ze zag er minder ernstig uit, en toen ze me zag lachte ze die vertrouwde, slimme lach die betekende dat ze iets leuks in gedachten had en wilde dat ik meedeed. Zo gauw ze de gelegenheid had, nam ze me mee naar onze rozenstruik.

Ze tastte in haar sokje en haalde een wit envelopje tevoorschijn. Ze stak het me plechtig toe, alsof het een communiehostie was. 'Als iemand ziet wat er in deze envelop zit... dan word ik voor altijd weggestuurd. Je moet me beloven dat je het absoluut aan niemand vertelt.'

'Wat zit erin?'

'Zweer je dat je het niemand vertelt?'

'Ja, echt.'

Alicia pakte mijn hand en stopte het envelopje erin. 'Dit is voor Tony,' zei ze. 'Je moet het hem de volgende keer dat je hem ziet geven. De volgende keer dat je naar tía Panchita toe gaat.'

'Waarom geef je het hem zelf niet?'

'Omdat ik daar nooit meer naartoe mag. Dat maakt deel uit van de afspraak.'

'Wat voor afspraak?'

'Dat zei ik toch al, ik heb God een belofte gedaan.' Alicia fronste haar wenkbrauwen zo sterk dat er een diepe rimpel in haar voorhoofd ontstond. Ik had nog nooit een meisje gezien met dat soort rimpels in haar gezicht.

Ik vouwde de envelop twee keer dubbel en propte hem in het zakje van mijn bloes, drukte hem toen plat tegen mijn borst zodat je er zo weinig mogelijk van kon zien. 'Maar is deze envelop voor Tony dan ook niet tegen je belofte aan God?'

Alicia wrong haar handen en keek zenuwachtig over de rozenstruik naar het huis. 'Ja,' fluisterde ze.

Ze deed haar best haar benen als een indiaan te kruisen, maar haar lange rok was te strak en daardoor moest ze met haar benen naar een kant zitten, als een dame. Ze vouwde haar handen en zag er meer dan ooit uit als een non. 'Lola was er die avond. Die avond toen ik wegging om Tony te zien. Zij zag mij, maar ik heb haar niet gezien.'

'Lola… heeft je met Tony gezien?'

Alicia knikte. 'De volgende dag, heel vroeg, heeft ze tía Panchita gebeld en haar alles verteld. Het was waarschijnlijk nog nacht, want tía heeft mijn ouders gebeld en die zijn meteen gekomen om me mee naar huis te nemen, voor er iemand wakker was. Ze hebben me laten nakijken door de dokter, zo'n oude man met een slechte adem en een roodgevlekte neus. Ik moest van hem op een tafel gaan liggen en mijn benen spreiden, zodat hij binnen in me kon kijken. En daarna hebben ze me weggestuurd en moest ik bij een priester en een stel nonnen blijven. We baden de hele dag en aten bonen en rijst en een beetje vlees. We gingen twee keer per dag naar de kerk en ik moest steeds maar aan de priester vertellen wat er tussen mij en Tony was gebeurd, maar ze geloofden me niet toen ik ze vertelde dat hij niet gedaan had wat iedereen dacht dat hij gedaan had. Hij heeft me alleen maar op m'n mond gekust en gezegd dat hij van me hield. Hij heeft zich niet aan me vergrepen, zoals zij zeiden.'

'Aan je vergrepen?'

'Je weet wel, als een man en zijn vrouw een kindje maken. Als ze seks hebben.'

Ik was geschokt. Hoe kon Alicia iets over seks ontkennen, terwijl ik nog niet eens precies wist hoe die daad verricht werd? Alicia, die mijn aarzeling zag, zuchtte. 'Als ze 's nachts samen in bed liggen, en getrouwd zijn, omdat ze getrouwd horen te zijn, dan stopt de man z'n *pito* in het gaatje van de vrouw, daar beneden. Er zit daar een gaatje, waar het bloed uit komt.'

Ik wist van mami over het bloed. Ze had gebloosd toen ik haar op een ochtend mijn met bloed bevlekte ondergoed had gegeven, ervan overtuigd dat ik stervende was. Maar ik was allang dertien geworden en sinds die dag was er toch geen bloed meer geweest, hoewel ik mijn ondergoed steeds aan een nauwgezette inspectie had onderworpen sinds ze verteld had wat het was. Ik was blij dat het niet nogmaals was gekomen, ook al had mami gezegd dat het betekende dat ik officieel een jongedame zou zijn.

Ik onderbrak Alicia. 'Ben jij al ongesteld geweest?' vroeg ik.

'Ja. En jij?'

Ik knikte. Ik schaamde me, maar wist niet precies waarom. 'Ze hebben me voor het aangezicht van God laten beloven dat ik nooit meer met Tony zou praten of met een man mee zou gaan, vooral niet met een zwarte man.' Alicia keek op. Schaamte omfloerste haar ogen. 'Ik kan niet precies uitleggen hoe ik me voel. Als ik aan hem denk, of zijn naam zeg, voel ik een vreemde pijn in mijn hart. Het geeft me het gevoel dat ik de gelukkigste mens ter wereld ben omdat ik hem gekend heb, en dan maakt het weer dat ik wil sterven. Ik heb zo hard gebeden dat dit gevoel weg zou gaan zodat ik me kan voelen zoals voor ik hem kende, maar ik kan niet ophouden met aan hem te denken. Daarom moet je hem deze brief geven. Wil je hem aan hem geven, Nora?'

'Als ze je weer betrappen, wat dan?'

'Dat kan me niet schelen.' Alicia trok snel in de aarde bij haar voet een paar cirkels en streek toen haar rok glad, waardoor er een klein spoortje aarde op achterbleef. 'Als je dat briefje niet aan hem geeft, dan moet ik weglopen en het hem zelf geven.'

'Nee... ik doe het wel,' zei ik snel terwijl ik Alicia in haar nauwe rok overeind hielp.

Toen we terugliepen naar het huis vroeg ik: 'Moet je die kleren altijd dragen?'

'Ik moet ze een jaar lang dragen, om ervoor te zorgen dat God me mijn zonden vergeeft. Dat heb ik beloofd.'

Ik schudde ongelovig mijn hoofd om al die beloftes als vuurvliegjes die in de nacht ronddansten en, net zoals de eden van Alicia, bij daglicht verdwenen.

Het duurde een paar weken voor het me lukte mijn belofte aan Alicia na te komen. Ik zat als een bezorgde schildwacht op de veranda van tía Panchita op Tony te wachten met de envelop, die al verkreukeld en bezweet was omdat hij voortdurend door mijn handen was gegaan. Deze dag alleen al had ik hem uit mijn la gehaald, in mijn zak gestopt, van mijn zak in mijn tas en toen weer in mijn zak. Ik wilde er dolgraag vanaf en hoewel ik Tony twee keer gedurende onze logeerpartij op zijn paard voorbij had zien rijden, zaten tía Panchita en Lola toen op de veranda en die zouden het gezien hebben als ik hem het briefje had gegeven. Maar nu hij deze derde keer voorbijkwam, kreeg ik mijn kans. Ze waren allebei naar binnen gegaan om het middageten klaar te maken en ik rende het verandatrappetje en het pad naar de weg af, haalde de brief onder het lopen uit mijn bloesje tevoorschijn en zwaaide ermee alsof het een witte vlag was.

Tony keek achterdochtig toen hij me op zich af zag komen rennen. Even dacht ik dat hij zijn paard tot galop zou aanzetten, maar hij wachtte en keek naar mij en mijn brief alsof het een geweer was in plaats van een eenvoudige witte envelop.

'Die is voor jou, van Alicia,' zei ik hijgend en zenuwachtig. Tony maakte geen aanstalten hem van me aan te pakken. Een dun adertje dat onderlangs de gladde bruine huid van zijn hals liep, klopte gestaag en zijn handen speelden met de teugels, die op zijn dijen rustten. Hij was ongetwijfeld de geweldigste jongen die ik ooit gezien had en op dat moment kon ik me heel goed voorstellen dat Alicia alles in de waagschaal stelde om weer bij hem te kunnen zijn.

Eindelijk stak hij zijn hand uit, bracht de brief naar zijn lippen en haalde diep adem. Toen glipte de brief uit zijn vingers en dwarrelde naar de grond; hij kwam terecht op het zand bij de hoeven van zijn paard. 'Zeg tegen je nichtje dat ze me niet meer moet schrijven, tenzij ze graag wil dat ik word opgehangen,' zei hij droevig maar berustend. Hij spoorde zijn paard met zijn hakken aan en wilde wegrijden. 'Ik kan trouwens niet lezen,' voegde hij eraan toe terwijl hij zich nog eenmaal omdraaide.

Ik gaf de volgende zondag achter de rozenstruik in tía Maria's tuin het stoffige envelopje aan Alicia terug. Ze smeekte me om alle bijzonderheden van de ontmoeting te vertellen, wat Tony precies gezegd had, zijn gezichtsuitdrukking, de kleding die hij aanhad, en toen moest ik het allemaal opnieuw vertellen, minstens drie of vier keer.

'Denk je echt dat ze hem zouden ophangen?' vroeg ik.

De diepe rimpel in haar voorhoofd kwam weer terug toen ze naar de afgewezen envelop keek. 'Denk je echt dat hij niet kan lezen?'

6

I<small>K HOORDE DE TROMMELS WEER IN MIJN SLAAP</small>. D<small>E ANGST DIE</small>
ik bij tía Panchita thuis had gevoeld, nestelde zich met een zware,
alarmerende bons in mijn hart. Ik lag te wachten op de terug-
komst van Alicia na haar ontmoeting in het bos met Tony. De tijd
stond stil en ik huiverde terwijl ik in de ijle lucht om me heen naar
adem snakte. Ik was haar voor altijd kwijt en ik zou met klappe-
rende tanden een verhaal over wat er gebeurd was bij elkaar moeten liegen. Erger nog, ik zou verder moeten leven in de wetenschap
dat ik haar had kunnen redden.

Maar dit keer was het anders. Het geluid van de trommels was
dieper en in plaats van het verlokkende ritme dat mijn tenen deed
bewegen ook al was ik bang, was het een onregelmatig gedreun
dat me wakker deed schrikken.

Ik was niet bij tía Panchita, maar in mijn eigen kamer op zes-
hoog in Havana. De trommels hoorde je nooit in de stad, alleen in
de diepe bossen aan de rand van de stadjes, waar zowel op de
plantages als in de achtertuinen het suikerriet hoog stond. En het
geluid dat de ramen in hun sponningen deed trillen was anders
dan wat ik ooit van de trommels had gehoord. Het was een diep
geluid, alsof er iets explodeerde, en het verspreidde zich over de
stille stad. Ik was verstijfd van angst en durfde mijn bed niet uit te
gaan om door het raam de nacht in te kijken.

Het lichtknopje in de gang klikte en mijn kamer gloeide op in
het zachte licht dat onder mijn deur door scheen. Mami's pantoffeltjes klakten de gang door. Ze deed eerst de deur naar Marta's
kamer open en sloot hem direct weer. Marta sliep altijd door alles
heen. We grapten altijd dat een tornado haar ramen open kon bla-

zen en haar kon optillen en naar buiten zwiepen zonder dat ze wakker zou worden en dat ze zich de volgende ochtend zou afvragen wat er gebeurd was als ze merkte dat ze tussen de bomen op straat lag.

Mijn deur ging langzaam open. 'Nora, ben je wakker?'

'Wat is dat voor geluid, mami?'

'Het is in orde, het is ver weg.'

'Maar wat is het?'

Mami kwam binnen en ging op de rand van mijn bed zitten. In het schemerlicht zag ik dat het fijne rimpeltje tussen haar wenkbrauwen dat verscheen als ze zich druk maakte over eenvoudige dingetjes als wie ze voor haar volgende dineetje moest uitnodigen, of of Marta en ik met Pasen dezelfde kleur jurk moesten dragen, een diepe groef was geworden. Ze koos haar woorden met zorg. 'Ergens in de stad laten boze mensen bommen ontploffen.'

'Waarom?'

'Ze willen een andere regering.'

Ik ging overeind zitten; ik voelde me veiliger nu zij in de kamer bij me was. 'Heeft het te maken met wat papi gisteren zei, over die mensen die vermoord waren?'

'Misschien.' De rimpel bewoog en werd iets lichter. 'Die waren ook tegen de regering. Er zijn veel mensen die Batista weg willen hebben, begrijp je? Ze willen vrije verkiezingen.'

Dit wist ik van flarden van gesprekken die ik door de jaren heen had opgevangen en onthouden, als de grote mensen ruzieden op het terras, debatteerden aan de eetkamertafel tijdens de koffie, of als papi en mami in de auto met elkaar praatten. Iedereen die we kenden was tegen Batista en wilde een nieuwe, betere regering. Ze hadden het al zo lang ik me kon herinneren over revolutie en vrije verkiezingen gehad, maar er was nooit echt iets gebeurd. Nu leken er allerlei dingen te gebeuren, beangstigende dingen.

'Willen jij en papi Batista ook weg hebben?'

'Niet op deze manier. Vrije verkiezingen zoals in de Verenigde Staten, dat willen we. Ga nu maar weer slapen.'

Ik zag aan de manier waarop ze op de binnenkant van haar wang beet dat ze er niet meer over wilde praten. 'Je moet morgen naar school. Je bent hier veilig, en daar ook.'

Ze kuste me op mijn voorhoofd en sloot de deur achter zich. Ik hoorde weer een dreun in de verte, maar het waren niet langer de geluiden buiten die me wakker hielden. Het was het vage, steeds veranderende beeld van mijn moeders gezicht, met een glimlachje dat om haar lippen speelde terwijl ze me probeerde te troosten. Ze deed alsof ze sterk was, in plaats van dat ze gewoon sterk was, zoals ik haar kende, en hierdoor maakte ik me op een nieuwe manier zorgen.

Ik sloot mijn ogen en vroeg me af of Alicia de explosies vanuit haar huis kon horen. Lag ze net zoals ik in bed te bibberen? Nee, zij hing waarschijnlijk uit haar raam, viel er bijna uit, terwijl ze haar hals strekte om te zien wat er gaande was. Als Alicia hier was geweest, had ze er een avontuur van gemaakt. We waren geheime spionnen geweest die ons land wilden redden van Batista, beeldschone heldinnen die maar met onze vingers hoefden te knippen om de revolutionairen met onze slimheid en schoonheid te laten doen wat we wilden. En na een nacht van avonturen vol doodsverachting zou alles 's ochtends stil en rustig zijn. Op de keukentafel zou *café con leche* op ons staan te wachten en vers brood en boter, en Beba zou haar brede glimlach tonen met tanden zo wit als suikerklontjes en ons vertellen dat het weer een prachtige dag zou worden.

Toen Marta en ik uit school kwamen, troffen we Alicia en tía Nina op onze bank in de huiskamer aan. Ze waren nog nooit eerder op een doordeweekse middag bij ons op bezoek gekomen. Wat nog vreemder was, was dat papi thuis was, hoewel het uren eerder was dan de normale tijd dat hij uit kantoor thuiskwam. En in plaats van haar schooluniform droeg Alicia een strakke, witte driekwartbroek bij haar instappers en een gele sweater, duidelijk vrijetijdskleding. Tía Nina zag er ziek uit. Haar haar zat in de war en pieken ontsnapten aan haar haastig in elkaar gedraaide wrong. Haar roodomrande ogen dwaalden rusteloos door de kamer zonder zich op iets speciaals te richten en ze speelde met een onaangestoken sigaret. Ze frummelde aan een aansteker, gooide hem toen met de sigaret op tafel en begon met haar hoofd in haar handen te snikken.

Papi ging naast haar op de bank zitten, stil en in gedachten verzonken. Mami kwam haastig de keuken uit toen ze de snikken van tía Nina hoorde. In haar handen rinkelde een kopje hete thee en ze vertrok haar gezicht toen ze er een beetje van morste en haar vingers brandde.

'Hier word je rustig van,' zei ze terwijl ze het kopje voor tía Nina neerzette. Toen wierp ze op ons de blik die ga-zitten-en-hou-je-mond betekende, dus we lieten onze schoolboeken vallen en gingen ter plekke op de grond zitten. Marta en ik waren altijd heel gehoorzaam als we bang waren.

Ook Alicia's ogen waren opgezet van het huilen, maar ze hield haar handen netjes in haar schoot gevouwen en glimlachte zwakjes toen ze ons zag. Ze wilde iets zeggen, maar Marta en ik wisten allebei dat we stil moesten zijn en alleen maar moesten luisteren, omdat we anders naar onze kamers verbannen zouden worden. Ik zag dat Beba steeds haar hoofd om de keukendeur stak terwijl ze het avondeten klaarmaakte, in een poging te horen wat er gaande was. Haar ogen schitterden van woede en ze schudde regelmatig vol weerzin haar hoofd en gaf luid mopperend blijk van haar afkeuring van de hele situatie.

Tía Nina nam bibberig een slokje thee. Het kopje en schoteltje rinkelden de hele weg naar haar lippen toe en weer terug naar de tafel. Toen vertelde ze het verhaal dat ze al de hele dag vertelde, alsof ze het zelf maar amper kon geloven. 'De zon was nog niet op toen ze hem kwamen halen. Heus, hij had amper tijd om z'n kleren aan te trekken.' Tía Nina's blik viel op Marta en mij, en ze zweeg even omdat ze ons niet eerder had opgemerkt; toen wendde ze haar ogen af en ging verder. 'De politie is vijftien, misschien twintig minuten daarna gekomen.'

'Wat hebben ze precies gezegd?' vroeg papi. Zijn gezicht was koud, zijn ogen waren donker van een angst die ik nooit eerder gezien had. Papi was nooit bang; hij was soms kwaad, of ongeduldig, maar nooit bang.

'Ze verdenken hem van betrokkenheid bij die explosies van vannacht, maar hij is de hele nacht bij mij geweest. Hij is het huis niet uit geweest. Ze wilden weten waar hij nu was en ik heb ze gezegd dat ik dat niet wist... en ik weet het ook niet, zo is het.'

Papi streek met een bevende hand door zijn haar. 'Hoe minder je weet, hoe beter, Nina.'

'Mijn god, zullen ze hem doden als ze hem vinden?' Tía Nina zakte achterover op de bank en kwam daarbij bijna op papi terecht. Hij sprong op en keek kwaad naar mami, alsof hij verwachtte dat zij iets zou doen.

Beba stak haar hoofd om de keukendeur. 'Het zijn ordinaire misdadigers en ze zouden doodgeschoten moeten worden,' schreeuwde ze voor ze weer verdween. Ik hoorde haar mopperen in de keuken terwijl ze lawaaierig met potten en pannen in de weer was.

Mami knielde bij tía Maria neer en streek haar haar zachtjes glad. 'Alles komt in orde, Nina. We zullen allemaal bidden. Alles komt goed.'

Alicia pakte de hand van haar moeder. 'Papi kan wel op zichzelf passen. Huil nou maar niet meer.'

'Ze heeft gelijk, Nina. Carlos kan op zichzelf passen, dat heeft hij altijd gedaan,' zei papi met een overtuiging die geruststellend was. Maar ik kon zien aan de manier waarop zijn blik zich naar binnen richtte en zijn kaken verstrakten dat hij over dingen dacht die hij hier niet ter sprake kon brengen, dingen die tía Nina nog bezorgder zouden maken.

We bleven de rest van de dag in mijn slaapkamer. Het was een stralende middag en de lucht was blauw als altijd; vanaf het balkon zagen we de oceaan net zo speels schitteren als anders. Maar een ongewone rust had zich meester gemaakt van de straat beneden, alsof alles niet was wat het leek. Het constante geronk van de auto's op de brede avenue was afgenomen tot een incidenteel geluid. De explosies van de afgelopen nacht hadden veel mensen thuis gehouden en de vrolijkheid die hoorde bij de straten in Havana was er niet. Het was zo stil dat we de vogels op de daken konden horen en af en toe het belletje van iemand beneden die *tamales* of suikerrietsap verkocht. Maar zelfs hun geroep klonk anders. Alsof ze er niet in geïnteresseerd waren iets te verkopen, maar naar huis wilden naar hun gezin voor het geval dat door de explosies op straat overvallen was.

'Als Batista mijn vader pakt, dan vermoordt hij hem,' zei Alicia op zakelijke toon terwijl ze op mijn bed zat. Haar blote voeten bungelden heen en weer. Ik zag de gebarsten vlakjes roze nagellak op haar teennagels. Sinds wanneer lakte ze haar nagels? Er was nog lang geen jaar voorbij sinds ze al die beloftes aan God had gedaan.

Marta slaakte een zucht van afgrijzen terwijl Alicia doorging. 'Ze zullen hem vermoorden, net zoals ze die andere mannen vermoord hebben. Daarom moest hij zich verbergen. En als Batista weg is, kan hij weer tevoorschijn komen.'

'Sommige mensen zeggen dat hij nooit weg zal gaan,' zei ik.

'Dan ga ik papi in de bergen opzoeken en blijf ik bij hem wonen.'

Het was akelig om aan tío Carlos in zo'n hachelijke situatie te denken. Ik stelde me hem voor terwijl hij op zijn gitaar zat te tokkelen en Cubaanse volksliedjes voor zijn kameraden zong, ondertussen grappen vertelde terwijl iedereen lachte en hem op zijn rug sloeg en sigaren in zijn borstzak stak omdat hij zo knap was, en zo leuk om bij je in de buurt te hebben. Het was moeilijk je voor te stellen dat hij iets zo ernstigs deed dat hij zich voor de politie verborgen moest houden. Zelfs als hij serieus was, wat niet vaak voorkwam, lachten zijn ogen nog. Hij zou niet gevangengenomen worden, daar was ik zeker van. Hij kon overal doorheen glippen met zijn gladde humor waarmee hij iemand helemaal kon inpakken, en er nog een doos sigaren aan overhouden ook. En Alicia wist dit beter dan ik en daarom was ze niet bang.

Maar tía Nina ontbrak dat vertrouwen. De dagen gingen voorbij zonder bericht en haar wanhoop verdiepte zich. Ze werd zo mager dat haar mooie jurken om haar schouders hingen alsof ze nog op de kleerhanger zaten. Ze sprak met een bevende stem en rookte zoveel dat haar vingertoppen donkergeel begonnen te worden. We zaten aan tafel en aten het heerlijke eten dat Beba bereid had, kip en gebakken banaan, yucca met *mojo*, de beste *flan* in heel Havana, en tía Nina nam geen hap. Beba schudde haar hoofd als tía Nina het vlees en de aardappelstoofpot, haar lievelingskostje, doorgaf en mompelde dat ze geen trek had.

Uiteindelijk werd er besloten dat tía Nina weg zou gaan, een heel eind uit de buurt van Havana, zodat haar zenuwgestel kon genezen, en Alicia zou bij ons blijven zodat ze naar school kon blijven gaan. Sinds onze logeerpartij bij tía Panchita hadden we niet zo veel tijd samen doorgebracht. Nu keken we naar onszelf in de spiegel terwijl we naar platen van Elvis luisterden en net deden of we op weg waren naar geweldige feesten waar we de meest fantastische jongens zouden ontmoeten die meteen verliefd op ons zouden worden omdat we zo ongelooflijk mooi waren en geweldig konden dansen. Marta, die nog steeds alleen al blij was als ze mee mocht doen, speelde meestal de rol van de oude chaperonne die met ons meeging naar onze afspraakjes en ons berispte als we de jongemannen toestonden onze hand vast te houden of ons op de wang te kussen. Alicia en ik speelden om de beurt de rol van de jongeman, en ik vermoedde, hoe ik mijn rol ook speelde, dat ze me altijd als Tony zag. Het was steeds Tony die haar vroeg met hem te dansen, Tony die met zijn rivalen vocht als het tijd was naar huis te gaan. Een keer, toen ik deed alsof ik door een andere jongen in elkaar geslagen was en om genade smeekte, wees Alicia me terecht. 'Tony zou zich nooit zo gewonnen geven,' zei ze. Het spel duurde uren en omvatte de meest fascinerende variaties, en de magische betovering bleef bij ons, ging met ons mee naar de eettafel, met mami naar buiten om boodschappen te doen, zelfs naar school. Ik deed met plezier mijn schoolwerk omdat ik wist dat ik 's middags beloond zou worden met Alicia's heerlijke gezelschap.

Drie maanden gingen voorbij en nog steeds was tío Carlos niet terug. We hoorden af en toe explosies midden in de nacht, en ook wel overdag, maar nu waren we gewend aan het gedreun dat me de eerste keer dat ik het gehoord had zo had beangstigd. Het stond de gewone gang van zaken op school, met huiswerk, eten en meisjesgeklets, niet in de weg. Integendeel, het gaf ons het gevoel dat we onoverwinnelijk waren. Als we het puin tegenkwamen dat de afgelopen nacht door een ontploffing veroorzaakt was, waren we eerder geboeid, niet bang, alsof we langs de ruïnes van een of andere antieke stad liepen en niet de apotheek waar we zo veel jaar langs waren gelopen. Maar mami werd er zenuwachtig van en versnelde haar pas zodat we haar amper bij konden houden, en achter haar zonnebril waren haar ogen vochtig van de tranen. Ik wist dat ze niet wilde dat Alicia haar zag huilen, uit angst dat ze zich daardoor zorgen zou maken over tío Carlos, dus vroeg ik haar niet wat haar scheelde.

Alicia sprak over de telefoon nog steeds iedere dag met haar moeder, en op een middag, bijna vier maanden nadat ze bij ons was komen wonen, hing ze met een nogal somber gezicht op. Ze sprong op het bed en ging met gekruiste benen zitten. 'Mami komt volgende week terug en dan moet ik naar huis.' Het telefoontje had een boeiende les onderbroken: Alicia en ik waren bezig Marta over de bloemetjes en de bijtjes te vertellen. Die les was begonnen toen Marta had opgeschept dat ze al twee keer ongesteld was geweest. Het was waar dat Marta, die nu twaalf was, zich tot een jonge vrouw begon te ontwikkelen en ze had haar bloesje opengeknoopt en ons de kleine knopjes op haar borst laten zien om dat te bewijzen. Maar toen Alicia als antwoord haar eigen bloesje opendeed, werden Marta en ik met ontzag vervuld.

Haar borsten werden bedwongen in een echte, functionele beha die leek op het ingewikkelde ondergoed van mami dat ik in de badkamer had zien uitdruppen. Het waren de borsten van een volwassen vrouw, niet als die van mij, die plezierig aan het zwellen waren en hun plekje wisten, verstandige kleine heuveltjes die nog makkelijk in de wereld van 'één maat, past altijd' in toom gehouden konden worden. Toen Alicia haar beha openhaakte, waren we perplex, geschrokken zelfs, door de omvang van haar tepels, grote roze schotels met heuveltjes van rozijnen erop. Ik zag al die kinderen al voor me die hier lekker aan konden zuigen, en die dik en sterk en gezond zouden worden.

Marta deed zedig haar bloesje weer dicht. 'Wauw,' zei ze, duidelijk onder de indruk. 'Doet het pijn als ze zo groot worden?'

Alicia deed haar beha weer vast en knipoogde naar me. 'Helemaal niet, toch, Nora?'

'Laat die van jou eens zien,' zei Marta. 'Wij hebben de onze laten zien. Nou moet je die van jou aan ons laten zien.'

Ik werd rood en mijn handen vlogen in een verdedigend gebaar naar mijn borst. Ik had ze met alle genoegen onthuld, als er niet vóór mij die wonderbaarlijke voorstelling was geweest. Opeens was ik weer een klein meisje dat net deed alsof ze de krant kon lezen.

'We zullen niet lachen,' zei Alicia vriendelijk.

'Weet ik...'

'Ik heb je *tetas* trouwens al gezien,' zei Marta terwijl ze met haar hand door de lucht zwaaide. 'Wat kan het je schelen?'

'Ze hoeven niet groot te zijn om er mooi uit te zien,' zei Alicia. 'Juan heeft me verteld dat sommige mannen het mooier vinden als ze niet te groot zijn.'

Neef Juan? Praatte Alicia met onze neef Juan over zoiets? En wat maakte het uit wat mannen al dan niet mooi vonden? Als ik merkte dat een man naar me keek, dan kromp ik al in elkaar van verlegenheid. Als hij iets waagde te zeggen als: 'Zo jong en fris als een roosje' of 'Jouw lach is stralender dan de zon', wilde ik hem toeroepen dat hij me met rust moest laten.

Mami zei dat mannen altijd dat soort dingen, of erger, zeiden en dat ik mijn ogen gewoon afgewend moest houden en ze moest negeren. Natuurlijk waren de blikken en opmerkingen als Alicia naast me liep altijd voor haar bestemd. Ik had haar er zelfs een keertje op betrapt dat ze teruglachte naar een bijzonder aantrekkelijke jongeman die haar een complimentje maakte over haar zandloperfiguur. Ik kon zien dat ze ook iets wilde zeggen en dat waarschijnlijk ook gedaan had als mami en ik er niet bij waren geweest. Misschien had tía Nina Alicia nooit geleerd hoe ze zich als een dame moest gedragen. Maar toen ik Alicia zei dat ze niet naar de mannen moest kijken die dingen tegen haar zeiden, gaf ze mijn schouder speels een duwtje en lachte ze. 'O Nora, misschien had je toch non moeten worden.'

Tío Carlos dook een paar weken later weer op, mager en nerveus, maar niettemin in een heel goed humeur. Batista was voorgoed uit Cuba vertrokken, weggejaagd door een knappe man met een dikke, zwarte baard.

Daarna waren Fidel Castro en de Revolutie het enige waar de mensen nog over praatten. Natuurlijk hadden we allemaal al eerder van hem gehoord. Hij had al jaren met een paar mederebellen in de bergen gevochten, maar niemand had er veel acht op geslagen. Nu was elke keer dat je de tv aanzette Fidel erop. Als je het andere net koos, was hij er ook. Als je de radio aandeed, was Fidel er nog steeds en hield hij een redevoering over het nieuwe Cuba, dat sterker en rijker zou worden en op het Amerikaanse continent de plaats zou innemen waar het recht op had.

Het klonk allemaal heel goed en wat ze te horen kregen stond de volwassenen in de familie grotendeels wel aan. En papi was zo blij dat tío Carlos terug was dat dat volgens mij maakte dat ze het eindelijk eens een keertje met elkaar eens waren. Ze stonden tijdens Fidels redevoeringen als soldaten in de houding rond de tv. Papi was vooral tevreden met de belofte om het proces van vrije, democratische verkiezingen weer te herstellen. Tío Carlos was gewoon dol van vreugde dat Batista weg was, en dat hij er iets mee te maken had gehad, hoewel hij erg geheimzinnig deed over hoeveel hij ermee te maken had gehad.

'Niets kan erger zijn dan die klootzak,' zei hij keer op keer; zijn ogen lachten en uit zijn borstzakje stak altijd wel een sigaar.

En ondertussen stond Beba in de deuropening van de keuken, sloeg het allemaal met over elkaar geslagen armen gade en schudde afkeurend haar hoofd met de witte tulband. 'Ik krijg een slecht gevoel van die man.'

'Van Castro? Waarom?' vroeg ik.

Ze keek me met achterdochtig samengeknepen ogen aan, zoals ze deed als ze dacht dat ik stiekem een lepeltje van de *flan* voor het dessert had genomen. 'Iemand die zo lang kan staan spreken... daar moet toch iets mis mee zijn.'

Het enige wat ik wist was dat het geknal afgelopen was en het enige waar ik me druk over maakte was mijn huiswerk, plannen voor het weekend, en of papi en mami het goed zouden vinden dat ik mijn benen schoor, zoals de andere meisjes deden.

'Je bent te jong om je benen te scheren,' zei mami.

'Mijn benen zijn net zo harig als die van papi, en al de andere meisjes scheren ze ook.'

74

'Goed, maar niet verder dan je knieën, begrepen? Alleen straat-meiden scheren hun benen boven hun knieën.'

Weer zo'n regel die ik niet begreep. Maar ik was allang blij dat mami weer aandacht aan mijn uiterlijke verzorging besteedde. Het leek erop dat het eindelijk weer allemaal gewoon werd.

7

ALICIA EN IK ZOUDEN NAAR ONS EERSTE OFFICIËLE BAL GAAN, in de Varadero Beach Club. Abuela koos onze jurken uit en kwam er op een middag mee aan toen we met abuelo cola dronken die schuimde van de gezoete, gecondenseerde melk. Marta keek kwaad toen ze de dozen zag; voor haar zat er geen jurk bij omdat ze nog te jong was om naar een bal te gaan.

'Wees maar niet verdrietig. Wij gaan samen pret maken, Martica,' zei mijn grootvader, terwijl hij haar in haar arm prikte. 'Als zij op dat domme bal zijn, neem ik je mee voor een nachtelijke zwempartij. Heb je ooit 's nachts in de oceaan gezwommen?'

Marta schudde haar hoofd, haar belangstelling was gewekt, maar ze pruilde nog.

'Het is betoverend. De maan verlicht het water met een zilveren glans en de...'

'Jij gaat geen nachtelijke zwempartij met dat kind houden, Antonio,' onderbrak abuela hem, terwijl ze rommelde met dozen en boodschappentassen. 'Het is veel te gevaarlijk.'

'Goed, dan moeten we het maar bij een wandeling en een ijsje houden.'

Marta keek verlangend naar de dozen en het vloeipapier dat rondvloog. Abuela haalde een blauwgroene jurk tevoorschijn, de kleur van de oceaan bij zonsondergang, en hield hem Alicia voor, die speels met haar wimpers knipperde. Ogenblikkelijk namen haar ogen dezelfde mistige zeekleur aan en haar haar viel glanzend als de zon in gouden golven over haar schouders. We keken zwijgend naar haar, en alleen omdat we aan haar schoonheid, die met de dag betoverender werd, gewend waren, stonden we niet versteld. Ik twijfelde er niet aan dat ze het mooiste meisje op het bal zou zijn. Ze was altijd het mooiste meisje, waar ze ook heen ging. 'Ik wist wel dat die kleur haar perfect zou staan,' zei abuela, tevreden met haar keuze. 'En nu Nora.' Ze deed de tweede doos open, die een tere, crèmekleurige jurk bevatte, met een geborduurde lichtblauwe sjerp. Naast die schitterende jurk van Alicia zag hij er afschuwelijk gewoontjes en kinderachtig uit. Meer als een jurk voor je eerste communie dan als een volwassen jurk voor een bal. Ik kon wel huilen toen ik hem zag, maar ik wilde abuela niet kwetsen. Ik zag dat ze ook deze jurk prachtig vond.

Ik zag al voor me hoe we samen naar het bal zouden gaan. We zouden onze entree maken in de hal, gechaperonneerd door abuela, en Alicia zou omstuwd worden door alle jongens in de zaal. Ze zouden op mijn witleren schoentjes trappen in hun wanhopige pogingen om hun naam ergens in haar balboekje te krijgen, terwijl abuela me naar voren zou duwen en zou proberen de jongens te lokken, als een straatventer die overrijpe mango's verkoopt.

'Deze lichte kleur zal je prachtig staan,' zei abuela, maar voor mij waren er geen blikken zoals er voor Alicia waren geweest, niet een moment waarop de tijd even stilstond voor mijn schoonheid. Abuelo zette de dominostenen al op voor een potje met Marta en Alicia was bezig de lengte van haar jurk te controleren, die tot net boven haar welgevormde kuit kwam.

'Trek hem eens aan,' zei abuela. 'Ik was niet helemaal zeker van je maat, zoals bij Alicia. Nu hebben we nog tijd om hem te vermaken, als dat nodig is.'

'Hij past vast prima.' Ik liet de jurk weer in het vloeipapier zakken, ik wilde hem niet meer zien. Ik moest naar buiten, de zon en de wind in, weg van dit beschamende podium waar ik altijd op de tweede plaats kwam. Ik begreep niet waarom dit soort dingen me opeens iets konden schelen, maar voor het eerst wilde ik mooi zijn en de bewonderende blikken van jongens trekken, en de macht van mijn eigen vrouwelijkheid voelen. Ik wilde mijn benen kruisen en de wereld vangen met de buiging van mijn enkel, zoals ik Alicia had zien doen toen we op de bus naar het centrum wachtten. Ik wilde net doen of ik niet merkte dat iedere man langs wie ik liep zijn adem even inhield in de hoop mij ooit te bezitten.

Ik mompelde snel een verontschuldiging en liet abuela staan, met mijn crèmekleurige jurk over haar arm. Mijn voeten groeven zich diep in het zand terwijl ik over het strand naar de oceaan beende. Ik schopte mijn sandalen uit en stapte het warme water in, bewoog mijn tenen op en neer in het zachte zand. Ik verlangde naar een lange, louterende zwempartij, maar dat hield in dat ik terug zou moeten naar het huis voor mijn badpak, en ik wilde nu niemand onder ogen komen. Het enige wat nog beschamender was dan tweederangs te zijn, was te laten merken hoe erg ik het vond.

Alicia's tenen verschenen naast de mijne, roze tenen die naast mijn bruine op en neer bewogen.

'Waarom ben je zo kwaad, Nora?'

Ik bleef naar mijn tenen kijken, nu verborgen onder tien kleine bergjes fijn zand.

'Omdat je je jurk niet mooi vindt, toch?'

Weer bleef ik zwijgen.

'Je mag de mijne hebben, als je dat wilt. Tenminste, als je die mooier vindt.'

Ik deed een stap achteruit en ging bij de waterrand zitten. 'Nee. Jouw jurk is mooi bij jou. Ik krijg er alleen soms genoeg van om alleen maar... de lelijke te zijn.'

Alicia ging naast me zitten. 'Je bent niet lelijk, Nora. Je bent mooi. Je weet het alleen nog niet.'

Haar gebrek aan begrip irriteerde me. 'Maar iedereen vertelt jou altijd hoe mooi je bent met je groene ogen en zo. Het enige wat ze tegen mij zeggen is dat ik uit de zon moet blijven om er niet als een *guajira* uit te zien.'

Alicia lachte. 'Je moet niet op abuela letten. Die weet niet alles. Bovendien, sommige jurken zien er beter uit als je ze aanhebt dan op het hangertje. Ik denk dat jouw jurk er zo een is.'

'Misschien,' antwoord ik. Plotseling voel ik me slaperig.

Er zit vandaag een kruidig tintje aan de zeebries. Komt het van de venters die hun knoflook-*tamales* verkopen? Of is de zee in een ondeugende bui? Ik laat de zon met volle kracht op me inwerken, het kan me niet schelen dat ik nog bruiner word voor het bal, zodat ik eruit zal zien als een onzichtbare schaduw in een witte jurk. Als ik naar Alicia kijk, zie ik dat ook zij haar gezicht naar de zon gewend heeft. Als een zonnebloem die haar moeder toelacht.

Ik hoef niet naar dat bal. Ik ben helemaal geen meisje voor een bal. Ik hoef niet rond te zwieren en op te vallen en heb er geen behoefte aan dat er over me gepraat wordt. Ik heb niets meer nodig dan dit ogenblik in het zand. Als ik maar weet dat de oceaan altijd blauw zal zijn of groen, of iets ertussenin, en dat ik mijn gezicht naar de lucht kan wenden en een ogenblik van vrede kan vinden.

Alicia had gelijk. Mijn jurk zag er beter uit toen ik hem aanhad dan op het hangertje. En abuela had ook gelijk. Het tere crème stak mooi af tegen mijn donkere haar en huid.

Voor we weggingen stond abuelo trots glimlachend voor ons. 'Twee mooie prinsessen,' zei hij. 'De een zo mooi en helder als een Cubaanse dag, de ander geheimzinnig en betoverend als de nacht.' Toen wendde hij zich tot abuela. 'En laten we de koningin niet vergeten, die ons met haar schoonheid vereert, of het nu dag of nacht is, in zon of regen.'

Abuela lachte gelukkig en tikte hem op zijn wang. Ze droeg een donkerblauwe gestippelde jurk en haar dikke vracht golvend grijs haar was kunstig rond haar hoofd geschikt. Ze rook naar zeep en lavendel en haar zwarte avondtasje hing keurig over haar arm.

'En ik dan, abuelo? U bent mij vergeten,' zei Marta, die vanaf de veranda aan kwam rennen.

'Jij bent niet gewoon een prinses,' zei abuelo terwijl hij zijn arm om haar mollige schouder legde. 'Jij bent een engel uit de hemel en je schoonheid is onbeschrijflijk.'

Marta lachte, ondanks haar slechte bui.

We liepen naar het bal langs het voetpad dat de waterkant volgde. De zon was bijna onder en hing laag, trillend in de mistige tropische warmte. De zee was een glad zilveren dienblad dat zijn avondlijke offergave van hemels goud met ongewone gratie in ontvangst nam.

Kleine lichtjes begonnen in hypnotiserende patronen langs de kust in de verte te schitteren en te flikkeren. Ze deden me denken aan de grootse feesten waar mijn ouders naartoe gingen met mami in haar ruisende rokken en papi in wit linnen, koel en fris. Ze kusten ons in een wolk parfum en tinkelende armbanden goedenacht en glipten de avond in, giechelend als kinderen. Ze gingen naar buiten, naar die prachtige lichtjes, en zelfs al zag het eruit als een fantastisch carnaval, kinderen mochten er niet heen. Maar deze avond gingen wij de wereld binnen van die betoverende lichtjes die schitterden langs de kustlijn.

Het verbaasde me hoeveel jongens me ten dans vroegen. Ik zei – een beetje ongemakkelijk – ja en liet me door hen naar de dansvloer leiden, met hun zweterige handpalmen die een heel klein beetje trilden als ze de mijne raakten. Er was zo kwistig met eau de cologne en parfum gewerkt dat ik het gevoel had dat ik in een bos van exotische bloemen terecht was gekomen, die soms erotisch bewogen en soms aarzelend, op het ritme van de mambo van het orkest dat op het podium heen en weer deinde. En de chaperonnes, moeders en grootmoeders, zaten met hun tasjes op schoot langs de rand van de zaal te babbelen en wezen elkaar hun dochters en kleindochters aan.

Ik had amper de kans om met Alicia te praten, die voortdurend omringd was door een massa jongemannen die er net een beetje ouder uitzagen dan de jongens die mij ten dans vroegen, en Alicia voelde zich niet ongemakkelijk op de dansvloer. Ze glimlachte en bewoog zich elegant als een vrouw van koninklijken bloede, eraan gewend dat ze voortdurend in het middelpunt van de belangstelling stond. Ze was de ster van het bal, en als ze naar de dansvloer liep, met een danspartner die zo gelukkig keek alsof hij net tot koning van de hele wereld was gekroond, werd ze nagestaard door wie ze maar passeerde. Andere meisjes wierpen haar jaloerse blikken toe en draaiden zich dan snel om om te zien of ze de aandacht van hun partner had getrokken, wat natuurlijk zo was. Een van mijn danspartners, een lange, puisterige jongen met zweethanden, vroeg me of Alicia mijn nichtje was en zijn ogen werden helemaal glazig, alsof hij het over Marilyn Monroe had.

Op weg naar huis giechelde Alicia over de jongens die haar hun liefde verklaard hadden, hoe ze maar door hadden gezeurd over de schoonheid van haar haren en haar huid en haar ogen. Ik had zelf ook wel wat te vertellen, maar niet zo veel als Alicia. Een van de jongens had zelfs geprobeerd haar op haar wang te kussen toen ze hem haar hand aanbood.

Abuela luisterde ernstig en vertraagde haar pas aanzienlijk. Toen bleef ze staan en draaide zich om om Alicia aan te kijken, hoewel ze het tegen ons allebei had. 'Jullie zijn heel mooi, en mannen en jongens worden natuurlijk aangetrokken door schoonheid, maar jullie moeten je niet door hun overdreven complimentjes in de luren laten leggen.'

'Ze willen gewoon aardig zijn,' zei Alicia, nog steeds glimlachend.

'Aardig!' blafte abuela, terwijl ze met een snel duwtje van haar vinger haar bril op haar neus omhoogschoof. 'Als hij wanhopig genoeg is, is een man nog aardig tegen een muildier. Jullie moeten nooit, maar dan ook nooit een man toestaan je te kussen of je aan te raken, tenzij het je vader of je grootvader is. Als ze dáár behoefte aan hebben, kunnen ze wel ergens heen.'

Ik wist dat abuela het over de bordelen in de Barrio de Crespo had, waar de prostituees schenen rond te wandelden met vrijwel niks aan terwijl ze kingsize sigaretten rookten. Het was bekend dat de jongemannen daarnaartoe gingen om de kunst van de liefde en het lichamelijke genot te leren. En het was ook duidelijk dat jonge meisjes een dergelijke opvoeding niet nodig hadden. Ze zouden het op hun huwelijksnacht van hun echtgenoot leren. Chaperonnes waren er om ervoor te zorgen dat die opvoeding niet voor het huwelijk begon.

We waren bijna thuis toen ik de vraag stelde die mijn grootmoeder volkomen van haar stuk bracht. 'Abuela, wie zijn die dames, die prostituees? Waar komen ze vandaan?'

Abuela bleef stokstijf staan en keek me ongelovig aan. 'Hoe kun je daarover praten? Daar hoeft een jong meisje als jij zich geen zorgen over te maken. Je hoort daar niet over te praten, begrijp je dat?' De kleur op haar wangen was in het bleke maanlicht duidelijk zichtbaar. 'Die vrouwen hebben hun ziel aan de duivel verkocht. Ze zijn lager dan honden. Dat is alles wat je weten moet.' Ze liep nu voor ons uit, alsof ze opeens graag naar huis wilde, weg uit het donker met zulke onwetende meisjes.

Ik durfde haar niet naar de zielen van de mannen te vragen, maar ik wist wel wat ze zo ongeveer zou antwoorden. De mannen leverden hun zielen tegelijk met hun hoeden bij de ingang in, en haalden ze aan het eind van de avond onbeschadigd weer op. Maar een vrouw die haar ziel verloor, kreeg hem nooit meer terug.

Alicia deed het raam van onze slaapkamer – dat abuela voor de nacht gesloten had – weer open. We luisterden naar de golven die het strand op spoelden terwijl we lachten en fluisterden over de jongens die we ontmoet hadden, en over degenen die we het leukst hadden gevonden.

'Denk je dat onze vaders voor ze trouwden naar prostituees zijn gegaan?' vroeg Alicia.

Het idee van mijn onberispelijke vader, met zijn perfect geperste broeken, zijn keurige haar en zijn niet-aflatende liefde voor mami, met een van die zielloze vrouwen over wie abuela gesproken had, was onmogelijk. 'Natuurlijk niet, ben je gek?'

'Nou, ik denk van wel. En sommige mannen gaan nog steeds, zelfs als ze getrouwd zijn.'

Alicia wilde praten, dat wist ik. Ze wilde dat ik haar vroeg hoe ze dit wist, zodat ze me fantastische verhalen over clandestiene seks en vrouwen van de nacht kon vertellen, en dat zou uren duren. Maar dit keer was ik te moe om te luisteren.

Ik hoorde het gepiep van de bedspiraal toen Alicia overeind kwam om naar me te kijken, hoewel ik me al had omgedraaid en net deed of ik sliep. 'Wist je dat een heleboel getrouwde mannen maîtresses hebben? Soms hebben ze een heel gezin waar hun vrouw niets van weet.'

Ik zuchtte. 'Ga slapen, Alicia.'

Alicia ging liggen en zweeg, maar ze sliep niet. Ze dacht na en droomde, haar ogen strak op de hemel gericht, alsof ze op zoek was naar vallende sterren. Zelfs na een avond dansen met talloze jongemannen, de een nog knapper dan de ander, wist ik dat ze aan Tony dacht, en wat ze zou doen als ze de kans kreeg haar ziel te verliezen.

8

Het geknal begon weer. Dit keer was het geweervuur. Soms klonk het alsof de schietpartij zich vlak onder onze ramen afspeelde in plaats van ver weg, in een ander deel van de stad. Af en toe werd er midden op de dag geschoten en dan lieten we ons als soldaten in een oorlogsfilm achter de ramen op de grond vallen, en lagen daar bevend te wachten tot de stilte terugkeerde. Op een middag lieten Beba en ik ons op de vloer in de keuken vallen. In haar val stootte Beba de tomaten en uien die ze aan het snijden was om en een paar minuten lagen we er midden tussenin. Toen het voorbij was, raapten we zorgvuldig alle stukjes ui en tomaat die gevallen waren op en spoelden ze af. Nu de voedseltekorten iedere dag toenamen, konden we het ons niet permitteren iets weg te gooien.

We kropen op alle mogelijke momenten van de dag of avond rond de tv in een poging iets nieuws te horen dat hoop kon brengen, of dat onze toenemende wanhoop kon verzachten. De heersende stemming was kil en wantrouwig, alsof we op een begrafenis van iemand waren die vermoord was en wiens moordenaar nog steeds vrij rondliep, misschien wel onder ons was, misschien bij de buren, of verderop in de straat. Het kon iedereen zijn in dit steeds wisselende, onvoorspelbare klimaat, maar één ding was zeker: Castro was niet langer de verlosser, de man die Cuba kon redden en het tot gelijke hoogte met de Verenigde Staten kon opheffen, de man die de corrupte kliek van Batista en zijn superrijke vrienden kon opruimen, en die het land opnieuw in de verf kon zetten, het een glanzend jasje van democratische idealen kon geven. Achterdocht en angst dat Castro's beloften vals waren en dat zijn plotselinge greep naar de macht ondersteund werd door de mensen die het minst democratisch van iedereen waren, tierden welig.

We wisten dat de ontploffingen veroorzaakt werden door degenen die tegen het Castro-regime waren en de meningsverschillen tussen papi en tío Carlos begonnen weer. Tío Carlos geloofde dat Castro's militante houding noodzakelijk was in deze onzekere tijden en dat die zou veranderen als de stabiliteit gevestigd zou zijn. Hij geloofde dat er nog hoop was op een democratische oplossing. Maar papi had alle hoop verloren. Hij zat in zijn smetteloze pak en gepoetste schoenen in zijn stoel terwijl hij luisterde naar de vernielingen op straat en keek naar Castro, die op het televisiescherm gebaarde. Zijn oogleden waren zwaar van slaapgebrek. 'Het is alleen een kwestie van tijd,' zei hij tegen mami, die zelf niets te zeggen had, maar die dezelfde lege blik had als hij.

Ondanks de oorlogsgeluiden en de onhoudbare spanning die voortvloeide uit de gesprekken van de volwassenen over politiek en de onvermijdelijke keuzes waarvoor sommigen gesteld zouden worden, probeerden we ons leven van vroeger te leven en meestal vergat ik dat er problemen waren.

Alicia en ik gingen zo vaak als we konden naar het strand. We praatten erover wat er zou gebeuren als we uit Cuba weg moesten; maar die gesprekken lieten ook de ruimte voor avontuur, zoals we gewend waren. We lagen op het witte zand, zoals we gedaan hadden toen we kinderen waren, en keken omhoog naar de palmen die heen en weer zwaaiden in de wind. We zwommen naar het platform en weer terug als een stel dolfijnen, en lachten als we het natte haar uit onze ogen schudden, maar beheersten ons als we een aantrekkelijke jongeman zagen. Zoals gewoonlijk waren de meeste blikken en opmerkingen voor Alicia bestemd, wier weelderige figuur een soort baken vormde voor alle mannen in de buurt. Ik moest tevreden zijn met de resterende opmerkingen of complimentjes, als ze het donkere meisje naast de schoonheid opmerkten.

'Ik wil nooit weg uit Cuba,' zei Alicia, terwijl we in de zon lagen op te drogen.

'Ik ook niet.'

'Een betere plek dan dit bestaat er niet, onmogelijk, in de hele wereld niet. Ik zou ergens anders niet gelukkig kunnen zijn.'

Als ik niet op het punt stond in slaap te vallen, had ik haar gezegd dat 'ergens anders' onmogelijk was, zelfs om alleen maar te overwegen. Wij waren Cubanen en dit was ons land. Het zou straks weer beter gaan omdat het altijd zo ging. Als je niet op de grond onder je voeten kon rekenen, wat had je dan? Maar waarom zou ik dit allemaal zeggen terwijl de wind onze lichamen met die volmaakte warmte streelde? We waren thuis, en hier zouden we altijd zijn.

Papi kwam vroeg uit kantoor en ging niet zoals gewoonlijk in zijn stoel zitten. In plaats daarvan liep hij regelrecht naar de slaapkamer zonder iets tegen iemand te zeggen, zelfs zonder een begroetingskus voor mami, die al vanaf het begin van de middag bezorgd op hem had zitten wachten. Mami liep achter hem aan en Marta en ik gingen meteen naar Beba, zoals we altijd deden als we een eerlijk relaas wilden over wat er aan de hand was. Politieke zaken werden op school niet besproken, ze werden juist vermeden, en mami en papi namen ons nog zoveel ze konden tegen de waarheid in bescherming. Maar Beba had een speciale röntgenblik waarmee ze onder het ingewikkelde oppervlak van de dingen kon kijken en waarmee ze de simpele waarheid begreep zonder ingewikkelde verklaringen of excuses. Ze zei bijvoorbeeld: 'Je mama wil niet dat je je boven je knieën scheert, omdat een man niet hoger dan daar hoort te kijken. En als wat hij ziet hem niet aanstaat, dan zal hij het ook niet aan willen raken.' Of: 'Je figuur wordt voller als het zelf wil. Trouwens, sommige mannen houden van magere vrouwen. Het heeft geen zin je druk te maken om hoe de goede God het geregeld heeft. Hij weet het het beste.'

We gingen naar de keuken, waar ze met zo veel kracht de uien stond te hakken dat het eruitzag alsof ze zo door de snijplank heen zou slaan. Haar ogen waren vochtig van de uien, die jong en sterk waren, en mijn ogen begonnen ook te tranen.

'Wat is er aan de hand, Beba? Wat is er met papi en mami aan de hand?' vroeg Marta.

Beba droogde haar ogen met de rug van haar hand af en veegde haar handen toen af aan haar schort. Ze leunde tegen het aanrecht, zoals ze deed als haar knie pijn deed omdat ze te lang stond, dus ik trok een stoel voor haar bij en ze ging met een hoorbare, vermoeide zucht zitten.

'De wereld die we kennen is aan het veranderen. Sommige mensen vinden dat hij moet veranderen. Anderen denken dat hij moet blijven zoals hij is.' Ze schudde haar hoofd een beetje en ik zag dat de tranen in haar ogen niet van de uien kwamen.

'Wat bedoel je?'

'Toen jullie vandaag op school zaten, heeft die man weer zo'n toespraak gehouden, die langer dan zes uur duurde. Grote goedheid, hoe die man zo lang door kan gaan zonder z'n stem kwijt te raken, weet ik niet.' Beba weigerde al een paar weken Castro's naam uit te spreken, omdat ze geloofde dat ze, enkel door hem te noemen, hem meer macht zou geven. 'Hij zei wat ik allang wist: dat hij een communist is en dat Cuba de machtigste socialistische staat in de westerse wereld zou worden.'

Marta en ik zwegen. Hoewel we niet precies wisten wat communisme was, wisten we van de gesprekken die we opgevangen hadden dat dit het ergste was van alle mogelijke scenario's die de afgelopen maanden besproken waren.

Mami en papi kwamen uit hun slaapkamer tevoorschijn. Mami's gezicht was rood en gevlekt door tranen. Papi ging op zijn plaats aan het hoofd van de tafel zitten nadat hij een vermoeide kus op onze voorhoofden had gedrukt. Mami fluisterde dat we geen vragen moesten stellen. 'Jullie vader is erg van streek en ik wil niet dat hij nog meer van streek raakt.'

'Mami, is het waar? Is Cuba communistisch?' vroeg Marta.

Mami draaide zich zo plotseling naar haar toe alsof ze haar een klap in haar gezicht wilde geven, hoewel ik haar nog nooit van m'n hele leven iemand in zijn gezicht heb zien slaan. Maar ze streek alleen haar haar uit haar gezicht weg en begon Beba te helpen de tafel te dekken. Ze gaf Marta twee borden en mij ook. 'Castro is misschien een communist, maar Cuba is niet communistisch,' zei ze met vaste overtuiging. 'Cuba zal nooit communistisch zijn.'

'Moge God u verhoren, doña Regina. Mogen uw woorden regelrecht naar de hemel gaan,' zei Beba vanuit de keuken en wij baden allen om hetzelfde.

Het zondagmaal bij tía Maria was een sombere aangelegenheid geworden, maar wel een aangelegenheid die steeds meer voor ons begon te betekenen nu we ons vasthielden aan wat we wisten van de wereld die om ons heen ineenstortte. Er werd niet meer gelachen op de veranda, onder wolken sigarenrook geproduceerd door een groepje gelukkige mannen in guayabera-overhemden die elkaar op de rug sloegen, en er werden na het eten geen dominostenen meer opgezet met dat gemoedelijke geplaag over wie de beste was en wie het beste kon valsspelen. Hoewel er minder vlees was om rond te delen, waren de kip en rijst heerlijk als altijd en tía

Maria nam de complimentjes in ontvangst met een droevige nijging van haar zilvergrijze hoofd en zonder beloftes over het feestmaal dat ze van plan was volgende week klaar te maken. En wij neven en nichten zonderden ons niet van de volwassenen af zoals we vroeger deden om zelf plezier te maken. In plaats daarvan bleven we vlak in de buurt rondhangen, om dingen van onze ouders, ooms en tantes te horen in een poging meer te begrijpen van de stand van zaken en om te weten te komen wat er nu verder zou gebeuren. Juan leek beter op de hoogte dan wie ook, zelfs dan Alicia.

'De regering neemt alles over,' zei hij op gezaghebbende toon. 'Ze hebben de suikerfabrieken al overgenomen. Nu zijn de banken aan de beurt.'

Ik vroeg me af hoe een regering zoiets kon doen. Liepen ze gewoon al die honderden suikerfabrieken binnen, schopten ze de arbeiders eruit en namen ze het gezag over? Zouden ze al die enorme bankkluizen openen waar in mijn verbeelding een klein mannetje woonde dat met opgerolde mouwen geld zat te tellen, en zouden ze hem van z'n stoel duwen zodat iemand anders in groene legerkleding verder kon tellen waar hij opgehouden was? Het leek onmogelijk. En papi dan? Hij was een belangrijk iemand bij de Nationale Bank. Ze zouden hem er toch niet uit schoppen? De bank werkte niet als hij er niet was, dat wist ik zeker. En hij zou nooit zo'n groen uniform dragen. Hij zou nog liever doodgaan.

'Ik denk dat we weggaan,' zei Juan, terwijl hij een grote lepel *flan* nam.

'Weg? Waarnaartoe?' vroeg ik.

'Naar de Verenigde Staten natuurlijk. New York of Miami. Vroeg of laat komen jullie allemaal, geloof mij maar.'

We keken elkaar allemaal geschokt aan, sommigen waren meer ontzet dan anderen. Maar Alicia was rustig en glimlachte sereen. 'Ik ga niet. Nooit. Als ze me proberen te dwingen, dan loop ik weg naar de heuvels en verstop me, net zoals mijn vader.'

'Je bent gek,' zei Juan, terwijl hij het laatste restje gesmolten karamel met zijn lepel van zijn bord schraapte.

Ik dacht veel aan wat Juan had gezegd over naar de Verenigde Staten gaan en ik luisterde angstvallig naar alles wat papi en mami bespraken, maar tot mijn opluchting hoorde ik niets over uit Cuba weggaan. Eigenlijk leken ze wat meer hoop te hebben dat het allemaal weer zou veranderen. Iedereen leek het erover eens te zijn dat de Verenigde Staten het communisme nooit zo dicht bij hun democratische kust zouden tolereren, nu Castro zich zo onomwonden had uitgesproken. Ze zouden het als een ziekte beschouwen, die hun kapitalistische idealen kon besmetten. Iedereen wist dat de Verenigde Staten en de Sovjet-Unie elkaars aartsvijand waren, en de geruchten dat Castro samen met de Russen aan deze nieuwe socialistische staat werkte, waren al bevestigd. Er waren zo veel redenen om aan te nemen dat Castro's dagen geteld waren en dat het weer zou worden zoals het vroeger was; zo veel dagen en avonden die we aan de televisie gekluisterd doorbrachten, alsof ons leven afhing van haar onwezenlijke gloed. Voor het eerst in mijn leven was ik bleek, door het gebrek aan zon. Abuela kon in ieder geval tevreden zijn over mijn lichtere teint.

Mami huilde iedere dag. Eerst wilde ze niet dat wij haar zagen en trok ze zich in haar slaapkamer terug en ging daarna weer door met haar bezigheden met opgezwollen ogen en een bibberend lachje. Maar naarmate de dagen verstreken, kon het haar niet meer schelen of ze zwak leek en snikte ze openlijk wanneer of waar ze overmand werd door gevoelens: op de bank als ze naar het nieuws keek, in de keuken als ze Beba hielp het eten te koken met de schaarse spullen, of buiten op het balkon als ze de zon in het brede stuk oceaan voor haar zag verdwijnen. Ze vermeed het zo veel mogelijk om boodschappen te doen, en als ze naar buiten ging, was ze er als ze terugkwam erger aan toe dan toen ze weg was gegaan, en maakte de onaangename ervaring die ze gehad had dat haar gezicht zich in afkeer rimpelde en haar ongestifte lippen samentrokken alsof ze de hele dag gedwongen was op een citroen te zuigen.

Op een middag kwam ze terug met een klein zakje rottende aardappelen, die ze met een bons op de tafel gooide. 'Hier heb ik drie uur voor in de rij gestaan,' zei ze, en ze sloot zich op in haar slaapkamer om weer eens flink uit te huilen.

Uiteindelijk wilde ze niets meer, alleen thuisblijven en met Beba praten. Beba leek de enige te zijn die haar kon kalmeren met haar eerlijke, nuchtere kijk op de regering, de maatschappij en hoe het zou moeten zijn. Dat ging er, samen met een kopje kaneelthee, goed in. Mami zat aan de keukentafel en knikte steeds op het ritme van Beba's mes dat op de snijplank neerkwam, terwijl Beba praatte. Soms lachte mami door haar tranen heen als Beba dingen zei als: 'Die man zou naar het diepste deel van de oceaan gebracht moeten worden, waar het stikt van de haaien, en met een steen om zijn nek tot zinken moeten worden gebracht. En dan verdelen we z'n schoongekloven botten om de trommels mee te bespelen op het grote feest dat we houden omdat Cuba vrij is.'

Maar op een zekere dag was zelfs Beba niet in staat haar te kalmeren. We reden naar een van de weinige restaurants waar je nog kon eten, want vele waren wegens de tekorten gesloten. De lichtjes die altijd zo prettig hadden geschitterd langs de malecón waren een voor een uitgegaan, waardoor er alleen een stil grijs stuk oceaanfront was overgebleven. Waar je eens muziek en gezang had gehoord, was nu een leeg, zwijgend toneel bezaaid met de rommel van gelukkiger tijden.

Papi zei dat we zo veel geld moesten uitgeven als we maar konden, omdat het binnenkort waardeloos zou zijn. Hij gaf het aan alles wat hij maar kon vinden uit: twee volle kratten maïsolie die we konden gebruiken om op de zwarte markt te verhandelen en tien paar dure damesschoenen in verschillende maten die hij van een tandeloze oude man in het oudste deel van Havana had gekocht. Hij betaalde Beba bovendien het dubbele van haar gewone salaris, wat ze droevig accepteerde terwijl ze met haar tong klakte en haar hoofd schudde. 'Ik zou al het geld van de wereld willen geven als die man weg zou gaan, God weet dat dat zo is.'

We reden onze gewone route, over de Avenida Carlos Tercero, die langs onze kerk voerde. We kenden het zo goed, het kleine fonteintje waarin we onze muntjes gooiden, de hoek waar een mangoverkoper ijskoude mango's verkocht waar we na de mis op zondag van genoten.

'Straks maak je je zondagse jurk nog vuil met mangosap,' zei mami altijd.

'We zijn voorzichtig, mami. We zijn toch geen kleine meisjes meer?'

Toen we langs de kerk reden en mami haar rechterhand hief om zoals altijd een kruis te slaan, slaakte ze opeens een verstikte kreet. Papi trapte de rem zo krachtig in dat Marta en ik tegen de achterkant van de stoelen voorin werden geworpen. Ik keek of we iemand overreden hadden, of een hond hadden geraakt. Die liepen soms los rond in dit deel van de stad.

'Nee! Lieve god!' jammerde mami. Haar handen vlogen omhoog naar haar gezicht.

Eerst begreep ik niet wat ik zag. De zwarte mensen op het plein voor de kerk zagen er zo gelukkig uit, ze dansten en lachten alsof ze feestvierden, een feest zoals we zo vaak op het platteland zagen, als de trommels hun aanstekelijke ritme sloegen en je de mensen hun prachtige halvemaanglimlach zag lachen. Misschien waren ze blij omdat Castro weg was en Cuba weer vrij was. Mijn hart sprong op bij die mogelijkheid.

Ik hing uit het raampje om beter te kunnen kijken. Jongemannen zwaaiden heen en weer op de gebogen houten deuren, gekleed in de rijkgekleurde gewaden van de priesters, die ze elkaar koortsachtig van het lijf trokken en omhooggooiden. Een man op blote voeten deed net of hij een matador was en zwaaide met het kleed dat tijdens de communie op het altaar werd gebruikt naar zijn vriend, die twee kruisen tegen zijn hoofd hield, als hoorns. Een paar vrouwen hadden zich in geborduurde mantels gewikkeld en wiegden met hun heupen op het ritme van de conga's die in de sacristie werden bespeeld. De klanken van de trommels stroomden de straat op en echoden in een mystieke, boosaardige betovering.

Mijn eigen hart klopte van woede toen ik het zag. Dit was onze kerk, de plek waar mijn ouders getrouwd waren, waar Marta en ik gedoopt waren. Dit was de plek waar ik over God en Zijn goedertierenheid geleerd had. Ik verwachtte dat een bliksemschicht de lucht open zou scheuren en deze schaamteloze zondaars voor hun godslastering tot as zou verbranden. Maar de zon scheen en de wind was warm en zoet als altijd.

Over Marta's gezicht stroomden de tranen. 'Waar zijn de priesters, papi?'

'Ze zijn weggegaan,' zei hij, geschrokken, maar beheerst. 'Sommigen zijn terug naar Spanje. Ik weet niet waar de anderen naartoe zijn, maar ze zijn hier niet meer.'

'Waarom kan er geen godsdienst zijn? Die doet toch niemand kwaad?' vroeg Marta.

'Een communistische staat is een atheïstische staat,' fluisterde mami giftig. 'Het enige wat er in dit land nog te eren valt, is die man.'

9

SCHOOL WAS ONZE WIJKPLAATS GEWORDEN, DE ENIGE PLEK waar we net konden doen alsof er niets veranderd was. Als we onder de Heilige Maagd met de rozenkrans door liepen, wist ik dat ik een paar uren rust en gezond verstand tegemoet ging. We gingen iedere dag op dezelfde tijd naar de kapel en aten ons middageten op dezelfde tijd. De zusters verwachtten dat ons gedrag en schoolprestaties volmaakt waren, alsof de wereld buiten de smeedijzeren hekken niet ineenstortte. We deden allemaal net alsof en als het grote ruitjesraam rinkelde van een explosie ergens diep in Havana terwijl zuster Roberta Shakespeare voorlas voor de klas, dan vertrok ze geen spier. Ze bleef gewoon doorlezen met haar lieve, gelijkmatige stem en we luisterden waarschijnlijk allemaal beter dan we ooit gedaan hadden.

De gebeden in de kapel waren zwaar en duurden lang, en voor het eerst in ons leven leek het alsof iedereen bad voor iets wat er echt toe deed. Ik bad dat het leven weer zou worden zoals het vroeger was, dat ik mijn eindexamen kon doen op het El Angel de la Guardia, dat Alicia en ik samen naar de universiteit konden gaan en voor het eerst samen konden gaan winkelen in El Encanto. Ik bad dat mijn moeder niet meer iedere dag zou huilen, dat papi thuis zou komen en zijn krant in zijn stoel zou lezen, zoals hij altijd had gedaan, en daar niet alleen maar zwijgend zou zitten alsof hij op zijn eigen dood zat te wachten. Ik bad dat we eten zouden kunnen kopen op de markt, vers, lekker eten, genoeg om alle vrienden en familie te voeden, zodat papi niet naar de zwarte markt zou hoeven om in het geheim eten te ruilen met het risico gearresteerd te worden. En vooral bad ik dat mijn thuis altijd hier zou zijn, en dat ik in de buurt zou blijven van alle mensen van wie ik hield.

Binnen de degelijke muren van het El Angel de la Guardia leek het gerechtvaardigd te veronderstellen dat God onze gebeden zou verhoren en dat onze oude manier van leven zou voortgaan zoals altijd. Pas als papi ons aan het eind van de dag kwam ophalen en we door het hek met de Maagd de wereld weer in liepen, voelde ik die koude angst weer in mijn lichaam omhoogkruipen. Buiten de hekken kenden we de regels niet meer. We moesten voortdurend op onze hoede zijn en ons van school naar huis haasten, voor het geval het onvoorzienbare zou gebeuren terwijl we op straat waren.

Ik voelde net de geruststellende vrede van de schooldag op me neerdalen toen papi vlak voor ons schoolhek de auto stilzette, onder de Heilige Maagd. Hij hield zijn hoofd schuin en zijn ogen vulden zich met een onuitsprekelijk verdriet.

'Wat is er, papi?' vroeg ik.

De lichtgebronsde kleur van zijn gezicht, alsof hij door de zon was gekust, was veranderd in een kalkachtig wit, en hij hield zijn kaken op elkaar geklemd maar zei niets. Ik keek naar onze school: een eenvoudig gebouw van twee verdiepingen, en naar het brede groene grasveld dat in tweeën gedeeld werd door het pad dat naar de dubbele deuren van de hoofdingang leidde. Om deze tijd zouden de deuren open moeten zijn en meisjes van allerlei leeftijden in dezelfde beige-met-bruine uniformen hoorden rond te krioelen op het gras en de trap terwijl ze wachtten tot de lessen begonnen. Maar de deuren waren gesloten en er was geen sterveling te bekennen.

'Zijn we te vroeg?'

Toen draaide ik me weer om en zag dat papi niet naar de school keek, maar omhoog. Ik volgde zijn blik. De Maagd Maria met haar rozenkrans was weg. We zagen haar later langs de oprijlaan liggen, in stukken, haar afgehakte hand omklemde nog steeds de rozenkrans. Op haar plaats stond een vreemde, hoekige metalen halvemaan die de tropisch blauwe lucht doorkliefde, met in het midden een hamer die er zwaar en onheilspellend uitzag.

Papi keerde de auto met gierende banden en reed terug naar huis. El Angel de la Guardia was weg, samen met alle andere katholieke scholen in Cuba. Er waren geen wijkplaatsen meer.

Iedere dag luisterden we naar Beba's krachtige, gouden stem die de man die synoniem was geworden met de duivel uitschold. 'Het is een leugenachtig varken, dat door z'n hoofd geschoten moet worden. Hij zegt dat hij voor de zwarte mensen wil zorgen. Zien jullie een zwarte daar naast hem staan? Ik niet, en m'n ogen zijn toch goed. Hij zegt dat we hiervóór slaven waren en dat we nu vrij zijn. Verdorie, als dit vrijheid is, laat mij dan maar slaaf zijn. Met al die vrijheid kan ik nog geen stukje brood voor m'n ontbijt kopen.'

Papi kon niet meer werken nu hij de aanvraag voor onze visa had ingediend. Maar hij zei dat hij blij was, en dat hij toch al niet meer bij een bank werkte, maar bij een circus dat geleid werd door clowns van de communistische partij. En wij waren ook blij dat hij niet meer naar de bank ging, omdat verscheidene werknemers vanwege antirevolutionaire activiteiten gevangen waren genomen. Papi vertelde hoe op een morgen een van de bankbedienden was binnengekomen met een Castrista-soldaat naast zich. Hij was alle kantoren langzaam afgegaan en had degenen aangewezen van wie hij vermoedde dat ze zich actief tegen de Revolutie keerden. Ze waren allemaal voor ondervraging weggevoerd en sommigen moesten nog thuiskomen. De gevangenissen zaten vol politieke gevangenen en iedereen was verdacht.

Nu onze visa-aanvraag liep, hadden we letterlijk onze rode, revolutionaire bandana's afgeworpen en waren we *gusanos*, wormen, geworden, die ten eigen bate hun vaderland en de Revolutie van hun volk verraden hadden. Gusanos werden publiekelijk bespot en het kon gebeuren dat je – als je het geluk had een paar kostbare liters benzine voor je auto te krijgen – erachter kwam dat je niet kon rijden omdat je banden stuk waren gesneden of je voorruit aan diggelen lag. In ons prachtige land waar de zon iedere dag scheen en de zeebries je uitnodigde om langs de kust te lopen, of het nu dag of nacht was, waren wij gedwongen in ons appartement te blijven om onnodige risico's te vermijden.

'Als wij wormen zijn,' zei mami met gebalde vuisten en tranen van woede in haar ogen, 'dan zijn die idioten die deze godvergeten Revolutie steunen kakkerlakken. Mogen ze rotten in de hel.'

Juan en zijn familie waren de eersten die hun visa kregen. Ze hadden plannen om naar Miami te verhuizen en ze namen al Engelse les om zo goed mogelijk voorbereid te zijn om daar te slagen. Maar voor de oudere mensen was het moeilijker een vertrek te overwegen. We gingen bij tía Panchita op bezoek en probeerden haar over te halen ook een aanvraag in te dienen. Een paar maan-

den eerder had de regering de plantage aan Lola's broer Pedro gegeven, met de redenering dat hij het land bewerkte, dus dat het
dan ook aan hem toebehoorde. Papi en mami smeekten tía om een
aanvraag voor een visum te doen. Marta en ik huilden toen we ons
voorstelden hoe ze hier helemaal alleen zou zitten, maar tía liet
zich door onze argumenten en tranenvloed niet overhalen.

'Ik laat m'n huis niet in de steek,' zei ze resoluut. 'Ik ga m'n
laatste dagen niet in een of ander vreemd land slijten waar ze m'n
taal niet spreken, opgesloten in een eenkamerflatje waar ik niet
over mijn velden uit kan kijken. Ik lijd liever thuis honger.'

Toen schonk ze zich nog een kopje slappe koffie in en keek uit
over de stoffige weg, schommelend op de veranda terwijl haar
ogen achter de dikke glazen van haar vlinderbril knipperden.

Lola stak vanuit haar schommelstoel haar hand naar haar uit
en klopte vriendelijk op die van tante. 'Misschien moet je er toch
eens over nadenken, liever. Wil je niet bij je familie zijn?'

'Ik heb erover nagedacht. Ik blijf hier bij jou.'

Op een middag toen ik met tía Panchita en Lola op de veranda zat,
kwam Tony langs. Hij was ruim een meter tachtig geworden en
zag er knapper uit dan ooit. Alles wat tussen hem en Alicia was
voorgevallen leek door de volwassenen allang vergeten te zijn,
maar Alicia had nooit meer naar tía Panchita gemogen, om de herinneringen niet op te wekken. En ik wist dat Alicia nog steeds alle
mannen die ze tegenkwam met Tony vergeleek en dat ze dan onvermijdelijk tot de conclusie kwam dat hij de mooiste van allemaal was. Ik kon het moeilijk met haar oneens zijn. Toen hij de ve-
randatrap met twee treden tegelijk op sprong, met die stralende
glimlach, stokte mijn adem nog steeds in mijn keel en klopte mijn
hart wat sneller, net als op die eerste dag dat ik hem gezien had.

Hij droeg een dik boek onder zijn arm en in zijn ogen dansten
blije lichtjes. 'Ik leer lezen,' riep hij trots uit, terwijl hij ons het
boek toestak om het te bekijken.

Tía legde haar naaiwerk neer en zette haar bril recht om het
boek waaruit de communisten de mensen leerden lezen beter te
kunnen bekijken. Haar gezicht verried niets, want ze wist al, net
als wij allemaal, dat Tony de Revolutie van harte ondersteunde.
'Je bent een slimme jongen, je zult het snel leren,' zei ze streng, en
toen ging ze meteen weer door met haar naaiwerk.

'Maar je leert alleen wat zij willen dat je leert, jongen,' zei Lola
tegen haar neef.

'Ik wil leren lezen. Dit is m'n kans op iets beters dan in het suikerriet werken.'

'Suikerriet?' Lola lachte een droge keellach die in een hoestbui ontaardde. 'Maak je geen zorgen. Het zal niet lang meer duren of er is geen suikerriet meer over om in te werken.'

'Dat is de moeilijkheid met oude mensen zoals jullie,' zei Tony, terwijl hij diep inademde en een brede borst opzette. 'Jullie hebben van meet af aan al besloten dat de Revolutie een mislukking is. Misschien is hij dat ook voor mensen die nooit iets hebben willen veranderen, maar voor mij is het een kans op een beter leven.'

Lola kwam langzaam uit haar stoel overeind om naar binnen te gaan. 'Ik ben een domme, oude vrouw, wat weet ik ervan?'

Tony wendde zich tot mij, zijn ogen smeekten om een beetje begrip. 'Wat vind jij ervan, Nora?'

Ik had moeite woorden te vinden om te reageren. Ik kon me geen leven zonder boeken voorstellen en mijn hart ging naar hem uit. 'Ik ben blij dat je leert lezen, Tony. Dat is goed, als jij het fijn vindt.'

Tony hield zijn hoofd schuin en glimlachte droevig. Hij had gehoopt op meer steun en zijn ogen zochten mijn gezicht af, waardoor ik bloosde en me verward voelde. Toen wendde hij zich met een ruk van zijn hoofd af, alsof hij zich schaamde voor mijn lafheid, en stapte langzaam de veranda weer af, en met iedere stap leek de afstand tussen zijn wereld en de onze groter te worden.

Lola kwam terug en zag hem weggaan, te voet dit keer, want zijn prachtige paard was bijna onmiddellijk door de regering gevorderd. Niemand van ons zwaaide naar hem of riep hem na om hem een prettige dag te wensen. Er had nog nooit zo'n stilte geheerst op de veranda.

Mami werd een zenuwpatiënte. Als er aan de deur geklopt werd sprong ze verschrikt op, ervan overtuigd dat de soldaten erachter stonden, klaar om ons appartement te doorzoeken en ons allemaal naar de gevangenis te slepen vanwege onze transacties op de zwarte markt en onze wens het land te verlaten. We hoorden dat onze buurman beneden gerekruteerd was om zijn medebewoners te bespioneren om achter dat soort zaken te komen, dus overreedde mami papi het overgebleven krat met bakolie door de wc te spoelen. Het gerucht ging dat executies op de televisie uitgezonden werden, maar Beba had de opdracht ons direct naar onze kamers te sturen als de tv-programma's twijfelachtig werden. Ze legde dan haar sterke handen op onze schouders, en bracht ons onder protest weg. Dan haastte ze zich terug naar de huiskamer, zodat ze zelf wel kon kijken.

Een keer, toen ik op zoek naar Beba van mijn slaapkamer naar de keuken liep, zag ik dat de geruchten waar waren. Papi en tío Carlos merkten niet dat ik achter hen stond. In het grijze licht van de televisie zag ik het allemaal: die broodmagere mensen, al halfdood, die op een rij tegen een muur stonden, in vuile, gerafelde gevangeniskleding. Ze waren geblinddoekt en hun handen waren achter hun rug samengebonden, hoewel het toch duidelijk was dat ze geen kracht meer hadden om zelfs maar één stap naar de vrijheid te wagen. Geweerschoten weerklonken keer op keer alsof er een duizendklapper werd afgestoken, en de mannen zakten door hun knieën en rolden toen over de grond als halflege zakken aardappelen. De revolutionaire muziek speelde, de vlag werd gehesen en papi's gezicht zag grauw toen hij zich omdraaide en hij me daar zag staan.

'Waarom hebben ze die mannen doodgeschoten, papi?'

Hij wachtte even met zijn antwoord. 'Omdat ze ervan verdacht worden tegen de Revolutie te zijn. Het zijn martelaren, die hun plaats in de hemel zullen vinden.' Papi ging zitten, zijn ogen waren rood en stonden bedroefd. Hij begroef zijn gezicht in zijn handen. 'Ga nu naar je kamer, Nora.'

Heel wat lange middagen bracht ik liggend op mijn bed door met wachten – wachten op de visa, wachten tot er iemand (liefst Alicia) langs zou komen, wachten op iets om de stilte en de angst te doorbreken. Op een dag heb ik langer dan een uur naar een spin in de hoek van mijn kamer gekeken die een web weefde. Vroeger zou ik ogenblikkelijk om Beba hebben gegild om hem met haar blote handen dood te slaan, zoals ze dat zo vaak deed, maar nu voelde ik me vredig terwijl ik toekeek hoe hij heen en weer bewoog, op en neer, zwaaiend aan zijn onzichtbare draad. Die kleine spin had geen last van de Revolutie. Hij bleef weven en rondkruipen zoals hij altijd had gedaan. Terwijl ik daarnaar keek, kon ik mezelf wijsmaken dat het allemaal niet zo heel erg was. Ook al klonken er dag en nacht explosies, misschien zou het toch allemaal gauw weer voorbij zijn. Ook al was de invasie van de Varkensbaai mislukt en ook al had iedereen de hoop opgegeven dat de Amerikanen ons van het communisme zouden redden, toch bad ik dat ze het nog een keer zouden proberen. Ik bad dat de volgende kogel die ik hoorde regelrecht door het hoofd van die man zou gaan, en zijn groene legerpet zou afrukken zodat die in de modder terecht zou komen en iedere man, vrouw en ieder kind in Cuba hem kon vertrappen. Weef maar, spinnetje, weef je web van dromen en hoop maar.

Maanden waren voorbijgegaan en we hadden nog steeds geen bericht over onze visa. Het voedsel werd steeds schaarser en overal in de stad stonden rijen voor melk en brood en zelfs voor toiletpapier. Mami dwong zichzelf erin te gaan staan met het gehate bonnenboekje in haar tas en Beba kwam nog steeds iedere dag, hoewel we haar alleen maar met peso's konden betalen, die waardeloos waren zelfs als er spullen waren geweest om te kopen. Ze wilde nog steeds komen, vanwege het eten, het gezelschap en omdat ze dan wat om handen had. We waren dankbaar dat ze er was.

Beba had net het bestek op tafel gelegd, toen er onverwacht geklopt werd. Mami liet de borden die ze in haar handen had bijna vallen en toen ze ze op tafel had gezet, zwaaide ze op haar benen heen en weer alsof ze dronken was. Beba ging opendoen en we verstijfden allemaal toen we een streng uitziende vrouw met een klembord in de hand zagen.

'Bent u de huishoudelijke hulp?' vroeg de vrouw.

Beba veegde haar grote handen aan haar witte schort af en keek haar achterdochtig aan. 'Jawel. Ik werk al bijna twintig jaar voor de familie Garcia.'

De vrouw was niet onder de indruk. 'Ik kom u leesles aanbieden.'

'Leesles?'

'Ja. Wilt u niet leren lezen, zodat u uw positie kunt verbeteren?'

Beba zette haar handen op haar brede heupen en keek de vrouw onvervaard aan. 'Hoe komt u erbij dat ik niet kan lezen?'

De vrouw leek van haar stuk gebracht, maar herstelde zich snel. 'Nou... kunt u het?'

'Nee, maar dat gaat u geen flikker aan,' zei Beba zo hard dat het door het hele flatgebouw weergalmde.

Het gezicht van de vrouw betrok, maar opnieuw ging ze vastberaden door. 'De partij biedt u deze gelegenheid...'

'Het kan me niet schelen wat u of de partij me te bieden heeft. Ik doe wat ik wil en ik wil niet leren lezen. En als ik dat wel zou willen, dan zoek ik zelf wel een leraar en dan lees ik de boeken die ik zelf wil lezen.' En Beba sloeg de deur in haar gezicht dicht en liep toen rustig weer terug naar de tafel terwijl ze in zichzelf lachte en een wijsje neuriede. Ik had het idee dat als ze Castro maar een uurtje voor zichzelf zou hebben, ze hem op de knieën kon krijgen, en ik zou hoera geroepen hebben als mami niet zo wanhopig op de bank was neergezakt.

'Wat heb je gedaan?' fluisterde ze. 'Wat heb je gedaan?'

'Geen zorgen, doña Regina,' zei Beba, terwijl ze de borden die mami had laten staan op hun plek zette. 'Ze doen me niets. Ze doen gekleurde mensen niets.'

Op een zondag slaagde papi er laat in de ochtend in op de zwarte markt een hele ham te bemachtigen. Hij was een beetje schriel en kwam naar men zei van een varken dat te oud was om op te eten, maar het was vlees, en daar hadden we de laatste tijd maar bedroevend weinig van gehad. Hij pakte hem zorgvuldig in een heleboel kranten en legde hem onder in een boodschappentas, klaar voor de tocht naar tía Maria's huis, waar het grootste deel van de familie bijeengekomen was. Hoewel iedereen het deed, werd kopen op de zwarte markt als een misdaad tegen de Revolutie beschouwd en papi zou gearresteerd kunnen worden. Maar de knagende honger in onze maag gaf ons moed en ik voelde me als een geheime spion toen we het tochtje van vijf minuten naar tía's huis met de auto aflegden.

De ham werd binnen met alle ramen dicht gebraden, zodat de heerlijke geur die onze buit zou kunnen verraden, niet kon ontsnappen. Je kon geen buur vertrouwen. Je was er nooit zeker van wie de partij steunde; angst en zucht naar macht waren voor veel mensen aanleiding om vrienden aan te geven die ze hun hele leven hadden gekend. Het waren niet alleen de buren. Kinderen gaven hun ouders aan, ouders hun kinderen. Iedereen kende wel een hartverscheurend verhaal over een kind dat zijn eigen ouder uitgeleverd had vanwege een misdaad tegen de staat, vaak een vergrijp dat minder verschrikkelijk werd gevonden dan papi's verrukkelijke aankoop op de zwarte markt.

De geur van sissend spek met citroen en knoflook bracht bijna tranen in onze ogen en de angst om gesnapt te worden, kon onze vreugde niet drukken. Integendeel, dit was onze geheime manier om de partij en al zijn informanten dwars te zitten. Met iedere heerlijke hap varkensvlees getuigden we van onze haat jegens Castro en de communistische partij: onze eigen gastronomische contrarevolutie!

Alicia en ik zaten samen op de veranda te genieten van de weinige stukjes die we hadden (met één ham kwam je niet ver). Onze gesprekken werden de laatste tijd allemaal overschaduwd door de scheiding die er onvermijdelijk aan zat te komen. Alicia's ouders zouden geen visa aanvragen omdat tío Carlos ervan overtuigd was dat de huidige toestand slechts tijdelijk was en dat Castro binnenkort verdreven zou worden. Velen waren het met hem eens, maar papi vond dat tío Carlos weer net zo koppig als altijd was, en te trots om toe te geven dat de man die mede dankzij hem aan de macht was gekomen, ons leven kapotgemaakt had.

'Misschien komen die visa wel nooit,' zei Alicia terwijl ze het laatste druppeltje varkensvet met een oude broodkorst opveegde. 'En zelfs al komen ze, dan hoef je nog niet mee, Nora. Je bent al vijftien. Je kunt zeggen dat je hier wilt blijven en bij mij en mijn ouders wonen.' Ze opperde deze mogelijkheid, hoewel we allebei wisten dat het ondenkbaar was dat ik iets anders zou doen dan met mijn ouders meegaan. Ik knikte mistroostig en keek naar de dansende, flikkerende vuurvliegjes.

We bleven buiten op de veranda nadat we ons eten op hadden en vroegen ons af of dit de laatste keer was dat we samen bij tía Maria thuis waren. De laatste tijd vroeg ik me bij alles wat ik deed af of dit de laatste keer was: de laatste keer dat ik met Marta om de hoek een brood of een ijsje ging kopen; de laatste keer dat ik wakker werd en Beba in de keuken hoorde zingen, terwijl ze de borden en schalen met veel lawaai neerzette, wat ze altijd deed als ze ons wilde wekken; de laatste keer dat ik buiten op het balkon stond te wachten tot zonsondergang, zodat ik de stad zachtroze kon zien opgloeien in het laatste licht.

Maar hoe kon ik weten dat de week voorbij was zonder de zondagen bij tía Maria? Die waren net zo belangrijk in ons bestaan als zonsop- en zonsondergang. Wat er ook in de week gebeurde, we gingen altijd op zondag bij tía Maria eten. Onze moeilijkheden zouden opgelost worden, de scherpe kantjes van het leven werden eraf geslepen onder het gelach en de muziek op de veranda en de belofte van een heerlijke *brazo gitano* na het eten.

En hoe kon ik leven zonder Alicia vlakbij? Ze was mijn spiegel, mijn omgekeerde zelf. Ze kende geheimen van mij die ik met niemand anders kon delen. En om ergens anders dan in Cuba te gaan wonen was voor mij hetzelfde als om te zeggen dat ik op de maan ging wonen. Hoe konden mensen overleven op een plek waar het koud was, waar de tropenwind niet iedere dag je ziel verwarmde?

Hoe konden mensen leven in een land dat zo gigantisch was? Cuba was klein en knus. Ik wist waar alles was, net zoals in mijn slaapkamertje. Maar de Verenigde Staten, die zich vijfduizend kilometer, over een heel werelddeel uitstrekten... Het zou zijn alsof ik in een grote schouwburgzaal sliep, met mijn bedje klein en onbetekenend in een hoekje. Ik kon het me niet voorstellen. En ik kon me nog minder voorstellen dat ik Engels zou spreken, ook al had ik het op school geleerd. Het leek wel logisch dat die vreemde, ingewikkelde taal met zijn dikke 'th'-klank en die slordige klinkers uit een ijzig land kwamen waar iedereen liep te huiveren en zich ergens naartoe haastte.

We spraken heel weinig over onze naderende scheiding, bijna helemaal niet, alsof we bang waren dat erover praten op de een of andere manier zou maken dat het gebeurde. Misschien had Beba gelijk. Misschien was het beter om het over die sterke Amerikanen te hebben, hun afkeer van het communisme, en over duizend vliegtuigen die om onze hoofden zouden zoemen als boze bijen, en die hun angels zouden richten op het bebaarde hoofd van die man met de pet. Misschien was het beter om nergens over te praten.

IO

BEBA KNIELDE AAN MAMI'S VOETEN OP DE VLOER EN ZE HUIL-
den beiden zoals tía Nina ongeveer drie jaar geleden. Marta en ik
stonden verstijfd en konden niets uitbrengen bij zo veel verdriet
van mami en Beba. We konden de realiteit niet bevatten, de realiteit dat we, nu onze visa toegewezen waren, ons thuis al heel snel
zouden verlaten.

Papi stond wat terzijde, zijn handen in de zakken van zijn linnen broek, en tikte met zijn zwarte schoen een onregelmatig ritme
op de tegelvloer. Hij was ergens anders, ons mijlen vooruit en niet
in staat de jammerende vrouwen voor hem enige troost te bieden.

Hij liep naar het midden van de kamer en richtte zich alleen tot
mami. 'Beba is niet de enige die achterblijft, Regina.' Het gejammer stopte en stilte spreidde zich over ons uit, als de dood.

Mami kwam overeind en veegde haar ogen met de achterkant
van haar pols af. 'José, wat bedoel je?'

Even kon papi geen woord uitbrengen.

'In 's hemelsnaam, zeg het dan toch!'

'Regina, rustig. Er is een oplossing. Ik ben...'

'Wat is er?' schreeuwde ze. Ze sprong van de bank en wierp
zich op papi.

Zachtjes legde hij zijn handen op haar schouders en liet haar
weer op de bank zakken. 'Ik krijg binnenkort ook een visum.
Vast.'

'Zit jouw visum er niet bij?'

'Nee, maar het komt vast wel.'

Mami stond weer op, vastbesloten en vrolijk. 'Dan wachten we
tot dat er is en dan gaan we allemaal samen. Dat doen we,' zei ze

op haar allerredelijkste toon. Haar oplossing klonk heel logisch en misschien zou Beba ook een visum willen aanvragen terwijl we op dat van papi wachtten, en als we nog langer wachtten zou de regering weer veranderen, en dan hoefden we helemaal niet meer weg.

We klopten Beba op haar rug en zeiden haar met trillende stem dat het allemaal in orde kwam. Maar ze bleef stilletjes snikkend op de vloer liggen, met haar gezicht in haar handen. Beba toonde nooit zo snel haar verdriet en ze was geen type voor hysterische buien. Mijn vrees kwam ogenblikkelijk weer terug.

Papi deed een paar langzame stappen naar het raam en keek naar buiten, naar de schitterende Caribische oceaan in de verte. Hij hield zijn handen in zijn zakken, maar ik zag het linnen opbollen toen hij ze tot vuisten balde. Hij liep weer naar het midden van de kamer en zijn woorden waren duidelijk. 'Je moet zo snel mogelijk met de meisjes vertrekken. Als we deze visa laten lopen, krijgen we nooit meer zo'n kans.'

'Maar het kan jaren duren, José. We kunnen jaren gescheiden blijven.'

Papi zweeg. Een zweempje transpiratie glinsterde op zijn voorhoofd. 'Het duurt geen jaren. Snap je het niet?' Hij wendde zich tot Marta en mij, deed een poging tot glimlachen, maar het leek meer een halfhartige grijns. 'Dit is een truc van ze, om ons te laten blijven. Ze denken dat jullie niet zonder mij zullen gaan. Maar het zal ze niet lukken. Jullie drieën nemen dat vliegtuig, al wordt het m'n dood. En als mijn visum niet komt, dan zwem ik naar Miami als dat moet. Dat beloof ik je.'

Mami zakte weer op de bank in elkaar. 'Ik wil je beloftes niet. Ik vind het te erg, ik kan het niet verdragen.'

Beba herwon haar zelfbeheersing en trok zich zonder verder nog iets te zeggen in de keuken terug.

We moesten over een week vertrekken. Dat was hetzelfde als zeggen: morgen, over een uur, nu meteen, loop je de deur uit en laat je het leven dat je tot nu toe hebt gekend voor altijd achter. We hoefden ons vertrek niet uitgebreid voor te bereiden; er viel niets in te pakken omdat we maar één stel schone kleren mee mochten nemen, geen foto's of boeken of juwelen of wat dan ook om ons aan het thuis dat we achterlieten te herinneren. We zwierven als geesten rond door ons appartement, dwaalden door een museum van bezittingen die niet langer van ons waren. Ons verdriet daalde als fijn stof neer op alle meubels, op de hoekjes van iedere tegel. Het waaide als een stille storm uit de ramen en vermengde zich met het vocht van de zee. We namen met ons hart en onze gedachten foto's, en het beetje tijd dat we nog hadden, groeide uit tot een eeuwigheid van morgens die we nooit zouden hebben. Ik merkte dat ik uren achter elkaar naar de Caribische zee zat te kijken, in een poging een heel leven van verloren herinneringen goed te maken.

Papi en mami waren nog onafscheidelijker dan anders en mami huilde voortdurend terwijl papi haar in zijn armen hield. Als haar hoofd op zijn schouder lag, zodat ze zijn gezicht niet kon zien, keek hij alsof zijn grote hart verschrompelde tot een droog rozijntje. Ik probeerde de wanhoop in zijn ogen te interpreteren, want ik kon het hem niet rechtstreeks vragen, ik wist wel beter. Betekende het dat we hem nooit meer zouden zien? Dat hij het niet kon verdragen van ons gescheiden te worden? Bewaarde hij een geheim dat te gevaarlijk of pijnlijk was om met ons te delen?

Marta en ik hingen maar wat rond in ons appartement, te verzwakt door de schok van wat er met ons gebeurde om iets te doen. We bleven bij Beba in de buurt, die haar zelfbeheersing herwonnen had, maar haar kracht was niet langer warm en bekend, hij was koud en berustend. Ze zong niet meer en vertelde geen verhalen meer. Haar helderwitte kleren leken verkreukeld en af en toe waren ze gevlekt. We zaten bij elkaar in de keuken. Er was geen eten om klaar te maken en we wachtten tot de dagen voorbij waren gegaan en de wereld zou ophouden te bestaan.

Twee dagen voor we vertrokken, waren Alicia en ik samen op het strand van Varadero. Zelfs hier, waar de zeebries altijd door onze kinderdromen had gewaaid en onze angsten in de stralende hemel aan stukken had geblazen, voelde de lucht zwaar en benauwd aan. Ik kon de zon kwaad voelen trillen terwijl hij neerkeek op zijn geliefde eiland dat kapotging.

Alicia's ouders wilden nog steeds geen visa aanvragen, omdat ze er zeker van waren dat het politieke klimaat zou veranderen. Hoewel ik niets durfde te zeggen, was ik er in stilte van overtuigd dat ze gelijk hadden. Waarom zouden we ons huis verlaten vanwege de grillen van één man? Het leek mij een ongelooflijk overdreven reactie om ons leven, onze familie, alles wat ons maakte tot wat we waren, achter te laten, terwijl er zo veel andere trotse Cubanen bereid waren te wachten en om een ommekeer te bidden. Was dat niet het verstandigste? Hadden papi en mami en de zusters van het El Angel de la Guardia ons niet altijd gezegd dat we geduld moesten hebben? Zei de bijbel niet dat geduld een deugd was? Waarom zouden we ons thuis opgeven terwijl er nog hoop was?

Ik wilde deze vragen dolgraag stellen, maar ik durfde het niet als ik het verdriet in de ogen van papi en mami zag. Ik wilde niet dat mami in zou storten en gek zou worden, zoals tía Nina toen tío Carlos weg was. Ik wist dat het beter was te zwijgen en mijn adem in te houden en te bidden dat het niet erger zou worden.

Alicia en ik zaten op het zachte, witte zand en lieten onze ogen rusten op het turkooisblauw dat zich voor ons uitstrekte, terwijl we onze voeten nat lieten worden en door het lauwe water lieten kietelen.

'Hier hebben we samen leren zwemmen,' zei Alicia met haar blik nog steeds op de zee. 'Weet je nog die keer dat abuelo ons naar het platform liet zwemmen?'

Het platform lag daar nog steeds vredig op en neer te deinen, zich niet bewust van de grote rol die het gespeeld had in de training van generaties zwemmers in onze familie en, ongetwijfeld, ook in andere families.

'Als ik het me goed herinner, was jij de enige die zwemmen leerde. Ik leerde hoe ik als een grote steen naar de bodem moest zinken.' Ik lachte bij de herinnering, maar ik wilde huilen.

'Je was dapper, Nora. Je probeerde het, ook al was je bang.'

'Dat was ik zeker.'

'En nu? Ben je nu bang?'

Ik begroef mijn tenen en bekeek de dikke klodd023 zand met water die zich als warme toffee over mijn voeten verspreidden. 'Ja, maar ik voel me niet zoals toen ik klein was. Ik voel alleen maar een soort bevroren verdriet, waardoor ik niet kan huilen.'

Alicia knikte op de manier waardoor ik wist dat ze precies begreep wat ik bedoelde. 'Het lijkt niet echt. We zijn ons hele leven samen opgegroeid. Hoe kunnen we nu zonder elkaar verder?'

'Misschien hoeft dat ook niet. Iedereen zegt dat dit niet veel langer meer kan duren. Ik denk dat we maar voor korte tijd weggaan.'

We gingen op onze rug liggen en keken naar de palmen die door de lucht zwiepten zoals ze altijd al gedaan hadden, toen wij nog kleine meisjes waren... en een eeuwigheid daarvoor...

'Kun je God vandaag zien?' vraag ik. Alicia pakt mijn hand beet en de warmte van haar liefde en verdriet verzadigen me als de zon boven ons hoofd.

'O ja,' fluistert ze. 'Hij kijkt net op ons neer.'
'En wat heb je Hem gevraagd?'
'Je weet toch dat ik je dat niet mag zeggen, Nora?' zegt ze, en we lachen door onze tranen heen.

De luchthaven José Marti Airport was één verwarrende massa jonge soldaten met grote geweren over hun schouders die toezicht hielden op angstige, verdrietige mensen van alle leeftijden die rondrenden met hun ene halflege koffer en als kleine kinderen jammerden terwijl ze hun familieleden omhelsden, die ze misschien in geen jaren meer zouden zien, als ze hen ooit nog terug zouden zien. Kinderen keken met grote ogen naar de volwassenen, geïntrigeerd door deze plotselinge rolwisseling.

'Huil niet,' hoorden we een geërgerde soldaat tegen een vrouw zeggen die oud genoeg was om zijn grootmoeder te zijn. 'Als je zo huilt, betekent dat dat je tegen de Revolutie bent, en dat is een misdaad, begrepen?'

De oude vrouw veegde met een zakdoek haar ogen onder haar bril af en draaide de soldaat de rug toe. Haar onderlip trilde. '*Cabron,*' mompelde ze terwijl ze langs ons liep.

Wij vieren stonden tegen een muur geleund te wachten terwijl abuelo was weggegaan om te kijken hoe het er met onze vlucht voor stond. Mami was als een zombie, een hele verandering ten opzichte van haar hysterie, maar ik zag haar liever hysterisch dan met dit dodenmasker. Papi fluisterde in haar oor en ze knikte terwijl ze luisterde, knipperde langzaam met haar ogen als een kind dat de regels voor verstoppertje leert. Ik stelde me voor dat hij haar vertelde wat hij haar al de hele week vertelde: dat alles in orde zou komen en dat we binnenkort weer samen zouden zijn en dat niets ons gezin gescheiden kon houden.

Er waren al regelingen getroffen voor onze aankomst in Miami, waar we bij vrienden zouden logeren tot we weer met papi herenigd zouden zijn. Hij zou uiterlijk een jaar op zijn visum wachten, en als het er dan nog niet was een andere manier zoeken om weg te komen. Er deden veel geruchten de ronde over mensen die zich op schepen of vliegtuigen verborgen. En de VS lieten iedereen die uit Cuba kwam binnen, of ze nu wel of niet een geldig visum hadden. Het leek een verstandig plan; zo lang was een jaar niet. Maar papi had het net zo goed tegen de muur kunnen hebben waar mami tegenaan leunde. Ze mompelde wat ze al twee weken zei: 'Ik geloof gewoon niet dat dit ons overkomt.'

Terwijl ik naar papi keek, zo lang en sterk, zijn ogen schitterend van emotie, twijfelde ik er niet aan dat onze scheiding maar kort zou zijn. Maar wat moesten we doen tot hij er weer was? Ik was met mijn vijftien jaar al langer dan mami, en toen ik haar hand pakte, vlijde ze haar hoofd tegen mijn schouder. 'Je moet me helpen, Nora,' zei ze, haar stem zwak van verdriet. 'Ik heb je hulp nodig om hier doorheen te komen.'

'Ik help je, mami, maak je geen zorgen,' zei ik. Ik probeerde sterk te klinken, hoewel ik ook wel een potje wilde huilen, net als iedereen. Ik wilde dat papi en mami me in hun armen namen, zoals ze gedaan hadden toen ik nog een klein meisje was, en dat ze me zouden vertellen dat het gewoon een nare droom was en dat alles morgenochtend weer in orde zou zijn. Ik zou wakker worden en het licht door mijn raam naar binnen zien stromen. Ik zou de koffie ruiken die doorliep en ik zou Beba vanuit de keuken met haar prachtige, gouden stem vrolijk horen zingen.

'We willen naar het strand,' roept mijn moeder opgewekt. 'Eruit! Voor we de halve dag kwijt zijn.'

'Ik sta meteen op,' wil ik terugroepen, maar dat kan ik niet want ik leun tegen een grijze muur met mami's hoofd op mijn schouder, ik heb een lege koffer in mijn hand en ik draag drie stel ondergoed.

'Ik zal je ook helpen, mami,' zegt Marta, terwijl ze de koffer van me overneemt.

'Zie je wel, Regina? Je hebt twee geweldige dochters die je zullen helpen sterk te zijn. En ik kom heel gauw.'

'Ik denk dat we niet weg moeten gaan,' zegt mami. Maar deze opmerking heeft alle kracht verloren en is niet meer dan leeg gefluister.

Abuelo zocht snel zijn weg door de menigte. Zijn gezicht trok zenuwachtig toen hij dichterbij kwam en zijn wanhoop golfde over ons heen als een brullende branding. We voelden ons niet langer verdrietig, maar energiek en vervuld van de noodzaak op te schieten met deze toestand van afscheid nemen: van ons thuis, van papi, van alles wat we waren.

Abuelo was zo nerveus dat hij amper een woord uit kon brengen. Die lieve, rustige abuelo was nooit zenuwachtig, en ik had het gevoel dat de bodem uit mijn maag wegviel. Alles om me heen stortte in, maar ik wilde nog steeds met mijn hele hart blijven.

Abuelo greep papi bij zijn schouder. 'De mensen moeten aan boord.'

Papi keek op zijn horloge. 'Ze moeten pas over een uur aan boord, papa.'

'Kijk om je heen. Heb je het idee dat iemand weet waar-ie mee bezig is? Dit is een gekkenhuis, ik zeg jullie dat jullie nu aan boord moeten!' Abuelo schreeuwde nooit, maar nu wel en zijn gezicht stond strak, waardoor zijn mondhoeken naar beneden trokken. Mami richtte zich op, haar ogen werden helder. Ze vermande zichzelf. 'We mogen het vliegtuig niet missen, jullie hebben gehoord wat abuelo zegt,' snauwde ze, terwijl ze strak voor zich uit keek. We moesten bijna rennen om haar en abuelo bij te houden.

We kwamen buiten adem bij onze gate aan, ons hart klopte in onze keel toen we achter aansloten bij de rij die zich langzaam door de deur naar het vliegtuig toe bewoog. Het toestel weerspiegelde de tropische zon, net zoals Beba's glimmende potten en pannen. Een vrouw van middelbare leeftijd voor ons huilde toen een vrouwelijke beambte haar koffer inspecteerde. De vrouw verscheurde met veel plezier de foto's die ze vond een voor een in stukken en gooide de snippers op de vloer. Ze had een volle mond en wijd uit elkaar staande amandelvormige ogen. Ze zou heel mooi zijn geweest, als ze niet zo'n nare lach op haar gezicht had gehad.

'Ga daar in de rij staan,' beval abuelo zonder zich iets van de scène voor ons aan te trekken. 'Geef me jullie visa.' Papi gaf hem de drie visa en bleef met abuelo aan de andere kant van het koord staan. We keken naar het vluchtnummer. Dit was onze vlucht niet, maar we gingen toch maar in de rij staan toen we de uitdrukking op abuelo's gezicht zagen. Hij was niet in de war. Hij wist precies wat hij deed.

Toen het onze beurt was de purser onze tickets te geven, ging abuelo vlak bij hem staan en gaf hem de visa. Zijn lichaam benam het zicht op wat hij precies deed. Maar ik zag dat hij een aantal buitenlandse bankbiljetten voor in een van onze paspoorten stopte, en ik herinnerde me dat abuelo geld op een Amerikaanse rekening had staan.

De man bekeek de paspoorten en de visa en wierp toen een boze blik op papi. 'Meneer,' zei hij, 'heeft u dat bord niet gezien? De mensen die aan boord moeten, moeten achter dat koord staan.'

Papi keek verward, maar toen hij abuelo zag knikken en het koord oplichten zodat hij eronderdoor kon, kroop hij er zonder verder iets te zeggen onderdoor.

We wisten dat we absoluut gewoon moesten doen. We konden het niet riskeren de aandacht te trekken terwijl we eigenlijk van vreugde op en neer wilden dansen. De jongens in uniform met hun machinegeweren over hun borst en rug waren overal. Alles kon tot een arrestatie leiden, wat dan ook. En dit was heel wat ernstiger dan vlees op de zwarte markt kopen.

Met z'n vieren liepen we de deur door, met onze hoofden gebogen zodat niemand de angst in onze ogen als iets anders zou kunnen uitleggen dan het verdriet om ons vaderland te verlaten. We renden zowat over het asfalt naar het vliegtuig en gingen de trap op, en toen besefte ik dat we in onze haast vergeten waren afscheid van abuelo te nemen.

Ik draaide me om om te zien of ik achter de ramen een glimp van hem kon opvangen, en daar stond hij, zo recht als een koningspalm, zijn handen in zijn zakken en zijn guayabera fris en wit in de zon.

We waren zo bang geweest voor dit ogenblik, maar nu konden we amper wachten tot het vliegtuig zou opstijgen en we niet meer hoefden te twijfelen dat het ons gelukt was. Het toestel zat vol gillende kinderen, snikkende vrouwen en zenuwachtige jonge mensen wier ogen bijna uit hun hoofd puilden en die verlamd waren van angst, maar we konden ons niet vereenzelvigen met hun verdriet en angsten. Wij hadden onze papi terug. Had iemand champagne? Waar waren de sigaren?

Er waren meer passagiers dan stoelen en verscheidene mensen moesten op de grond zitten tijdens onze korte vlucht naar de vrijheid. Mami en papi zaten samen achter in het vliegtuig, hun handen ineengestrengeld. Mami huilde en lachte, en huilde toen weer terwijl papi haar dicht tegen zich aan hield. Marta en ik hielden elkaar ook vast terwijl we de zachte, gemompelde gebeden van de andere passagiers om ons heen hoorden zoemen.

'Alstublieft, hemelse Vader, laat ons snel terugkeren. Gezegende Moeder, heb genade en behoed ons. Lieve Jezus, vergeet onze broeders en zusters die achterblijven niet. Laat ons snel weer bij elkaar zijn.'

Het gebrul van de motoren deed de gebeden en de snikken en het gejammer van de kinderen die niet wisten wat ze overkwam verstommen. In de komende minuten zouden meer dan tweehonderd harten weggescheurd worden van hun vaderland. Wie het trauma zou overleven, wist niemand. En wie het geluk zou hebben terug te kunnen komen en de warmte van de Cubaanse zon weer door zijn aderen te voelen stromen, wisten we al net zomin.

Het vliegtuig denderde rammelend en hotsend over de startbaan en tilde toen zijn zwaar op de proef gestelde lading omhoog, de Cubaanse lucht in. Met gezwollen ogen tuurden we door de kleine raampjes naar buiten en zagen het groen van ons eiland tot een edelsteen worden, gevat in de glinsterende zee. Het werd kleiner en kleiner tot het amper meer was dan een schitterende nevel, een herinnering die verloren ging in de verblindend brandende zon.

En toen was het weg.

De Verenigde Staten

1962 – 1981

II

November 1962

Lieve Alicia,
We zijn nog niet geland, maar ik weet nu al... dat ik nooit een Amerikaanse word.
Iedereen om me heen in het vliegtuig is gelukkig, iedereen heeft het erover dat ze niet kunnen wachten tot ze hun eerste Amerikaanse maaltijd krijgen, met meer dan genoeg Amerikaans vlees, en dat ze Amerikaans bier gaan drinken tot het hun neus uit komt, terwijl ik alleen maar aan mijn laatste gesprek met Beba kan denken.
Ze kwam m'n kamer binnenglippen toen we op abuelo wachtten, die ons naar het vliegveld zou brengen. Mijn leven lang zal ik niet vergeten wat zij tegen me zei: 'Toen mijn volk vroeger vanuit Afrika naar dit land kwam, hebben velen hun ziel verloren, maar sommigen hebben het overleefd, Norita. Zij zijn nooit vergeten wie ze zijn en waar ze vandaan kwamen. Zij waren de sterksten en ik weet dat jij net zo sterk zult zijn als zij.'
Ik zei tegen haar dat ik me zo zwak als een baby voelde, en ik huilde ook als een baby, dus haalde ze een witte zakdoek uit de zak van haar schort en bette mijn ogen. 'Je bent niet zwak, Norita,' zei ze. 'Je bent sterk en je hebt een prachtig hart. Maar de mensen in Amerika zullen dat hart van je proberen te stelen, en daar moet je je tegen verzetten, anders raak je jezelf kwijt.'
Ik vroeg haar hoe ik hun kon verhinderen mijn hart te stelen en zij zei: 'Je moet doen zoals mijn voorouders hebben gedaan. Geef hun je schaduwhart, want ze zullen erop staan dat je ze iets geeft, maar hou je echte hart voor jezelf... altijd.'

Als de wereld was geweest zoals hij hoort te zijn, dan had ik haar honderduit gevraagd: wat een schaduwhart is, waar het vandaan komt, en wat het verschil is met mijn echte hart. En ze zou het me hebben uitgelegd op haar manier, die maakt dat ik gewoon alles begrijp. Maar net op dat moment kwam papi binnenstormen en hij kondigde aan dat het tijd was om te vertrekken. We hadden amper de kans afscheid van Beba te nemen, maar terwijl ik deze brief schrijf, zie ik haar gezicht in de wolken, en als ik de eerste glimp opvang van het land dat als ik niet oppas mijn hart gaat stelen, zal ik aan haar en aan jou denken. Het zal niet lang meer duren.

Ik heb iets gedaan wat ik nooit gedacht had te zullen doen: ik heb een belofte aan God gedaan, zoals abuela zo graag doet. Ik beloof dat ik iedere dag dat ik wakker word in dit nieuwe land, allereerst neer zal knielen en God zal vragen de Revolutie te beëindigen zodat we weer naar huis kunnen. Ik ga niet zoals abuela mijn wimpers afknippen, maar ik knip mijn nagels heel kort en zo houd ik ze tot we teruggaan. Als jij ook iets belooft, dan zitten we misschien binnenkort weer op mijn kamer naar onze Elvis-platen te luisteren, en lopen we vroeg in de ochtend, voor het gaat waaien, over het strand. We gaan winkelen in El Encanto om nieuwe jurken te kopen, omdat er een hoop feesten en bals komen als de Revolutie voorbij is.

Zodra we een huis hebben, schrijf ik je weer, op gewoon papier (deze immigratieformulieren zijn het enige wat ze hadden). En ik zal goed op mijn hart passen, precies zoals Beba heeft gezegd.

Nora

Toen we uit het vliegtuig stapten en voet op Amerikaanse bodem zetten, hoopte ik dat de grond zou trillen en me als een woest paard zou afwerpen. Maar vergeet het maar. We moesten direct in een rij gaan staan tegen de muur in een groot gebouw, op korte afstand van het vliegveld. Even voelde ik me als die arme, op hun executie wachtende stakkers in de rij tegen de muur op El Morro.

Ik zei dit fluisterend tegen Marta, maar papi hoorde me en schudde me ruw bij m'n schouder heen en weer. 'Luister jij eens eventjes,' zei hij. 'Dit is nu ons land. En ik wil dankbaarheid van je horen, niets anders.'

Arme papi. Er stond zo'n angst in zijn ogen te lezen. En die verdween niet toen we de volgende morgen ontdekten dat we midden in Miami in Klein Havana waren beland. Om ons heen waren Cubaanse vluchtelingen die Cubaanse sandwiches aten, Cubaanse koffie dronken en naar Cubaanse muziek luisterden die uit de luidsprekers schetterde.

Mami en Marta en ik waren hier graag gebleven, zo dicht mogelijk bij Cuba, maar papi's angst werd groter. Hij vertelde mami over zijn vriend bij de Nationale Bank die een goede baan in Californië had gevonden. Zijn vriend had gezegd dat het in Californië anders was dan in Miami, waar het medelijden met de vluchtelingen steeds minder werd en het steeds moeilijker werd aan de slag te komen. En in Californië waren geen Cubaanse getto's.

Een paar dagen later gingen we aan boord van een ander vliegtuig, naar Californië dit keer, en het enige wat ons ervan weerhield te klagen, was de blik in papi's ogen. Zijn ogen schitterden, wat ik ze niet meer had zien doen sinds de Revolutie. Het was een troost om dat te zien, zelfs al wist ik dat er op onze volgende bestemming geen mini-Cuba zou zijn om ons te verwelkomen als we aankwamen.

Ons nieuwe huis in Californië was een appartement, nog kleiner dan tía Maria's schuur in de achtertuin. Marta en ik sliepen in de huiskamer op een bank die je uit kon klappen tot een bobbelig bed, en mami en papi sliepen in de enige slaapkamer. Tijdens de eerste week na onze aankomst kwam er iedere dag een dame van de kerk langs om ons eten te brengen. Ze had een onvoorstelbaar blond kapsel, dat eruitzag als een hooiberg. In gebrekkig Spaans vertelde ze ons dat de dames van de kerk om de beurt iets speciaal voor ons kookten zodat we geen heimwee zouden hebben.

Toen ze deze mededeling deed, haalden we opgewonden het folie van de aardewerken ovenschaal, keken wat eronder zat en zagen een dikke laag kaas bubbelen op bruine bonen en vlees. We hadden zulk eten nog nooit gezien, maar kennelijk was het goed tegen heimwee.

'*Enchiladas*,' verkondigde de blonde dame. 'Mexicaans eten, zodat jullie je thuis kunnen voelen.'

Niemand durfde haar te vertellen dat we zoiets nog nooit gegeten hadden, en dat Mexicaans eten heel anders was dan Cubaans eten. Maar de *enchiladas* waren best lekker en we aten ze aan de kleine keukentafel, die amper groot genoeg was voor twee mensen. Onze knieën stootten tegen elkaar aan maar we probeerden erom te lachen en onze gedachten te bepalen tot wat een geluk het was dat we genoeg eten hadden om onze maag te vullen. Ik probeerde dankbaar te zijn, maar alles leek raar en ontwricht: het eten, het weer, zelfs de manier waarop de blaadjes een voor een van de bomen vielen, als om me eraan te herinneren dat ik iedere dag een klein beetje doodging.

Soms gingen papi, Marta en ik na het avondeten een eindje wandelen, terwijl mami afwaste. Ze zei ons dat ze geen hulp bij het opruimen nodig had, maar ik wist dat ze niet wilde dat we haar zagen huilen. Ineens hield ze haar tranen voor zichzelf.

Tijdens een van onze wandelingen ving ik een brandlucht op, die leek op de geur van de smeulende kolen als we een varken gingen roosteren. Ik wist dat het onmogelijk was, maar alleen bij de gedachte al werd mijn hart warm van de herinneringen aan thuis.

'Wat is dat voor lucht, papi?' vroeg ik.

Marta en papi snoven, ook zij wisten het niet.

'Misschien verbranden ze vuilnis,' opperde Marta.

We liepen een eindje door en papi wees op een raam van een groot huis van twee verdiepingen dat midden in een groen grasveld met een hek eromheen stond. Toen zagen we waar die geur vandaan kwam: een vuur dat in het huis brandde, midden in de zitkamer. Ik had hierover in boeken gelezen, maar het was vreemd om het in het echt te zien. Hoe kan een land dat zo groot en modern is nog houtvuren gebruiken om het huis te verwarmen? Het leek me onlogisch, want iedereen wist toch dat Amerika het rijkste en machtigste land ter wereld was?

Niet dat ik de kachel in ons flatje nou zo geweldig vond. Een hele week wilde mami niet dat papi hem aanstak, omdat ze dacht dat hij midden in de nacht zou ontploffen. Maar we hadden niet genoeg dekens om ons warm te houden, dus uiteindelijk vond ze het goed dat hij hem aanstak. Ze bleef er de hele nacht naast zitten waken en tuurde naar het blauwe vlammetje dat achter het rooster flikkerde.

Ik wist dat papi gesteld was op het huis met het haardvuur, want iedere keer als we erlangs liepen, vertraagde hij zijn pas en keek ernaar. 'Wat zouden jullie ervan zeggen eens zo'n groot huis te hebben?' vroeg hij. Ik wilde hem in herinnering brengen dat we al een appartement in Cuba hadden met uitzicht op zee dat net zo groot was als dit huis, en dat het huis van tía Maria twee keer zo groot was, maar ik zweeg.

'Ik wil geen groot huis,' zei Marta bijna huilend. 'Ik wil gewoon naar huis.'

Papi wisselde een blik van verstandhouding met me. Nu waren alleen hij en ik nog over om sterk te zijn. Ik slikte zo goed en kwaad als het ging mijn eigen tranen weg. 'Dat zou prachtig zijn, papi. Ik weet zeker dat mami het ook mooi zou vinden.'

Januari 1963

Lieve Alicia,
Voor het eerst sinds we vertrokken zijn, heb ik van jou gedroomd. Je liep langs de rand van het eiland, je voeten slepend in het zand, en je vroeg je af waarom ik nog niet thuisgekomen was. Je wist niet dat ik boven in de hoogste palm zat en naar je keek. Ik probeerde naar je te roepen, maar mijn keel zat dicht en ik kon geen geluid uitbrengen. De enige kans die ik had was me naar beneden storten. Ik maakte me klaar voor de sprong, maar ik was niet bang. Zelfs in mijn droom voelde ik de warmte die me van de nachtmerrie van dit koude land kwam redden.

Toen ik wakker werd en besefte waar ik was, sloot ik mijn ogen in de hoop dat als ik me niet verroerde en weer ging slapen, ik met je zou kunnen praten voor de droom afgelopen zou zijn. Maar het lukte niet.

Ik had sinds ons vertrek niet gehuild. Ik heb geprobeerd sterk te zijn voor papi, mami en Marta, maar die ochtend, toen er nog niemand wakker was, begroef ik mijn hoofd in het kussen en huilde zo hard dat het moeilijk was adem te halen en mijn longen de pijn die ik binnen in me heb gehouden sinds onze aankomst hier amper meer konden verdragen. Beba zou teleurgesteld zijn als ze wist dat mijn hart in zo'n korte tijd al zo broos was geworden als de bladeren die onder mijn voeten knisperen.

Marta en ik zijn vorige week weer naar school gegaan. Hier gaan jongens en meisjes samen naar school. De meisjes trekken zwarte lijntjes om hun ogen en stiften hun lippen wit, waardoor ze eruitzien als voodoopoppen, en de jongens hebben lang haar, bijna tot hun schouders. Zelfs de klassenassistent, Jeremy McLaughlin, heeft lang haar. Alle meisjes vinden hem knap. Ik geloof dat hij dat ook wel is, als het je tenminste niet kan schelen dat hij zijn haar nooit kamt omdat het zo krult. Maar ik moet geen aanmerkingen op hem maken. Hij is heel aardig en heeft extra tijd uitgetrokken om dingen aan me uit te leggen zonder daar een hoop drukte over te maken en de aandacht erop te vestigen dat mijn Engels niet geweldig is. Iedereen hier is Amerikaans, wij zijn de enige Cubanen op de hele school.

Ik probeer tijdens de les zo weinig mogelijk te zeggen. Maar op een dag besloot mijn lerares de dag te beginnen met een discussie over de actualiteit. Ze liet een voorpagina van een krant zien met de kop: 'Handelsboycot: het antwoord van de VS op Castro.' Toen vroeg ze mij aan de klas te vertellen wat ik ervan vond.

Ik kon niet direct bedenken wat ik moest zeggen. Want voor mij is dit meer dan de actualiteit. Het is mijn thuis, mijn hart, mijn leven. Uiteindelijk stond ik op om iets te zeggen, hoewel mijn lerares zei dat het niet hoefde. Om te oefenen, zal ik in het Engels opschrijven wat ik zei.

'Het handelsembargo voor Cuba… is niet genoeg om dingen te veranderen. Castro heeft geen honger, ook al hebben de burgers honger en veel angst. Zij gaan naar de gevangenis als zij tegen het communisme zijn. Ik mis mijn land en ik bid iedere dag dat ik weer naar huis kan. Er zijn dingen die erger zijn dan honger.' Niemand zei een woord, en toen ik naar Jeremy keek, zag ik dat zijn ogen rood waren.

Het is zo vreemd om mezelf tegen vreemdelingen dingen te horen zeggen die ik thuis niet kan zeggen. Ik mis het om thuis te zijn, en ik mis jou.

Nora

Ik was niet bereid toe te geven, zelfs niet aan Alicia, dat ik me maar om één ding op school verheugde. Jeremy zou er zijn, onderuitgezakt achter zijn bureau met zijn spijkerbroek, overhemd en das, ijverig bezig met het nakijken van proefwerken en vragen beantwoorden van meestal vrouwelijke leerlingen die een smoes hadden verzonnen om bij hem in de buurt te komen. Ik kon het ze amper kwalijk nemen. Zijn rustige blik en zijn knappe uiterlijk, waar hij niet prat op ging, waren onweerstaanbaar, en ook ik merkte dat mijn ogen vanaf mijn tafeltje op de eerste rij een paar keer per uur naar hem afdwaalden. Meer dan eens merkte ik dat hij naar mij keek, maar hij keek niet weg, zoals ik, omdat ik me betrapt voelde. Hij glimlachte droevig, waarschijnlijk omdat hij medelijden met me had in mijn gesteven kleren, met mijn kniekousen, en hij bekeek me alsof ik een wezen van een andere planeet was. Het was pijnlijk om mijn eigen opgelatenheid in zijn ogen weerspiegeld te zien.

Die eerste week, toen ik net de school uit wilde lopen, hoorde ik mijn naam roepen op Jeremy's kenmerkende manier: hij deed altijd zijn best hem op z'n Spaans uit te spreken. Ik keek naar hem terwijl hij op me toe kwam lopen en voelde mijn maag samenknijpen en ik weet zeker dat hij zag dat een blos zich vanaf mijn oren als een storm van verliefdheid over mijn hele lichaam verspreidde. Hij was er natuurlijk aan gewend om door ieder meisje dat hem zag aanbeden te worden. En dus had hij genoeg gelegenheid gehad zich erin te oefenen net te doen of hij niets merkte. Het lukte hem tegenover mij in ieder geval bijzonder goed.

Enigszins buiten adem herhaalde hij mijn naam. 'Nora. Je vindt het hoop ik niet erg als ik je iets vraag?'

'Vast niet,' antwoordde ik, terwijl ik er versteld van stond dat ik überhaupt met hem sprak. En ik merkte dat Cindy, het mooie blonde meisje uit mijn klas, vanaf haar kluisje naar ons keek.

'Wat is er erger dan honger?' vroeg hij, en toen slaakte hij een zucht die hij al een week leek te hebben opgespaard.

Er schoot me zo direct niets te binnen en ik werd afgeleid door zijn gespannen blik, alsof hij probeerde mijn gedachten te lezen terwijl ze zich nog vormden.

'Het spijt me dat ik je er zo mee overval. Alleen... ik heb lopen nadenken over wat je toen zei en ik vroeg me af...' Zijn stem stierf weg.

'Het is makkelijk om eten te vinden,' zei ik voorzichtig. 'Misschien vind je het niet lekker, maar je eet het op en dan verdwijnt de honger. Maar als je je hoop verliest...' Ik keek weer in het zachte kleurenpalet van zijn hazelnootbruine ogen. 'Dan wacht je tot de hoop jou vindt, maar soms vindt de hoop je niet.'

Jeremy dacht over mijn antwoord na en knikte toen langzaam dat hij het begreep. 'Hoor eens,' zei hij. 'Ik wil mijn Spaans graag verbeteren. Als ik jou Engelse les geef, wil je mij dan Spaanse les geven?'

'Wil jij Spaans leren?' vroeg ik hem, nu met een glimlach.

'Ja,' zei hij ernstig. 'Ooit wil ik bij het Vredeskorps en in Zuid-Amerika wonen.'

Het was onmogelijk naar de klas te gaan zonder langs Cindy's kluisje te lopen. Ik vroeg me af of ze expres om een centraal geplaatst kluisje had gevraagd zodat iedere scholier haar in ieder geval één keer per dag moest zien. En daar maakte ze volledig gebruik van. Ze liet zichzelf door vriendinnen omringen die onophoudelijk lachten terwijl ze ondertussen uit hun zwaar opgemaakte ooghoeken keken of ze genoeg aandacht trokken, en die met elkaar kletsten en roddelden zonder dat het ze kon schelen wie hen zou horen. Ik lette er zelf nooit op, want het was toch te moeilijk woorden en zinnen op te vangen en die dan zo te combineren dat er iets zinnigs uit kwam. Ik was alleen enigszins in haar geïnteresseerd omdat ik Cindy een aantal keren met Jeremy had zien lopen als hij op weg was naar de kantine voor de leraren. Ze babbelde dan aan een stuk door en liep een beetje zijwaarts zodat ze af en toe als per ongeluk tegen zijn schouder stootte, maar ik kon aan de schittering in haar ogen zien dat het expres was.

'*Greasers!*' hoorde ik haar bij haar kluisje gillen naar de halve kring vriendinnen om haar heen. 'Hij houdt van *greasers!*' En toen gierde ze van het lachen, een hoge giechellach die de rest van de groep aanstak.

Ik was bijna langs ze geslopen, onzichtbaar en onhoorbaar als altijd, toen ze me voor het eerst van mijn leven aansprak. 'Zeg, jij heet toch Nora?'

'Ik heet Nora Garcia.'

De vriendinnen giechelden nog meer.

'Zeg, waarom zou een spetter als Jeremy van *greasers* houden, denk je?' Ze hield haar hoofd schuin en nam me van top tot teen op terwijl ik mijn best deed de bekende woorden 'spetter' en '*grease*' in de ongewone context te begrijpen.

Ik schudde verward en blozend mijn hoofd.

'Ik dacht dat jij het wel zou weten omdat je zelf een *greaser* bent.' Ze lachte liefjes, terwijl haar ogen me vol haat aankeken.

Dit had weer een uitbarsting van hysterisch gegiechel tot gevolg en onbegrijpelijke opmerkingen van de andere meisjes. Ik moest aan Beba denken en haar koude blik, waarmee ze de ergste storm het zwijgen op kon leggen. Ik voelde die blik binnen in me aanzwellen en mijn ogen vullen, heet en scherp. Ik ving met die blik Cindy's fletse grijze ogen en ze knipperde een paar keer bevreemd, verward omdat ze zag dat ik helemaal niet knipperde.

'Waar kijk je zo naar?' mompelde ze.

Ik hield mijn blik nog even vol voor ik haar vrijliet, toen liep ik weg zonder iets te zeggen.

Na een korte stilte hoorde ik een van haar vriendinnen me achterna roepen: 'De *greaser* begrijpt het niet. Hé, je bent nu in de Verenigde Staten van Amerika hoor, dus leer Engels.'

Ik bleef doorlopen tot ik bij mijn klaslokaal was. Jeremy zat achter zijn bureau en glimlachte toen hij opkeek van zijn werk en me binnen zag komen. Ik legde mijn boeken voor hem op tafel en kwam direct ter zake. 'Ben ik een *greaser*?' vroeg ik.

Hij leek van zijn stuk gebracht en enigszins geërgerd. 'Ik heb een hekel aan dat woord.'

'Een paar mensen noemden me net *greaser*.'

Er kroop iets van schaamte in Jeremy's zorgelijke blik. 'Het is een beledigende omschrijving die domme mensen gebruiken voor mensen van Spaanse komaf.'

'Dan ben ik een *greaser*,' zei ik verrukt. Ik glimlachte in de prettige wetenschap dat Cindy had gezegd dat Jeremy van *greasers* hield. Ik was er bijna zeker van dat ze dat gezegd had.

'Ik vind het niet prettig als je dat zegt, Nora.'

'Ik ben een *greaser*,' antwoordde ik innig tevreden. 'Ik ben Spaans. En Spaanse mensen zijn *greasers*, dus ben ik een *greaser*.'

Jeremy schudde zijn hoofd en glimlachte zo'n beetje naar me. 'Goed, als jij het zegt. Maar je hoeft het niet steeds te herhalen. Wat zou je ervan zeggen jezelf latina te noemen, of hispanic of gewoon... Cubaanse?'

12

Mei 1963

Lieve Alicia,
Papi heeft eindelijk een baan gevonden, bij een bank in het
centrum van Los Angeles. Hij moet 's ochtends om halfvijf
opstaan om de bus te halen om op tijd op zijn werk te komen. Het is geen belangrijke baan, zoals hij in Cuba had.
Hij is accountant op een laag niveau en ik hoorde hem tegen mami zeggen dat hij verantwoording aflegt aan een
man die maar een fractie van zijn opleiding en ervaring
heeft, maar ze zeggen dat dat geen reden is om ondankbaar
te zijn. Toen hij thuiskwam met zijn nieuwtje hing mami
net buiten de was op, en ze knielde neer om God te danken
terwijl de natte lakens tegen haar gezicht wapperden. Later vertelde ze me dat als papi deze baan niet had gevonden, hij een andere baan had moeten aannemen, in de
bouw, en tegels had moeten leggen met iemand die hij in de
bus was tegengekomen en die had aangeboden het hem te
leren. Ik wilde mami vragen of ze suikerriet snijden op de
velden nog oneervoller werk vond dan tegels leggen, maar
pas na een paar dagen had ik voldoende moed verzameld.
Toen ik het eindelijk vroeg, antwoordde ze zonder van
streek te raken of te gaan huilen, waar ik bang voor was
geweest. Ze zei: 'Het is geen van beide oneervol werk,
maar als je vader zijn rug krom moet werken, dan moet dat
toch zijn om zijn gezin te onderhouden, en niet voor die
man.'
   Ik moet aan mijn huiswerk beginnen voor het te laat
wordt, want ik heb morgen vroeg Engelse les van Jeremy.
   Iedere dag kijk ik bij de post of er een brief van jou bij zit,

en iedere dag word ik teleurgesteld. Alsjeblieft, schrijf me snel.

Nora

'Wat doe je?' vroeg mami me op een zondagmorgen vroeg. Ik zat aan de keukentafel, het enige blad waarop je kon schrijven in ons kleine flatje.
'Ik schrijf aan Alicia.'
Mami trok verbaasd haar wenkbrauwen op. 'Je kunt wel schrijven als je dat wilt, maar ze krijgt je brief waarschijnlijk niet. Ze onderscheppen de post, knippen er stukken uit en censureren hem, zodat er soms helemaal niets meer van over is.' Ze gaapte en slofte door de keuken. Twee sloffende stappen brachten haar bij de koffiepot. Ik huiverde bij de gedachte dat ze gewend begon te raken aan de slappe Amerikaanse koffie die volgens haar goed was voor haar spijsvertering.
Ze wenkte me haar naar de slaapkamer te volgen, waar papi vredig lag te snurken, en trok een grote kartonnen geschenkdoos van onder het bed tevoorschijn. Erin zat een slordige verzameling foto's en enveloppen. Ik pakte een envelop, hield hem bij mijn neus en het heimwee dat ik sinds ons vertrek had gevoeld spoelde als een enorme golf over me heen. Ik rook knoflook en uien en zoete tabak en seringenparfum en de zee zelf. Ik had het gevoel dat ik zou vallen dus ging ik op het bed zitten, de brief nog tegen mijn gezicht gedrukt. Hoe kon ons huis daar zijn en wij hier? Hoe kon dit krankzinnige gebeuren?
'Ik dacht dat we geen foto's mee mochten nemen?'
Mami ging naast me zitten en zei zachtjes: 'Je vader zou razend op me zijn als hij ze zag. Ik heb ze in de voering van de koffer meegesmokkeld.' Ze schudde haar hoofd. 'Ik weet dat het een risico was, maar ik kon niet weggaan zonder wat herinneringen mee te nemen.' Ze zocht een foto en liet hem toen aan me zien. Het was hun huwelijksportret, dat altijd in een bewerkte zilveren lijst op de plank naast het raam had gestaan. Je kon duidelijk zien dat een deel van de foto verschoten was door de zon. Hun glimlach, eens onschuldig en mooi, wekte nu droefenis op.
Toen vond ik de foto die ik zocht. Ik had mami's voeten willen kussen dat ze hem meegenomen had. Het was een foto van Alicia en mij, hand in hand, terwijl de oceaan om onze enkels klotste, op de dag dat we de tiende verjaardag van Alicia vierden. De hele fa-

milie was die dag naar het strand van Varadero gekomen en we waren net klaar met onze zwemles van abuelo. We zagen er uitgeput maar opgetogen uit terwijl we de camera toelachten. Ik keek wat beter: onze magere ledematen glansden nog van het zeewater, mijn haar zat onflatteus tegen mijn wang geplakt, maar Alicia zag er als altijd prachtig uit, haar kin in de lucht en haar gouden haar wapperend in de wind. Ik wilde dat ik in die foto kon duiken en nooit meer terugkomen.

'Je mag hem houden als je wilt,' zei mami zachtjes.

'Graag. Dank je wel.'

'Maar eigenlijk wilde ik je dit laten zien,' zei ze terwijl ze me een envelop toestak. Aan de handtekening kon ik zien dat het een brief van tía Maria was, maar hij zat vol met uitgeknipte rechthoekjes, dus als je hem omhooghield leek hij op de knipmatjes die ik in de Amerikaanse klaslokalen had zien hangen. Ik probeerde hem te lezen, maar hij was moeilijk te volgen, ik viel steeds in die kleine gaten. De enige boodschap die helder overkwam, was dat het erger werd met tía's artritis.

'De communisten censureren alles,' zei mami met tastbare weerzin. 'Zelfs brieven van oude dametjes die over hun pijntjes klagen en over dat ze niet genoeg koffie voor het ontbijt hebben.'

Ik zette de foto op mijn nachtkastje en keek er iedere avond naar, terwijl ik me afvroeg of Alicia een van mijn brieven ontvangen had. Ik was van plan deze foto aan Jeremy te laten zien. We troffen elkaar regelmatig voor onze lessen en ik wist dat hij het geweldig zou vinden Alicia te zien, over wie ik hem verteld had, en het strand, dat ik met mijn beperkte Engels had proberen te beschrijven. 'Het is zo prachtig en warm en mijn woorden zijn niet genoeg. Ik kan alleen zeggen dat het de plek is waar mijn hart thuishoort.'

September 1963

Lieve Alicia,

Ik hoop dat deze brief je bereikt, meer nog dan alle andere brieven die ik je totnogtoe geschreven heb. Misschien is dat niet helemaal waar, maar ik ben zo van streek dat het waar voelt en het enige wat ik kan verzinnen is aan jou schrijven, en net doen alsof je hier bent, of, nog beter, dat ik bij jou ben.

Er zijn problemen met Marta. Het begon ermee dat ik merkte dat ze een dik kwartier eerder dan nodig was naar school ging, waarbij ze beweerde dat ze vroeg naar school wilde, zodat ze 'een jumpstart op haar werk had', wat dat ook mag betekenen. Ze houdt ervan Amerikaanse uitdrukkingen te gebruiken en ze probeert zich te gedragen alsof ze hier geboren is, wat volgens mij alleen maar belachelijk overkomt.

Ik neem altijd dezelfde weg naar school, maar op een ochtend werd de straat opgebroken, dus moest ik een andere nemen. Toen zag ik Marta zitten, ergens op een veranda, en ze was niet alleen. Ze was met een jongen. Ik ken hem van mijn school, dus hij moet minstens een paar jaar ouder zijn dan Marta.

Ze zagen me niet, ook al stampte ik zo hard met mijn voeten dat ik mijn voetzolen voelde tintelen. Ik kan in de verste verte niet begrijpen wat Marta daar met die jongen deed. Ze weet dat ze niet eens alleen met een jongen mag zijn. Maar ik kon aan de vertrouwelijke blik in hun ogen zien dat dit niet hun eerste afspraakje was.

Ik riep haar naam, net toen hij zich naar haar overboog om haar te kussen, en ze sprong op, duidelijk ontzet toen ze zag dat ik haar betrapt had. Maar toen ze van de veranda af kwam en naar me toe liep, zag ze er precies zo uit als het kleine meisje dat ik in Cuba gekend had. Ik wilde haar mee naar huis nemen, haar onder het bed verstoppen en haar net zo lang in haar gezicht slaan tot ze haar verstand weer terug had.

Ze zei me dat hij Eddie heette en dat hij haar vriendje was. Niet te geloven, toch? En toen zei ze dat het hier anders was en dat de mensen het niet zo nauw nemen als in Cuba.

En ik schreeuwde, midden op straat: 'Het kan me niet schelen wat de mensen hier doen. Je kunt het feit dat je Cubaanse bent niet veranderen, zelfs al verander je je kapsel en je kleren, zelfs al kus je iedere jongen die je tegenkomt en eet je hamburgers bij het ontbijt, de lunch en het avondeten. Je kunt het niet veranderen.'

Marta keek me een paar seconden strak aan, en ik dacht even dat ze in huilen uit zou barsten, maar ik weet dat ze zich alleen maar druk maakte over of ik papi en mami zou vertellen wat ik gezien had. Ik heb lang nagedacht wat ik moest doen. En uiteindelijk heb ik besloten het hun niet te vertellen want ik wil niet dat ze haar wegsturen, zoals jouw ouders

met jou hebben gedaan. Maar misschien verander ik nog wel
van gedachten.
We zijn zwijgend het laatste stuk naar school gelopen. En
toen we op de hoek uiteengingen, zei ik niets terug toen ze
me gedag zei. En ik heb die dag na schooltijd ook niets tegen
haar gezegd.
Misschien denk je, terwijl je dit leest, dat ik te streng voor
Marta was. Maar ik zie het zo: ze verloochent wat ze is, en
waarvoor? Voor een Amerikaanse jongen wiens leven om
football draait. Hij weet vast niet eens waar Cuba ligt. Als jij
hier was en hier woonde, zou je het begrijpen. Ik mis je meer
dan ooit.

Nora

Ik deed de brief aan Alicia de volgende ochtend op de bus en
kwam een paar minuten te laat in het klaslokaal. Jeremy zat niet,
zoals gewoonlijk, op mij te wachten, maar praatte met Cindy. Ze
keek even naar mij, toen naar de klok aan de wand, geërgerd dat
ik hen stoorde. Maar zíj stoorde óns. Jeremy en ik zagen elkaar
dagelijks voor onze Spaanse/Engelse lessen, en hij leerde het heel
vlot. Hij zei altijd dat ik zo'n goede lerares was en dat ik moest
overwegen er mijn beroep van te gaan maken. Als hij dat zei keek
hij me met zijn zachtbruine ogen waarderend aan, en zijn hand
leek een klein beetje dichter naar de mijne toe te kruipen. De laatste tijd raakten we elkaar steeds vaker per ongeluk aan met onze
handen, en met onze knieën ook, als we ze heen en weer schoven
om een makkelijk plekje te vinden aan het tafeltje waaraan we samen zaten.

Maar nu leunde Cindy tegen ons tafeltje en stak haar achterwerk naar achteren terwijl ze doorbabbelde en -lachte, en geen
acht sloeg op mij en mijn verhitte blikken. Ik ging aan mijn eigen
tafel zitten en deed net of ik in beslag genomen werd door mijn
boeken en papieren, terwijl ik lukraak de bladzijden van mijn
schrift omsloeg. Hoe lang moest ik wachten? Jeremy had me nog
niet eens begroet.

Ik keek nog een keer naar hem, en toen brak mijn hart. Zo eenvoudig was dat. De zachtheid in zijn blik die hij altijd had als hij
naar mij keek was veranderd in een smeulend vuur en hij zag een
beetje rood. Ze merkte het waarschijnlijk niet omdat ze niet precies wist, zoals ik, hoe romig zijn gezicht gewoonlijk van kleur

was. Ze wist niet dat als hij zich 's ochtends niet schoor, er een fijn richeltje haar vlak boven zijn kaaklijn verscheen, dat golfde als de zee als hij kauwgum kauwde. En hij was gek op kauwgum kauwen tussen de lessen door, wanneer het mocht. Spearmint was zijn lievelingssmaak. Hij had me tijdens onze lessen al op verscheidene pakjes getrakteerd.

Toch kon ik niet ontkennen dat Cindy mooi was op de manier waarop Amerikaanse meisjes mooi gevonden werden. Ze droeg haar haar altijd los, als een gouden sjaal rond haar schouders. Het schitterde in de zon en onder neonlicht en ze zwaaide ermee zo vaak ze maar kon, onder de krankzinnigste voorwendsels. Als ze een boek in haar lessenaar zocht, moest ze met die gouden lokken zwaaien. Als ze haar vinger opstak tijdens de les, als ze een lokaal binnenkwam en een plaatsje zocht – *zoef*, daar ging haar haar weer, en het effect was dat van een rode cape op een dolle stier… Alle jongens waren als verlamd, precies als Jeremy nu, zo te zien.

Toch, als je haar nauwlettend bekeek, kon je zien dat haar neus een beetje omhoogstond, zodat je haar neusgaten kon zien, en hoewel ze schattig en aanstekelijk lachte, waren haar lippen dun en haar tanden geel van de sigaretten die ze graag op weg naar huis rookte. Had Jeremy dat wel gezien?

Hij had haar kennelijk toegefluisterd dat hij het Spaanse meisje met haar Engels moest helpen, en ik zag dat hij terwijl ze wegliep naar haar achterwerk keek, dat strak als een paar sinaasappels in haar rok zat. Dat was nog zoiets: Amerikaanse jongens hielden van magere meisjes, terwijl in Cuba Cindy's figuur afgedaan zou zijn als onvrouwelijk en onaantrekkelijk. Mensen als zij konden zelfs opvulling voor hun achterwerk kopen. Dat had ik Beba een keer horen zeggen toen ze met mami in de keuken zat te kletsen.

Ik concentreerde me nog beter dan anders op de Engelse les die volgde. Ik zorgde ervoor dat onze handen en knieën elkaar niet per ongeluk raakten. Ik was van plan geweest Jeremy de foto van Alicia en mij op het strand van Varadero te laten zien. Ik had hem daar de vorige dag over verteld, en over hoe gevaarlijk het voor mijn moeder was geweest hem het land uit te smokkelen. Zoals ik al verwacht had, wilde hij hem graag zien.

'En waar is die foto die je me zou laten zien?' vroeg hij toen we voor onze les aan het tafeltje waren gaan zitten.

Ik meed zijn blik en deed net of ik een bepaalde bladzijde in mijn boek opzocht. 'Die foto… Ik ben hem vergeten.'

Hij hield zijn hoofd schuin. 'Hoe kon je die nu vergeten, Nora?'
Ik voelde de verontwaardiging in me opborrelen. De foto zat weggestoken in mijn Spaans-Engelse woordenboek. Ik had het open kunnen slaan op de bladzijde waar hij zat en Jeremy mijn vorige leven laten zien, zoals ik er ook naar verlangde mijn hart voor hem te openen, maar ik liet in plaats daarvan het woordenboek snel in mijn tas glijden.
'Ik ben hem geloof ik kwijt, hij ligt niet meer waar ik hem gelegd had.'
'Dus je bent hem niet vergeten?'
Voor het eerst sinds ik Jeremy kende, wilde ik wegrennen met mijn boeken en nooit meer terugkomen. Die Amerikanen begrijpen een eenvoudige wenk om ergens over op te houden niet. Ze blijven je bestoken met hun nieuwsgierige vragen, alsof ze het recht hebben alles te weten.
'Ik heb hem gewoon niet meegenomen,' mompelde ik. 'Dat is alles.'

De volgende dag trof ik tot mijn opluchting Jeremy alleen aan, maar ik voelde dat mijn mond en ogen zich verstrakten en ik meed zijn blik. Hij bekeek me bezorgd. Zelfs uit mijn ooghoek kon ik het glimlachje nog zien dat om zijn lippen speelde en dat verwarde me nog meer. Hij had zijn boek zelfs nog niet opengeslagen, hoewel we besloten hadden voor de verandering met de Spaanse les te beginnen, omdat ik gemerkt had dat ik met mijn Engels sneller vooruitging dan hij met zijn Spaans.
Hij speelde met zijn potlood. 'Is er iets?' vroeg ik.
'Dat wilde ik nu net aan jou vragen.'
Ik voelde mijn oren warm worden en een blos verspreidde zich over mijn wangen. Weer moest ik de plotselinge opwelling om het klaslokaal uit te rennen, onderdrukken.
Hij legde het potlood op zijn bureau en leunde naar voren zodat hij vlak bij me was, zo dichtbij dat ik de fijne gouden haartjes op zijn bovenlip kon tellen. 'Nora, ik ben dan wel maar een paar jaar ouder dan jij, maar ik ben wel leraar hier en er zijn een paar dingen die een leraar niet mag doen...'
'Ik weet wat je hier doet.'
Jeremy leek nu ook verward en hij streek zijn lange haar uit zijn ogen. 'Het meisje met wie je me gisteren hebt zien praten...'
'Cindy.'
'Ja, Cindy.' Hij knikte. 'Zij is een leerling en ik ben een leraar. En jij bent een leerling...'

'En jij bent de leraar,' zei ik alsof we net aan onze les waren begonnen.

Hij glimlachte nu, maar legde zijn hand op het woordenboek dat ik wilde openslaan. 'Als ik geen leraar was...' Hij keek me onderzoekend aan, alsof hij moed verzamelde om iets te zeggen, maar toen bedacht hij zich en zuchtte. 'We begrijpen elkaar wel, hè?'

Ik glimlachte net als hij en knikte. 'Je bent een heel goede leraar, Jeremy.'

13

December 1963

Lieve Alicia,
Gisteravond hoorde ik mami en papi praten terwijl ze dachten dat ik niet luisterde. Ons flatje is zo klein dat je alleen in de badkamer wat privacy hebt, of buiten, op het trappetje bij de keukendeur. Het raam boven het aanrecht stond open, dus ik kon ze makkelijk horen. Papi zei dat hij had gehoord dat jouw vader verdwenen is, net als vroeger. Hij probeerde mami de zorgen uit haar hoofd te praten, en even was ik ook bezorgd, maar toen ik verder luisterde, voelde ik me beter.

Want papi zei ook dat hij er zeker van was dat wat er eerder met Batista gebeurd was, ook met Castro zou gebeuren, en zijn stem klonk hoopvol en warm. Papi is altijd heel reëel geweest over de Revolutie en de mogelijkheid dat we weer naar huis kunnen gaan, niet zoals wij anderen, die constant naar het onmogelijke zitten te verlangen. Als papi zegt dat de boel met Castro gaat veranderen, dan geloof ik hem en ik breng een saluut aan je dappere vader dat hij eraan bijdraagt dat dit gaat gebeuren. Je moet wel heel trots zijn dat je zijn dochter bent.

Ik heb het heerlijke gevoel dat we met kerst weer allemaal bij elkaar zijn. Je moet niet raar opkijken als de volgende keer dat je iets van me hoort, ik bij je op de stoep sta met een auto die staat te wachten om ons naar het strand te brengen. Zeg abuelo maar dat ik hem de volgende keer als we gaan zwemmen ga verslaan op ons baantje naar het platform en terug.

Het is al laat, en ik moet vroeg op voor mijn Engelse les

met Jeremy. Ik had niet verwacht dat ik een Amerikaanse jongen zo aardig zou vinden, en als ik het mezelf toestond, zou ik zelfs verliefd op hem kunnen worden. Maar Jeremy houdt, net als alle andere Amerikanen, meer van magere meisjes met blond haar. Ik ben nog steeds mager, maar de laatste keer dat ik keek, was mijn haar zwarter dan kool. Maar goed, ik leer heel snel Engels, en als ik terugkom, zal ik daar goed gebruik van maken. Ik weet zeker dat de nieuwe regering veel vertalers nodig heeft. Misschien zou je dat voor me willen uitzoeken, als je daar tijd voor hebt.

Ik ben in lange tijd niet zo gelukkig geweest.

Nora

'Eddie en ik hebben het uitgemaakt,' kondigde Marta een paar weken later onderweg naar school aan.

Ik was zo verrast om haar zijn naam zo achteloos te horen uitspreken dat ik niet direct reageerde.

'Wil je weten waarom?' Ze bleef naar de stoeptegels kijken. 'Hij zei me dat ik preuts was en dat hij geen preuts vriendinnetje wilde.'

Ik zocht mijn geheugen af naar het woord 'preuts', maar vond het nergens. Aan Marta vragen wat het betekende wilde ik absoluut niet: ik zou me klein en waardeloos voelen als ik haar moest laten merken dat ze sneller Engels leerde dan ik. Trouwens, ik kon het later nog aan Jeremy vragen.

'Ik dacht, ik zeg het je maar, dan hoef je je geen zorgen meer om mij te maken,' voegde Marta eraan toe.

En jij hoeft je geen zorgen meer te maken of ik het al dan niet aan papi en mami vertel, dacht ik.

We waren bijna bij school toen ik haar even bij haar arm tegenhield. 'Marta, doe dit nu niet weer, alsjeblieft. Het wordt dan zo veel moeilijker als we weer terug zijn...'

'Hoe kom je erbij dat we weer teruggaan?'

'Ik heb gehoord dat ze proberen van Castro af te komen en...' Ik slikte de rest van mijn woorden in. 'Ik weet het gewoon, ik voel het vanbinnen.'

Marta schudde haar hoofd en rolde met haar ogen. 'Hou jezelf niet voor de gek, Nora.'

Jeremy keek verschrikt toen ik mijn vraag stelde en hij verschoot net zo van kleur als die keer dat hij met Cindy had gepraat. Hij tikte met zijn potlood op zijn bureau. 'Tja, het is een beetje... Nou ja, het hangt ervan af hoe je... of...' Toen stelde hij me ronduit een vraag. 'Waarom moet je dat weten?'

'Mijn zusje heeft het uitgemaakt met een jongen die zei dat ze preuts was. Ik weet niet wat het betekent, maar ze zou niet met hem moeten gaan en ik moet op haar passen omdat ik het mijn ouders niet kan vertellen want die sturen haar dan weg en...'

'Wacht eventjes... Wat is er tussen je zusje en die jongen voorgevallen?' Jeremy keek ernstig, en hoewel ik het hem had vergeven dat hij Cindy leuk vond, en tot de conclusie was gekomen dat een vriendschap gebaseerd op vertrouwen met hem beter zou zijn dan niets, moest ik nu, nu hij zo over zijn kin streek en knikte, weer opnieuw bedenken wat ik voor hem voelde.

'Ik weet niet wat er is voorgevallen. Ze mag geen vriendje hebben.'

'Hoe oud is ze?'

'Bijna vijftien.'

'Dan denk ik... Waarom mag ze geen vriendje hebben?'

'Ze is te jong. Ze heeft die jongen niet eens aan mijn ouders voorgesteld.'

Jeremy's wenkbrauwen schoten omhoog. Het leek of hij van alles wilde zeggen.

Ik schoof een beetje dichterbij en liet mijn stem dalen. 'In Cuba zijn een man en een vrouw nooit alleen tot ze getrouwd zijn.'

'Meen je dat?'

'Echt. Er moet altijd iemand bij zijn. Voor de zekerheid.'

'Hoezo voor de zekerheid?'

'Dat er niets gebeurt.'

'O jee,' zei Jeremy en hij schudde verwonderd zijn hoofd. 'Ik wist niet dat zoiets nog steeds bestond.'

'Als een vrouw betrapt wordt als ze alleen is met een man die haar broer of haar vader niet is, dan denken de mensen dat ze slecht is, een prostituee, en dan wil geen man meer met haar trouwen.'

Jeremy sprong zowat van zijn stoel bij het woord 'prostituee'. 'Dan snap ik dat je je zorgen maakt over Marta.'

Ik knikte, blij dat hij het begreep. 'Dus wat betekent het nu... preuts?'

Jeremy ging weer zitten en keek me aan, zijn ogen ernstig en eerlijk, maar weer school er ergens op de achtergrond een glimlachje. 'Wil je, voor ik het je vertel, een vraag voor me beantwoorden?'

Ik knikte, ik wilde graag verder met de les.

'Weten je ouders van onze ontmoetingen?' Terwijl hij op mijn antwoord wachtte, twinkelden zijn ogen. Hij leek het leuk te vinden dat hij me in zo'n dilemma had gebracht.

Ik keek met moeite van hem weg. Ik friemelde met warme handen aan mijn boeken. 'Voor ons is het iets anders.'

'Waarom? Ik ben je vader of broer toch niet?'

Ik had het gevoel dat hij met me speelde, dat hij zich amuseerde omdat hij wist dat ik me tot hem aangetrokken voelde, en dat maakte me kwaad. 'Jij bent de leraar, ik ben de leerling. Dat heb je zelf gezegd.'

'Dat weet ik.'

'En...' ik keek hem dit keer recht aan, het kon me niet schelen of ik vuurrood was of niet, '... jij bent niet zoals Eddie met Marta is.'

'Je bedoelt dat ik je vriendje niet ben. Hoe zeg je "vriendje" ook alweer in het Spaans?'

'Dat weet je wel.' Ik voelde me verward.

'Zeg het toch maar. Ik vind het zo leuk zoals je het zegt.'

'*Novio.*'

Hij herhaalde het woord een paar keer, zonder zijn blik van me af te wenden, in een volmaakte imitatie van mijn accent.

'En ga je me nu vertellen wat dat woord betekent? Preuts?'

Hij keek van me weg, schraapte zijn keel en bladerde door zijn papieren. 'Tja, het is... Laten we zeggen dat het het tegenovergestelde is van wat een prostituee is.'

Toen ik een paar dagen later van school naar huis liep, hoorde ik hem mijn naam roepen. Hij rende om me in te halen, bewoog zijn lange armen en benen als een atleet, en hij hijgde een beetje en kneep zijn ogen samen in het schelle zonlicht. Ik zag hem zelden buiten het klaslokaal. Hij was zo anders dan de jongens die ik in Cuba had gekend. Ik moest woorden vinden om hem in mijn volgende brief aan Alicia beter te beschrijven.

'Nora,' zei hij. Hij lachte een beetje en schudde met zijn hoofd, zodat zijn krullen op en neer dansten. 'Ik wilde je vanavond bellen, maar ik heb je telefoonnummer niet.'

'Wat is er aan de hand?'

Jeremy greep me bij mijn arm. 'Ik heb mijn aanstelling. Ik ga over een paar weken naar Peru, maar ik moet meteen weg voor de opleiding.'

'Ik begrijp het niet.'

'Het Vredeskorps. Daar heb ik je toch over verteld, weet je nog?' Jeremy sprak zo enthousiast en blij dat het leek of zijn ogen uit zijn hoofd zouden knallen.

Ik glimlachte, feliciteerde hem en zei alle dingen waarvan ik wist dat ik ze moest zeggen om hem het idee te geven dat ik het fijn vond. Ik kon hem niet laten merken dat hij met dit nieuws het enige wegnam wat het voor mij 's ochtends de moeite waard maakte op te staan en naar school te gaan. Hoe kon hij weten dat ik me op hem verliet, zoals ik in de eerste maanden van de Revolutie me op El Angel de la Guardia had verlaten? Hij was mijn wijkplaats. En nu waren er opnieuw geen wijkplaatsen meer.

'Ik zal het werken met je missen. Je zien...' Hij glimlachte nog steeds en keek me in mijn ogen. Het trieste gevoel werd nog erger. Ik was weer op het vliegveld, op het punt weg te gaan uit mijn vaderland, en ik voelde diep in mijn maag een pijn die me nerveus maakte, kwetsbaar en verloren.

Jeremy hield zijn hoofd schuin, zoals hij altijd deed als hij mijn Engels of Spaans niet begreep, afhankelijk van wie wie lesgaf. Zijn glimlach verdween en ook hij leek zich een beetje verloren te voelen. Hij legde onhandig zijn hand op mijn schouder en liet hem daar liggen, zodat de warmte door drie lagen kleding heen drong en op mijn huid het stempel van zijn aanraking drukte. 'Dank je wel dat je me zo goed lesgegeven hebt,' zei hij.

Ik stond op het punt om hem ook te bedanken toen zij zich op ons stortte. Cindy, met haar waterval van blond haar, haar gelige glimlach en buitengewone energie. Ze draaide om Jeremy heen, prikte met haar vinger voortdurend in hem zodat hij zijn arm van mijn schouder moest halen.

'Zeg, wat een fantastisch nieuws! Ik heb het net gehoord,' zei ze, en Jeremy glimlachte en werd weer zo wonderlijk rood. 'Kom op, vertel me eens uitgebreid waar je naartoe gaat.' Ze trok bezitterig aan zijn arm. Zoals gewoonlijk zag ze mij niet staan.

Ze waren de straat al overgestoken en Jeremy draaide zich steeds om en zwaaide naar me, terwijl Cindy om hem heen sprong als een agressieve cheerleader, wat ze ook was.

'Ik kom je opzoeken als ik terug ben,' riep hij naar me, terwijl hij Cindy van zich af hield, waardoor ze even doodstil bleef staan.

'En hoe lang duurt dat?' riep ik terug.

'Twee jaar, of een paar weken meer of minder.'

Ik glimlachte en zwaaide. Dan zaten we alweer in Cuba. Ik zou over het strand lopen en tientallen bals onder begeleiding van een chaperonne meemaken. Abuela zou jurken voor me kopen die mijn figuur, dat zich mooi begon te ontwikkelen, accentueerden. Niet zo dramatisch als dat van Alicia, maar toch zacht en vrouwelijk.

Ik trok mijn jas wat steviger om me heen en vroeg me af of het Vredeskorps ooit mensen naar Cuba stuurde. Ik had dit aan Jeremy moeten vragen toen ik er nog de kans voor had. Ik had moeten zeggen dat hij Cuba eens in overweging moest nemen toen hij maanden geleden tegen me gezegd had dat hij erbij wilde, maar ik had niet willen praten over de mogelijkheid dat hij weg zou gaan, en nu was het te laat om er nog iets aan te doen.

Ik zou hem nooit meer zien. Daar was ik zeker van.

14

HET WAS MOEILIJK VOORSTELBAAR DAT WE AL BIJNA TWEE JAAR weg waren uit ons land. In zekere zin was de tijd snel gegaan, doordat we zo hard bezig waren geweest ons aan te passen. Aan de andere kant had ik het gevoel alsof we al tientallen jaren weg waren, en ik was bang, ondanks mijn beloftes, dat ik begon te vergeten hoe ik Cubaanse moest zijn. Ik sprak nu vloeiend Engels, ook al had ik nog steeds een accent. Marta en ik praatten bijna altijd in het Engels met elkaar, maar als we ruzie hadden, of elkaar onze geheimste gedachten toevertrouwden, gingen we over op het Spaans.

We hadden genoeg geld gespaard om van ons tweekamerappartement te verhuizen naar een huis met twee slaapkamers en een tuintje voor en achter, waarvan mami een prachtige tuin wilde maken, ook al had ze haar leven lang geen kluitje aarde aangeraakt. Maar ze hield zich aan haar voornemen en de tuin van ons kleine huis gedijde. Bijna elke middag als ik thuiskwam uit school trof ik haar bij de bloembedden aan, terwijl ze onkruid uittrok, mest strooide of rozen afsneed voor op tafel. Ze voelde zich het gelukkigst als ze tuinierde, maar het bracht me in de war haar over de aarde gebogen te zien, met een zakdoek om haar hoofd en een vuil gezicht. Ze was er al lang geleden mee gestopt zich mooi aan te kleden, ook al bleef ze thuis, en had haar eigen variant op de Amerikaanse vrijetijdskleding aangenomen: een te krap polyester broekpak dat de dame van de kerk haar toen we net aangekomen waren gegeven had, en afgetrapte slofjes. Geen zichzelf respecterende Cubaanse vrouw zou zoiets ooit dragen, maar mami zwaaide gezellig met haar tuingereedschap naar voorbijgangers zonder zich een moment druk te maken om haar verschijning. En als het het oude dametje was dat naast ons woonde, mevrouw Miller, over wie mami zei dat ze haar aan abuela deed denken, dan plukte ze ook nog een prachtige roos om aan haar te geven.

Ik vond mevrouw Miller ook aardig. Ze zei altijd tegen me dat ik een elegante jongedame was, veel te chic voor die rare jongens van tegenwoordig. Misschien had ze Marta met verschillende jongens naar huis zien lopen, die verdwenen als ze de hoek omsloeg, terwijl ik altijd alleen liep. Of misschien zei ze alleen maar van die aardige dingen omdat ik haar krant op haar veranda legde als hij op het gras terecht was gekomen, omdat ik wist dat ze artritis in haar knieën had en het lastig voor haar was het trappetje af te gaan. Hoe dan ook, ik voelde me prettig in haar gezelschap en ik vond de lucht van zeep en babypoeder die om haar heen hing troostrijk, net zoals de langzame, behoedzame manier waarop ze al haar bewegingen, zoals het openen van haar tasje voor een hoestbonbon, uitvoerde.

De koude wind werd tijdens de lente geleidelijk aan weer warmer en tegen de tijd dat het zomer werd, had ik me als de lucht niet zo droog was geweest bijna kunnen voorstellen dat ik weer in de tropen was. Mami was bijzonder trots op haar rozen. Maar op een middag toen ik uit school thuiskwam, was ze niet in de tuin, hoewel haar gereedschap her en der op de grond lag en er een zak tuinaarde was omgevallen, die een enorme troep op het trappetje van de veranda gemaakt had. De voordeur stond open en toen ik naar binnen ging, hoorde ik mami's smartelijke jammerkreten en de dunne stem van mevrouw Miller die haar probeerde te troosten. Ik gooide mijn boeken op de grond en rende de keuken in, waar ik mami met haar hoofd op tafel aantrof terwijl mevrouw Miller met trillende hand haar rug streelde.

'Je dochter is er, Regina,' zei mevrouw Miller, duidelijk opgelucht dat ze deze last nu kon delen. Maar mami keek niet op. Ze hield alleen op met huilen en werd heel stil.

Mijn hart stond stil van angst. 'Wat is er gebeurd?'

Mevrouw Miller stak haar hand uit naar een geel papier op tafel om het aan me te geven, maar mami griste het weg. 'Ik wil niet dat je dit ziet. Je tío Carlos is weg. Meer hoef je niet te weten.'

'Weg?'

'Dood. Hij is dood.' Mami's ogen zeiden me uit haar buurt te blijven. Ze loog, ik wist het zeker. Hoe kon tío Carlos dood zijn?

Hij was jonger dan papi. Hij was knap en slim en sterk. Hij was nooit ziek. Waarom zou mami zoiets verzinnen?

Ik kwam een stap dichterbij. 'Laat me die brief zien.'

Ze klemde de envelop in haar hand en schudde haar hoofd.

'Mami, je kunt ons niet voor alles beschermen. We zijn geen kleine kinderen meer. Toe.'

Ze liet haar hoofd zakken en begon weer stilletjes te huilen. Zonder me aan te kijken liet ze het gele papier op tafel vallen. Het was een telegram en in het Spaans stond er: 'Carlos Alejandro Garcia is op 2 juni 1965 overleden – stop. Geëxecuteerd door vuurpeloton – stop. Een verrader van de Revolutie – stop.'

Ik werd overmand door een trillerig, schrijnend gevoel. Ik ging naast mami zitten en voelde mevrouw Millers hand nu op mijn rug. Ik las het telegram telkens weer. *Geëxecuteerd door vuurpeloton.* Ik zag zijn lieve lach voor me, hoe hij gitaarspeelde, verzoeknummers deed terwijl hij ontspannen op tía Maria's veranda zat. *Geëxecuteerd door vuurpeloton.* Hij was nooit boos, en zelfs wanneer papi en hij over politiek ruzieden, behield hij een zweem van zijn glimlach en aan het eind sloeg hij papi altijd vriendelijk op zijn rug. *Geëxecuteerd door vuurpeloton.* Alicia was zijn prinses. Zijn ogen lichtten op als ze de kamer binnenkwam en hij zei haar altijd dat ze niet zo snel moest groeien, dat hij nog niet klaar was voor een grote dochter. *Geëxecuteerd door een vuurpeloton.* Alicia, o, mijn god, Alicia. Ik had nog steeds niets van haar gehoord en nu was ik bang dat ik nooit meer wat van haar zou horen. Hoe kon ze de kracht vinden verder te leven? Tía Nina zou het nooit overleven.

Mevrouw Miller ging naast ons aan tafel zitten. 'Wat is er gebeurd, schat?' Die arme mevrouw Miller. Het telegram was in het Spaans en mami en ik hadden samen ook Spaans gesproken. Ze had geen idee wat er aan de hand was.

Door het hardop te zeggen werd het zo reëel dat het in mijn ziel brandde, een gevoel van haat en pijn waarvan ik wist dat het nooit meer weg zou gaan.

'Ze hebben mijn tío Carlos gedood. Ze hebben hem vermoord omdat hij stond voor de dingen waarin hij geloofde, omdat hij de moed had zich uit te spreken tegen onrecht, omdat hij van zijn land, ons land, hield. Ze hebben hem tegen een muur gezet en hem als een hond neergeschoten omdat ze wisten dat zolang hij leefde, hun leugens ontdekt konden worden. Ze hebben hem vermoord omdat hij te sterk voor ze was.'

Mevrouw Miller snakte naar adem. Ze had wellicht een sterfgeval in de familie verwacht, maar niet zoiets. De lichte trilling van haar handen werd sterker en haar aanraking was schrikachtig en warm op mijn arm. 'O, god, wat erg, wat erg.'

Ze zette thee voor ons en we zaten een tijdje zwijgend in de donker wordende keuken. Marta had al een uur thuis moeten zijn en papi zou bijna thuiskomen en ik wist dat dat hetgeen was waar mami zich nu in de eerste plaats zorgen om maakte.

Ten slotte lieten we mevrouw Miller uit en bedankten haar voor haar hulp. Toen deden we een lamp aan en wachtten in de huiskamer.

De telefoon ging. Het was Marta, die vroeg of ze bij haar vriendin Debbie mocht blijven eten. 'Je moet thuiskomen,' zei mami. 'Nee, je moet thuiskomen. Er is iets gebeurd en we hebben je hier nodig. Ik kan het je niet over de telefoon vertellen.'

We hoorden papi's auto op de oprit en keken elkaar aan in de wetenschap dat het ergste nog moest komen; konden we maar iets doen om hem deze pijn te besparen.

Hij zag ons in het halfduister zitten wachten, met gezwollen ogen van het huilen. Mami stond op, het telegram in haar broekzak. Haar lippen begonnen te trillen. 'José, er is iets gebeurd.'

Hij liet zijn aktetas op de grond vallen en samen liepen ze naar hun slaapkamer. De deur ging dicht en met een kussen tegen mijn buik gedrukt wachtte ik. Ik hoorde zijn kreet in het diepst van mijn ziel, op een plekje waar het ergste van het mens-zijn voorstelbaar is en waar het idee van de hel geboren is. Mijn eigen snikken explodeerden achter in mijn keel en ik kon ze niet tegenhouden en ik hield bijna op met ademen tot ik besefte dat ik mezelf aan het verstikken was in het kussen in de poging mijn huilen te onderdrukken.

Ik hoorde hem weer: 'Lieve God, o lieve, gezegende Vrouwe... Niet Carlitos... Alstublieft, lieve God... niet mijn broertje...'

Ik wilde naar binnen gaan, hem helpen troosten, maar ik wist dat alleen mami papi zo mocht zien. Voor alle anderen wilde hij altijd sterk en beheerst zijn. Dat moest ik respecteren.

Toen kwam Marta door de voordeur binnen, klaar om haar verontschuldigingen aan te bieden omdat ze zo laat was. Ik vertelde haar wat er was gebeurd en haar gezicht vertrok van verdriet. Ze hoorde papi huilen in de slaapkamer, liet haar tas vallen en rende ernaartoe.

'Marta, je mag er niet in,' zei ik, terwijl ik achter haar aan holde. Ik greep haar bij haar arm, maar ze worstelde zich los en stormde de slaapkamer in. Papi lag in zijn pak op het grote bed, zijn knieën tot zijn borst opgetrokken, te huilen terwijl mami zijn haar streelde en zachtjes tegen hem praatte met die tedere kracht die we alleen zagen als papi niet sterk kon zijn.

Marta gooide zich op het bed en kroop tegen hem aan, haar arm om zijn schouder. Hij leek het eerst niet te merken, maar toen raakte hij haar wang aan. Mami zag me in de deuropening staan en gebaarde dat ik ook binnen moest komen.

'We moeten bidden,' fluisterde ze, maar alleen mami en ik konden de woorden van het onzevader zonder snikken uitbrengen.

'Zeg je vader wat je vanmiddag tegen mevrouw Miller hebt gezegd,' vroeg mijn moeder. En dus probeerde ik me dat weer te herinneren en het welsprekend en echt te laten klinken, maar ik stotterde een beetje, zo deed ik mijn best om het op de een of andere manier beter te maken.

Terwijl ik van tío Carlos' moed en kracht sprak, keek papi naar me op en knikte langzaam. Hij nam mijn hand en drukte die tegen zijn lippen. 'Dank je, Nora.'

Na een paar weken hielden we op over tío Carlos' dood te spreken. Het was alsof we over de lucht die we inademden spraken, of de grond onder onze voeten. Het was altijd bij ons, en het verdriet dat we voelden, duwde ons dieper de Amerikaanse manier van leven in. Zelfs ik moest een beetje inbinden en toegeven dat mijn droom om naar huis terug te gaan zo vaag werd dat je hem niet meer kon herkennen. Maar soms, als ik naar of van school liep op mijn gewone route, overviel het besef van wat er gebeurde me als de plotselinge regenbuien in de tropen. Ik hield zoveel van die regen, en hoe de wereld erdoor schoongewassen werd. Maar deze buien waren anders. Ze waren vervuld van de tranen die ik niet zelf vergoot omdat ik daar te moe voor was, en ze vielen op aarde die ik niet langer onder mijn voeten voelde. Maar hoe meer ik wegzonk in mijn voorzichtige begrip van overleven, hoe meer Marta leek te bloeien. Ze gedijde onder dit rare weer, en ik keek toe hoe ze zich ontvouwde alsof ze mijn zusje niet was, dat kleine meisje dat achter mij en Alicia aan draafde in mijn andere leven. De verandering die zich aan haar voltrok was net zo duidelijk als wanneer ze haar oude huid had afgelegd en in die lichte sproetenhuid was gekropen van de Amerikanen die haar vrienden waren.

Soms, als ze het over haar vrienden had en de jongens die ze leuk vond, voelde ik diep in mijn maag een groot verdriet. Maar tegenover Marta hoefde ik tenminste niet net te doen alsof, en ik gaf haar de wind van voren.

'Wat ben je toch saai, Nora,' zei ze met haar heldere Amerikaanse uitspraak die een wonder was voor mijn langzame tong. Ik antwoordde haar in het Spaans. 'Dat ben ik niet. Maar ik bewaar mijn echte hart goed. Ik geef het niet zo makkelijk weg als jij.'

'Wat zeg je nou voor iets raars? Weet je wel hoe vreemd je wordt? Ik schaam me soms dat mensen weten dat je mijn zus bent. Ik heb zin om iedereen te vertellen dat mijn zus een non is, of dat ze dood is.'

'Misschien moet je ze dat ook maar vertellen. Dat ik dood ben.'

Ik kon in geen enkele taal uitdrukking geven aan die vreemde pijn, die niet over wilde gaan. Hij was er altijd, en uiteindelijk was ik ervan gaan houden omdat hij me herinnerde aan wat ik achtergelaten had en aan wie ik was, de enige zekerheid dat ik eens tot mijn leven en wereld had behoord.

Marta's ogen vulden zich met tranen en ze ging op het Spaans over. 'Nora, praat toch niet over dood zijn. Het maakt me verdrietig en ik vind het vreselijk om verdrietig te zijn.'

Ik wachtte tot ze haar ogen had afgeveegd. De zon was aan het ondergaan en omdat het raam van onze kamer op het westen uitkeek, baadden elke middag, slechts een paar minuten, de muren in een gouden licht en werden wij doorzichtig.

Marta's donkere ogen gingen wijd open terwijl ze het licht in zich opzoog. 'Ik mis het zoals je vroeger was, Nora. Je was zo gelukkig en grappig en ik wilde niets anders dan bij jou zijn. Weet je nog?'

'Jawel.'

'Waarom kan het niet weer zo zijn?'

Ik kon geen verstandig antwoord verzinnen, dus zweeg ik en we keken toe hoe het gouden licht uit de kamer gleed en het stille grijs van de schemering de ruimte van onze dromen vulde.

De envelop, smoezelig en verkreukeld door zijn lange reis, lag op mijn kussen toen ik uit school thuiskwam. Ik herkende ogenblikkelijk het handschrift, elegant en netjes, maar een beetje naar achteren hellend in plaats van naar voren. Mijn vingers trilden toen ik het zegel losmaakte en Alicia's stem kwam van de bladzijden omhoogdrijven als een geliefde melodie van lang geleden.

Maart 1966

Lieve Nora,
Ik heb eindelijk genoeg kracht om je terug te schrijven. Ik heb ook een manier gevonden, via een oude vriend van papi, om je deze brief te sturen zodat er geen woorden door de regering worden uit geknipt. En geloof me, als dat zou gebeuren, dan bleef er niet meer dan een raam over, een schilderijlijstje voor je mooie gezicht dat ik zo ontzettend mis.
  Er zijn maanden voorbijgegaan sinds ze papi hebben gedood. We mochten na zijn dood een telegram sturen. Die woorden, 'verrader van de Revolutie', waren niet onze woorden, maar gezien de keuze die we hadden, 'verrader van zijn land en van zijn volk' en andere, die net zo erg waren, leek dit het beste. Papi zou eigenlijk wel trots zijn geweest om beschouwd te worden als een verrader van de Revolutie. Kort nadat jullie vertrokken waren, kwam hij erachter dat Castro nooit vrije democratische verkiezingen zou toestaan.
  Toen het verkeerd ging, was papi soms weken achtereen weg. Hij wilde ons niet zeggen wat hij deed, of waar hij heen ging, maar we wisten dat het gevaarlijker was dan wat hij eerder had gedaan. Mami is erg ziek geworden in die tijd. Ze moest weer naar abuela toe. We zijn samen gegaan. Tegen het einde zagen we papi amper meer. We hoorden via vrienden hoe het met hem ging, vrienden die midden in de nacht bij ons langskwamen en een gefluisterde boodschap achterlieten, of een boodschap gekrabbeld op een stukje papier. Mami verbrandde die meteen nadat ze ze gelezen had in de asbak, en huilde ondertussen aan één stuk door. En toen we hoorden dat papi gevangenzat, kwam ze haar bed niet meer uit.
  Abuela probeerde me voor de televisie weg te trekken toen we hem zagen, maar ze had mij ogen uit moeten rukken als ze me had willen verhinderen te kijken. Hij stond daar met de anderen en hij was zo mager dat ik hem bijna niet meer herkende. En in die laatste ogenblikken van zijn leven hief hij zijn gezicht ten hemel en riep uit: 'Viva la libertad! Viva Cuba!'
  Ik heb het met hem mee geroepen, urenlang nog nadat hij gedood was. Tot mijn stem hees was en ik amper meer adem kon halen, heb ik dat geschreeuwd. Abuela heeft alle ramen

gesloten, uit angst voor de spionnen die overal zitten, maar mij kon het niets schelen. En nu nog steeds niet. Zelfs nu er zo veel maanden verstreken zijn, schreeuwt mijn hart nog met hem mee, Nora. Het zijn stille kreten die midden in de nacht, als niemand het kan horen, dikke, schokkende snikken worden. Iedere dag heb ik het gevoel dat hij ieder moment thuis kan komen en dan besef ik dat ik de rest van mijn leven op mijn vader zal wachten.

Ik kan het verdriet dat in mijn hart is komen wonen niet onder woorden brengen. Ik voel niet langer de behoefte om als een menselijk wezen te functioneren. Om me te wassen, te eten, de vliegen die op mijn gezicht en armen neerstrijken weg te vegen. Ik ben een papieren pop, plat en leeg, die doet alsof ze net als iedereen is, alleen omdat ik het moe ben steeds uit te leggen dat ik dat niet ben.

Mami is na papi's dood opgehouden met praten. De dokter heeft haar naar een sanatorium gestuurd en gezegd dat ze met kalmerende middelen wel beter kan worden, maar ik weet niet of er wel een geneesmiddel is voor waar zij aan lijdt, en of ze zelf wel wil genezen. Tía Panchita heeft me laten komen toen mami weggegaan was. Ze dacht dat het beter voor me zou zijn om op het platteland te leven, weg van de waanzin van de Revolutie, maar je kunt er niet aan ontsnappen. Deze ziekte heeft ieder persoon, iedere vogel, iedere zandkorrel aangestoken. Het eiland heeft zich losgemaakt van zijn eigen plekje en is naar een andere plek op de aarde gedreven, waar het leven iets anders betekent dan vroeger.

Ik heb je brieven gelezen, allemaal, wel duizend keer en ik doe de hele tijd alsof je hier nog bij me bent. Alsjeblieft, blijf me schrijven en zoek niets anders achter de lange tijd die het me gekost heeft om je terug te schrijven na papi's dood dan de zwakte van een broos hart.

Alicia

Ik vouwde de brief weer op en stopte hem onder de foto van Alicia en mij in de la van mijn nachtkastje. Nog weken daarna nam ik iedere avond even tijd om hem te pakken. Ik hoefde de woorden niet meer te lezen, want ik kende ze stuk voor stuk uit mijn hoofd. In plaats daarvan bestudeerde ik Alicia's handschrift en voelde ik haar pijn in iedere lus, ieder klein haaltje van haar pen. Hoewel we duizenden kilometers uit elkaar waren, waren we weer samen en de band tussen ons tweeën was sterker dan ooit.

Ik begon me meer mezelf te voelen, en meer levend dan sinds ik mijn land verlaten had. En met iedere brief die kwam, dankte ik God dat hij me de rust van een nieuwe wijkplaats gunde.

Juni 1966

Lieve Nora,
Ik ga je vertellen over de dag waarop ik weer terugkwam naar het leven. Ik bid met mijn hele hart dat je begrijpt hoe dicht ik bij de dood was en dat mijn wil om nu te leven verdergaat dan politiek, angst en zelfs de herinnering aan mijn vader, moge hij in vrede rusten. Ik begrijp niet wat er met me gebeurt, maar erover schrijven aan jou en me voorstellen hoe je rustig zit te luisteren helpt me meer dan ik zeggen kan.

Ik was in geen weken het huis uit geweest. Ik was bang dat als het zonlicht mijn huid zou raken, ik in stof zou veranderen of dat als het in mijn ogen zou schijnen, ik blind zou worden. Ik was zo zwak dat zelfs de gedachte of ik wel of niet wat moest eten me al moe maakte, en vaak ging ik voor de rest van de dag weer naar bed als ik nog maar twee uur op was geweest.

Ik zat in het halfdonker in de keuken toen Tony binnenkwam. Hij was nog mooier dan ik me hem herinnerde. Ik voelde mijn hart opspringen toen ik hem zag. Voor het eerst sinds papi's dood werd ik me ervan bewust dat adem mijn longen vulde en voelde ik de lichte pijn van mijn benen die ik onder me opgetrokken had.

Hij ging zitten en vertelde me dat Panchita en Lola zich zorgen over me maakten en dat ik om een heleboel redenen moest eten en weer beter moest worden. Zijn stem was als warme honing en direct voelde ik mijn maag knorren van de honger. Hij haalde een brood uit de kast, brak er een stuk af en gaf het aan mij. Ik heb het helemaal opgegeten, en het volgende stuk ook, en dat erna ook. Toen pelde hij de laatste banaan die tía had en ik at hem zo uit zijn hand. Een heerlijke energie stroomde door mijn aderen en ik voelde me zoals een klein kindje zich moet voelen als het pas geboren is.

Daarna kwam hij me iedere dag opzoeken en iedere dag werd ik sterker. We gingen wandelen in het bos, hij las aan me voor uit zijn revolutionaire boeken en ik luisterde naar zijn stem en probeerde niet op de woorden te letten. Tony gelooft met hart en ziel in de Revolutie. Hij heeft me meegenomen naar zijn dorp en ik heb gezien hoe de arme kinderen moeten leven, zonder schoenen, zonder eten, zonder schoon water. De meesten kunnen niet lezen of zelfs maar hun eigen naam schrijven. Tony gelooft dat alle kinderen moeten leren lezen en de kans moeten krijgen op een fatsoenlijk bestaan.

Hij vertelt me dit soort dingen als we in de schommelstoelen op de veranda zitten of hand in hand door de suikerrietvelden lopen. Hij zegt ook dat hij vanaf de eerste dag dat hij me ontmoet heeft van me houdt, en dat ik de mooiste vrouw ben die hij kent. Hij zegt dat niet op de manier waarop ik het andere mannen tegen me heb horen zeggen, Nora. Ik zie je nu gewoon je hoofd schudden! Hij zegt het met de glans van oprechtheid in zijn ogen, dus weet ik dat hij schoonheid in mijn hart ziet, zoals ik dat in het zijne zie. En daarom laat ik hem, als we over de landerijen bij tía's huis lopen en achter de bomen dwalen, me op mijn lippen kussen, zoals we dat zo veel jaar geleden ook hebben gedaan. Ik druk mijn lichaam tegen hem aan, zodat mijn borst met de zijne versmelt, en ik voel de kracht van zijn verlangen tegen mijn buik. Het enige voedsel dat ik nodig heb is van zijn lippen te drinken en zijn armen om me heen te voelen. Ik schaam me er niet voor te zeggen dat ik niets liever wil dan met hem slapen en me helemaal aan hem geven. Ik wist niet dat ik van een man kon houden zoals ik van Tony hou. Hij is mijn leven geworden, Nora, en ik het zijne. Hij wil dat ik als ik sterker ben met hem mee kom werken op de suikerrietplantage. De partij vraagt mensen mee te doen om de Revolutie te ondersteunen, zelfs zwangere vrouwen en zieke, oude mensen. Ik kan me niet voorstellen dat ik iemand of iets ga ondersteunen die mijn vader gedood heeft, maar ik kan de gedachte niet verdragen zelfs maar een dag bij Tony weg te zijn. Ik heb het nog niet aan tía Panchita verteld, maar ik zal Tony volgen, naar de suikerrietvelden of het einde van de wereld, dat weet ik zeker, mij maakt het niets uit.

Denk je dat papi me zou vergeven? Soms stel ik me hem in de hemel voor, dat hij naar me kijkt en huilt omdat ik besloten heb van Tony te houden. Een andere keer geloof ik dat hij het fijn vindt dat ik weer leef en dat ik weer van iemand kan houden, nadat ik ervan overtuigd was geraakt dat mijn hart en ziel gestorven waren. Misschien kan hij vanuit de hemel zien dat goed en verkeerd niet zo belangrijk zijn als geluk en liefde. Of misschien ben ik gewoon een dwaas, te zwak en te oppervlakkig om om iets anders te geven dan mijn eigen overleven.

Je hebt eerder geschreven dat je me niet tot verraad in staat acht. Maar is dit niet het ergste verraad van alles? Je hoeft me niet te sparen. Van jou heb ik altijd de waarheid kunnen verdragen. Alsjeblieft, schrijf me gauw. Ik wacht erop.

Alicia

15

MAMI GOOIDE DE FOLDER DIE IK HAAR GEGEVEN HAD OM TE bekijken op de keukentafel. 'Wat is dat voor gedoe, dat Vredeskorps?' vroeg ze, waarbij ze 'korps' uitsprak alsof ze een lijk bedoelde, met een minachting alsof ze de rottingslucht al kon ruiken.

'Het is een overheidsorganisatie die mensen opleidt – vooral jonge mensen, van de leeftijd van studenten – om naar andere landen te gaan en te helpen...'

'O ja, nu weet ik het weer,' zei ze en ze stond op om in de stoofpot op het fornuis te roeren. 'Kennedy is er toch mee begonnen?' Ze knikte ernstig, als een detective die net heeft uitgeknobbeld wie de moord gepleegd heeft.

'Er is niks mis mee, mami. Het is een heel goed doel en de armere landen kunnen profiteren van de geboden hulp.'

Ze roerde met één hand en zette de andere stevig op haar heup. 'Wanneer ga je dan naar college? Wat gebeurt er met je beurs?'

'Ik raak die beurs niet kwijt, ook al wacht ik een paar jaar en dan heb ik meer levenservaring. Als je levenservaring hebt, gaat het beter op de universiteit. Dat heeft mijn mentor gezegd.'

Ze begon te mompelen, geen goed teken, wist ik. Het betekende dat ze bezig was ervoor te zorgen dat de ketel met angst die altijd in haar hart stond te borrelen niet zou overkoken. 'Levenservaring, hè? Waarom ga je niet meteen naar een achterbuurt om te kijken wat je aan levenservaring hebt?' Ze wuifde met haar lepel in de richting waarvan ze aannam dat daar de achterbuurten zouden liggen.

'Dat is geen eerlijke vergelijking.'

Ze draaide zich om om me aan te kijken, haar wangen waren

rood, niet alleen van de stoom die van het fornuis opsteeg. 'Tegen mij moet je niet over eerlijk praten, want ik weet beter dan wie ook dat er in dit leven niets eerlijk is. Is het eerlijk dat jij de gelegenheid krijgt om naar een van de beste universiteiten in dit land te gaan en dat je liever door het oerwoud gaat banjeren? Is het eerlijk dat je iedere nacht met een volle maag tussen schone lakens slaapt terwijl andere jonge mensen van jouw leeftijd niet weten waar ze moeten slapen en waar ze hun volgende maaltijd vandaan moeten halen? Ze laten het echt aantrekkelijk klinken,' zei ze met een ik-weet-er-alles-van rollen van haar ogen, iets wat ze onlangs van Marta had overgenomen. 'Ze halen jonge mensen weg uit hun prettige leventje en sturen ze de suikerrietplantages op, guajirohoeden op het hoofd, machetes in de hand, en laten ze geloven dat ze een of andere hoogstbelangrijke zaak voor de mensheid steunen.'

'Ik heb nooit gezegd dat ik naar Cuba zou gaan, mami.' Ik hoorde zelf dat ik mijn stem verhief, ondanks mijn voornemen rustig te blijven.

'Misschien niet, maar die korpsmensen gaan daar ook naartoe. Ik heb ze niet zo lang geleden op de tv gezien en het maakte me misselijk om die verslaggevers over suikerrietproductie te horen praten en over verhoogde opbrengsten terwijl iedereen weet dat de mensen zo hongerig zijn dat ze hun eigen schoenen zouden opeten als ze die hadden.' Dit keer wees ze regelrecht naar mij met haar lepel. 'Als jij ook maar in overweging neemt om terug te gaan om die man te helpen, dan ben je mijn dochter niet meer. Begrijp je dat?'

'Ik begrijp het uitstekend,' zei ik bijna schreeuwend. 'Maar jij begrijpt niet dat ik niet naar Cuba ga. Dit heeft niets met Cuba te maken.'

Ze hield de lepel op me gericht. 'Vergeet niet tegen wie je het hebt, jongedame. Ik ben je moeder en je bent me respect verschuldigd.'

Ik sloeg mijn ogen neer en zij liet haar lepel zakken. Na nog wat gemompel legde mami het deksel weer op de pan en dwong zichzelf aan de keukentafel te gaan zitten en de folder die ze zo achteloos terzijde had geworpen weer op te pakken. Ze sloeg de bladzijden om en keek met toegeknepen ogen naar foto's van mensen die zij aan zij met de inheemse bevolking vee hoedden en greppels groeven en die de hele tijd glimlachten alsof ze getroost werden door de wetenschap dat ze in hun eentje de wereld redden.

Ze deed haar best redelijk te zijn. Ze had de laatste tijd al enige vorderingen gemaakt bij haar aanpak van Marta, maar van mij had ze nooit problemen verwacht. 'Vertel me nu eens eerlijk, Nora,' zei ze en ze keek me oprecht benieuwd aan. 'Wat wil je hiermee? Ik zou het kunnen begrijpen als je altijd al van kamperen had gehouden, of als je van koeien en aarde hield, maar je wilt me nog niet eens helpen een rozenstruik in de tuin te planten als ik je dat vraag.'

Aangemoedigd doordat de rimpel tussen haar wenkbrauwen verdwenen was, deed ik een dappere poging mijn menslievende fijngevoeligheid aan haar te verklaren. Ik slaagde er zelfs in drie of vier minuten ononderbroken te vertellen, maar toen kwam Marta thuis uit school, die haar neus om de hoek van de keukendeur stak om te horen wat we te eten zouden krijgen. Ze hoefde maar een halve minuut te luisteren en toen vouwde ze haar armen over elkaar en stak van wal.

'O, ik weet wel waar dit om gaat,' zei ze met een zelfgenoegzaam lachje. 'Het gaat om die jongen die je lesgaf, hè?'

'Waar heb je het over?' vroeg mami, plotseling gealarmeerd nu er een jongen genoemd werd waar zij niets van wist.

'Dit heeft niks met Jeremy te maken,' snauwde ik tegen Marta.

'Jeremy? Wie is dat?' Mami's wangen werden weer rood.

'O nee?' zei Marta, mami's vraag negerend. 'Hij is de enige die jij kent die bij het Vredeskorps is gegaan. Je wilt het niet toegeven, maar je was verliefd op hem. Dat neem ik je niet kwalijk...'

Mami wierp voor de tweede keer de folder op tafel. 'Wil je zeggen dat je je opleiding opzij wilt zetten voor een jongen? Gaat het daarom, Nora Garcia?'

Ik zat daar met rode wangen beschaamd te zwijgen. Ik was sinds zijn vertrek aan Jeremy blijven denken en ik kon niet ontkennen dat ik visioenen had over hoe ik hem in het vochtige oerwoud van Peru terug zou vinden sinds ik die brief van Alicia had gelezen over haar voornemen Tony tot het einde van de wereld te volgen, als dat nodig was.

'Nora toch. Ik dacht echt dat jij anders was. Als Marta met zoiets zou komen, zou ik het begrijpen, maar jij...'

'Zeg, wat bedoelt u daarmee?' protesteerde Marta flauwtjes, maar ze vond het te leuk mij in een lastig parket te zien om er verder op door te gaan.

Met gebogen hoofd plaatste mami haar beide handen met de palmen naar beneden op tafel, alsof ze aan een seance wilde beginnen. Toen hief ze langzaam haar hoofd en wierp me een woedende blik toe. 'Ik ga je vader hier niets over zeggen, Nora. Want als ik dat zou doen, zou de teleurstelling zijn einde betekenen. Ik heb er de moed niet toe, en ik hoop dat jij die ook niet hebt.' Ze wendde zich tot Marta, en haar toon werd scherper: 'En dat geldt ook voor jou, jongedame.'

Het studentenleven was zowel geruststellend als troosteloos. Ik zat in enorme collegezalen met minstens honderdvijftig andere studenten koortsachtig aantekeningen te maken, amper opkijkend naar de docent uit angst dat ik een belangrijk punt zou missen. Opnieuw was ik onzichtbaar, als het zwarte gat in de ruimte waarover ze het op het astronomiecollege hadden, dat alles naar binnen zoog wat zich eromheen bevond, zonder zichzelf ooit te laten zien.

En toch waren er een aantal dingen in mijn leven absoluut verbeterd. Iets in de anonimiteit van de universiteit gaf me een vrijer gevoel dan ik ooit op de middelbare school had gehad. Omdat me nooit wat gevraagd werd tijdens een college, hoorde niemand mijn accent. Ik kon zijn wie ik wilde. Ik ging spijkerbroeken dragen, en Mexicaanse sandalen, varieerde alleen met een trui of een shirt. Zelfs als het regende droeg ik sandalen met sokken en liep zorgvuldig om de plassen heen. Ik liet mijn haar los hangen en borstelde de golven er niet meer uit. Op een dag ving ik mijn spiegelbeeld in een etalage op, en het beviel me werkelijk. Ik keek nog eens. Was ik dat echt? Ik had nog steeds een smal gezicht met een zorgelijke uitdrukking, maar achter mijn ogen leefde een andere persoonlijkheid... Mijn verlegenheid had plaatsgemaakt voor een tevreden onafhankelijkheid die bij mijn uiterlijk paste. Ik zag mezelf als een wild, exotisch dier dat nergens en overal thuishoorde. Mami maakte zich niet al te druk over mijn verandering in kledingkeuze en kocht zelfs een paar slobbertruien voor me. Ze had Marta zo vaak van stijl zien veranderen; daarbij vergeleken was mijn evolutie meer iets alsof ik eindelijk uit de ijstijd tevoorschijn kwam.

Mijn vage ontevredenheid met het leven, gepaard met een gebrek aan sociale afleiding, gaf me onmiskenbaar een voordeel op studiegebied en ik slaagde erin aan het eind van mijn eerste trimester op de lijst van de beste studenten te komen. Ik ontving zelfs een uitnodiging om een receptie van de rector magnificus van de universiteit bij te wonen in Royce Hall, met andere studenten die zich onderscheiden hadden. Instinctief hield ik de uitnodiging voor mami en papi geheim, in de wetenschap dat mijn anonimiteit bij zo'n bijeenkomst in het gedrang zou komen. Ik zou moeten praten over waar ik vandaan kwam en naar woorden moeten zoeken terwijl degenen die naar me luisterden zouden knikken en dat verplichte lachje zouden lachen van zogenaamd begrijpen. Ze zouden me vragen of ik uit Iran of Egypte kwam omdat ze mijn accent niet konden thuisbrengen en omdat ze er niet aan gewend waren dat er zich latina's in hun briljante gezelschap bevonden.

Er bestond bij mij geen twijfel over dat dit een evenement was dat ik koste wat kost moest mijden, en op de dag van de receptie kroop ik veilig weg in het verste hoekje van de Powel-bibliotheek om Alicia's laatste brief te lezen. Ik had mezelf beloofd me ermee te belonen als ik door eenderde van mijn literatuur voor het college Middeleeuwse Europese Geschiedenis heen was. Het kwam erop neer dat ik nog genoeg tijd overhad om niet alleen Alicia's brief te lezen, maar er ook zelf een terug te schrijven.

December 1967

Lieve Nora,
Ik begin te geloven dat God het goede opzettelijk aan het kwade verbindt, zodat we kunnen begrijpen dat het leven nooit eenvoudig is, en soms nog ingewikkelder dan een Chinees recept voor kimboko.
Ik schrijf deze brief in de kleine hut die Tony en ik met twee andere stellen delen, midden in het oerwoud van Matanzas. We wonen hier al vijf maanden, sinds ons huwelijk. Dat is het goede nieuws: Tony en ik zijn getrouwd, en over zes maanden worden we gezegend met een kind. Niet te geloven, toch? Ik word moeder, Nora! En ik bid dat onze baby Tony's zuivere hart en kracht heeft. Hij is al begonnen met een stevig wiegje te maken van de rechte stukken hout die hij in het oerwoud rond het dorp zoekt. Hij wil er zo snel mogelijk mee klaar zijn omdat (en dit is het slechte nieuws) hij binnenkort naar Afrika gaat. Ze stellen troepen samen van de sterkste en intelligentste mannen om de zaak in Angola te steunen.
Iedere dag hou ik meer van hem. Nu dit leven dat we samen gemaakt hebben binnen in me groeit, heb ik het gevoel dat ik gek van liefde voor hem ben. Iedere nacht sinds ik

weet dat hij weggaat, huil ik mezelf in slaap. Het is bijna net zo erg als toen papi doodging, die donkere pijn die het middelste stukje van mijn hart beetgrijpt, en het samenknijpt zodat ik amper adem kan halen.

Tony zegt dat ik sterk moet zijn voor ons kind, dat dat mijn verdriet kan voelen en anders zonderling en zwak zal worden, in plaats van gelukkig en sterk. Ik probeer het, Nora, geloof me, ik probeer de tranen weg te slikken, maar als ik eraan denk dat ik weer alleen zal zijn, kan ik er niets aan doen. Gisteravond was ik blij dat er een storm over het dorp joeg, zodat Tony me niet weer zou horen huilen. Ik wil niet dat hij denkt dat ik zwak ben, maar ik ben bang dat ik dat wel ben. Ik kan niet langer het gezicht dat ik vroeger had laten zien. Weet je nog? Ik kon iedereen doen geloven dat ik nergens bang voor was en dat ik een tornado tot bedaren kon brengen door mijn vinger naar hem op te heffen. Die koppige kracht heeft me nu verlaten, en ik heb me nog nooit zo eenzaam gevoeld.

Lola en tía Panchita vonden het fijn toen ze over de baby hoorden, maar helaas zijn zij de enigen in de familie. De anderen denken nog steeds dat een blanke vrouw niets te zoeken heeft bij een man die niet net zo wit is als zij. Het maakt niet uit of hij intelligent en lief is zoals Tony. Ik dacht dat abuelo en abuela anders zouden zijn, dus ik heb hem meegenomen naar Varadero om hem het huis te laten zien waar we zo'n groot deel van onze jeugd hebben doorgebracht, ons strand en onze palmbomen. We hebben aangeklopt, maar toen abuela Tony naast me zag staan, heeft ze de deur in ons gezicht dichtgeslagen, nadat ze gezegd had dat ik een schande voor de familie was en dat ik de herinnering aan mijn vader met dit huwelijk onteerde. Ik geloof niet dat abuelo thuis was, maar ik vind het pijnlijk om nog eens terug te gaan. Daar wil ik Tony niet nog eens aan blootstellen. Ik wil hem niet kwetsen om met mensen te kunnen praten die mij toch de rug hebben toegekeerd.

Tony's grootste hoop is dat ze hem zullen vragen bij de partij te komen. Zelfs nu ik deze woorden schrijf en de warme wind van het oerwoud om me heen voel, huiver ik. Hoe kan ik vergeten dat de partij mijn vader heeft vermoord? Ik vergeet het niet, ik zal ze nooit vergeven… en toch zie ik goede dingen. Ik zie mensen die harder werken dan ze ooit in *hun leven gedaan hebben om een dorp te verbeteren waar vroeger niet eens drinkwater was. Ik zie dat er een ziekenhuisje gebouwd wordt, en een school, en als alles volgens plan verloopt zullen de volwassenen en kinderen in het dorp ingeënt worden tegen veelvoorkomende ziektes en binnen een jaar kunnen lezen. En dat gebeurt in heel Cuba.*

Soms word ik midden in de nacht wakker en vraag ik me af wat er aan de hand is met deze wereld. Het is alsof God en de duivel dezelfde zijn, of het er maar van afhangt hoe je hem bekijkt, en dus probeer ik niet al te goed te kijken, want dan word ik weer wie ik was: een wanhopige, beklagenswaardige vrouw.

De zon is onder en Tony komt zo thuis. We hebben weinig voor het avondeten. Een kliekje bonen met rijst. Het is een wonder dat zo'n beetje eten een feestmaal lijkt als je het deelt met degene van wie je houdt. Na het eten nestel ik me in zijn armen en kijken we hoe de sterren een voor een boven de boomtoppen verschijnen. Als mijn leven vanaf dit moment niet meer zou veranderen, ben ik de gelukkigste vrouw ter wereld. Ik hoop en bid dat jij dat ooit ook kunt zeggen.

Sommige van mijn nieuwe vrienden zeggen dat ik je niet meer moet schrijven. Ze zeggen dat jij en je familie verraders zijn omdat jullie weggegaan zijn, maar ik verdedig jullie altijd, vooral jou. Jij had geen andere keus dan weg te gaan, en nu is je leven net zo veel veranderd als het mijne.

Ik mis je, Nora. Ik mis je nu meer dan ooit. Ik beloof je, zoals ik Tony beloof, dat ik sterk zal zijn, en ik hoop dat jij hetzelfde doet. Ik hoop gauw van je te horen.

Alicia

16

'HOE ZIE IK ERUIT?' VROEG MAMI TERWIJL ZE ZICHZELF IN DE passpiegel in de slaapkamer opnam. 'Je vader zei dat ik iets jeugdigs aan moest trekken.'

Ik bekeek haar met een objectieve blik. Rood stond haar altijd goed en hoewel ze wat zwaarder was geworden, was het effect over het geheel genomen heel flatteus en dat zei ik haar ook.

'Je zegt het er niet alleen maar om?'

'Je ziet er fantastisch uit. Papi zal het prachtig vinden.'

Al een tijdje kon papi wat geld opzij leggen voor af en toe een etentje buiten de deur en ze keken de hele week al naar zo'n afspraakje uit omdat het hen deed denken aan hoe het in Cuba was, vóór de Revolutie. Het Italiaanse restaurantje in de stad dat ze uit wilden proberen kon weliswaar amper de vergelijking doorstaan met de chique nachtclubs en drukke restaurants aan de malecón waar ze vroeger naartoe gingen, maar ze klaagden niet.

'Denk jij er nog wel eens over om terug te gaan?' vroeg ik mami, terwijl ze in haar nieuwe rode schoentjes stapte. Ze wankelde even en greep zich aan het bed vast.

'Waarnaartoe?'

'Naar huis, natuurlijk. Naar Cuba. Ik hoor dat er nu heel veel mensen voor vakantie naartoe teruggaan.'

Ze draaide zich naar me om, haar ogen nog vuriger dan haar knalrode jurk. Ze schopte haar schoenen uit en liep op haar kousenvoeten over het dikke tapijt. 'Cuba is ons thuis niet meer, Nora. En die idioten die er op bezoek gaan, zijn vergeten dat ze verraders en *gusanos* zijn genoemd toen ze weggingen. Ze vergeten alles om maar voet in hun vaderland te zetten voor ze sterven.

Ze willen hun groene eiland zien en net doen alsof ze er nooit weggegaan zijn. Ik ga er nooit terug zolang die man er zit. Begrijp je dat?'

'Alicia zegt dat het niet zo erg is. Dat er ook goede dingen gebeuren.'

Mami draaide zich razendsnel om. 'Alicia? Wat weet zij ervan?'

'Ze woont er. Ze ziet het met haar eigen ogen.'

'Ik zal je eens wat over Alicia vertellen. Ze heeft het met die zwarte jongen aangelegd. En alsof dat nog niet erg genoeg is, is het ook nog een communist. Hij hersenspoelt haar zodat zij denkt zoals hij denkt en de dingen doet die hij doet. Straks maakt hij nog een Santera van haar. Waarschijnlijk is dat al gebeurd.'

'Hoe weet u dat van Tony?'

'Alicia is niet de enige die brieven schrijft. Je abuela heeft alles geschreven over de schande die Alicia van haar leven gemaakt heeft. Zij en abuelo popelen om er weg te gaan. Laten we bidden dat hun visa snel komen.' Mami bleef mompelen terwijl ze in haar laatje naar een stel oorbellen zocht. 'De enige die nog met dat meisje praat is tía Panchita. Maar iedereen weet dat die een beetje gestoord is en het probleem tussen zwarte en blanke mensen niet begrijpt. Zwarte mensen geloven ook niet in interraciale huwelijken hoor, neem dat van me aan.'

Het had geen zin mami tegen te spreken als ze het over bepaalde onderwerpen had, en relaties tussen de rassen hoorden daar zeker bij. Ik durfde haar niet te vertellen dat Alicia en Tony getrouwd waren en een baby verwachtten.

'Komt abuelo ook?'

'Ze willen allebei zo snel mogelijk weg uit Cuba, zodra hun visa er zijn.'

Mijn hart sprong op bij de gedachte abuelo weer te zien. Ik stelde me hem voor met zijn zachte glimlach terwijl hij naar de zee keek, naar de branding en de onderstromingen, om te zien of het een geschikte dag is om te gaan zwemmen. We lopen naast elkaar naar het warme, heldere water en zwemmen rustig naar het platform. We trekken ons op en wachten tot de zee tot platte zoutkristallen op onze huid is opgedroogd voor we er weer in duiken en naar de kust zwemmen. Ik hoor hem naast me, hij haalt rustig adem, zijn armen buigen zich in volmaakte, soepele cirkels die zonder de minste rimpeling in en uit het water glijden. We lopen langs de kustlijn terug en ik verbaas me over zijn jeugdige gestalte. Hij is bijna zeventig, maar zijn rug is zo recht als een plank en zijn kastanjebruine haar, dat alleen aan de slapen een beetje grijst, valt dik en vol over zijn voorhoofd.

'Dat was lekker zwemmen, abuelo.'

Hij keert zich naar me toe en glimlacht een glimlach die warmer is dan de zon die onze schouders blakert. 'Ja, het water was fris en zacht vandaag. Het was lekker zwemmen.'

Ik volg hem naar het huis, waar abuela wacht met het avondeten.

Een flardje van deze herinnering vervult me al met een stille vreugde om wat geweest is, en een diep verdriet om wat nooit meer zal zijn.

Het is krankzinnig, maar zelfs mami's ouderwetse, openlijke racisme ontroert me. Ik ben het niet met haar eens, maar het feit dat ik me herinner dat ze diezelfde opvattingen verkondigde als we met vrienden en familie op ons balkon in Havana zaten, zich er niet om bekommerend dat Beba af en aan liep om nieuwe drankjes in te schenken en de asbakken te legen, maakt dat ik er een beetje van houd. Beba was het over dit onderwerp trouwens vaak met haar eens.

'Zwarten kunnen beter met zwarten overweg,' zei ze altijd met een knikje van haar hoofd met de tulband. 'Daar kan niemand iets tegen in brengen. En waarom zou het voor blanke mensen anders zijn?'

Mami spoot haar haarlak met snelle gebaren rond haar hoofd op. 'Ik heb altijd al gevonden dat Alicia een beetje vreemd was,' zei ze met haar mond strak en haar ogen dichtgeknepen vanwege de lak. 'En ze is nu nog een stuk vreemder, denk ik.' Met een snelle beweging bracht ze haar lippenstift aan. 'Blijf jij maar gewoon, Nora.'

September 1968

Lieve Nora,
Alles wat je over bevallen hebt gehoord is een leugen. Het is veel erger dan ze zeggen. Ik had het gevoel dat mijn lichaam van binnenuit openscheurde en dat al mijn ledematen door de war raakten. Toen de baby geboren was heb ik Tony gevraagd om te kijken of mijn benen er nog aan zaten en of mijn navel nog op zijn oude plek zat, want ik was ervan overtuigd dat ik eruitzag als een lappenpop die door een kwaaie gorilla aan stukken was gescheurd. Tony moest zo

lachen dat hij huilde terwijl hij Lucinda in zijn armen voor me hield zodat ik haar voor het eerst kon zien.

Vind je Lucinda geen prachtige naam? Ik denk aan het zachte licht dat door de oceaan weerspiegeld wordt als ik hem uitspreek. Tony zegt dat ze op mij lijkt, maar Lucinda is heel duidelijk ook zíjn dochter. Ik heb gebeden dat ons kind de ogen van haar vader zou hebben, en mijn gebeden zijn verhoord.

Vandaag is het het soort dag dat jij vast nog in je hart koestert. De wind beweegt de bomen en draagt die geurige warmte voort die je kunt proeven, als honing en munt. De zon schittert op ieder blaadje en ieder stofje dat langsdwarrelt en de stilte herinnert ons eraan dat dagen als deze nooit mogen veranderen. We wonen nu bij tía en Lola en soms zit ik op de hoek van de veranda waar ik Tony voor het eerst heb gezien en doe ik net alsof er niets veranderd is. Maar dat is wel zo, Nora.

De partij heeft zes gezinnen aangewezen om bij tía en Lola te wonen. Ze deelden de keuken en de badkamer toen wij kwamen en hadden zelfs niet meer een van de slaapkamers voor zichzelf. Ze woonden in dat kleine voorraadkamertje naast de keuken waar tía vroeger de suiker bewaarde. Er was net genoeg ruimte voor een bed en een oude matras ernaast. Godzijdank was er een raam, maar de hor was kapot en de armen en benen van tía en Lola zaten onder de muggenbulten. Toen ik ze zag, kon ik niet ophouden met huilen.

Binnen een uur na onze aankomst had Tony de twee minst vervallen slavenhutten achter de velden uitgezocht en is hij aan de gang gegaan met een bijl, een hamer en een grote bezem waarmee hij eerst de ratten gedood heeft voor hij aan de schoonmaak kon beginnen. Hij zei dat er honderden zaten, zo groot als kleine hondjes, en dan had hij het nog niet over de schorpioenen en spinnen in alle soorten en maten. Steeds als hij het erover had, slaakten tía en Lola kleine kreetjes en daar moest hij om lachen als een schooljongen. Ik heb ook gelachen. Het leven in het oerwoud heeft me voorgoed van dat soort vrouwelijke angsten genezen.

Binnen een week konden we onze nieuwe huizen betrekken. Het huis van tía en Lola staat naast het onze. Ze zijn eenvoudig maar schoon en absoluut een verbetering vergele-

ken bij de hut waarin Tony en ik het eerste jaar van ons huwelijk hebben doorgebracht. Alle ramen hebben blinden die we 's nachts kunnen sluiten zodat we het meeste ongedierte buitenhouden. En als ik naar buiten kijk zie ik tía en Lola op hun nieuwe veranda zitten schommelen.

Het gezin dat de voorraadkamer over heeft genomen was zo dankbaar voor de extra ruimte dat ze ons een matras hebben gegeven die ze niet nodig hadden. Tony heeft hem precies onder het raam gelegd zodat als we er samen slapen, we nog steeds de sterren kunnen zien, net als in het oerwoud. Tía heeft een rol muskietengaas gevonden en dat hebben we rond ons smalle bed aangebracht, het is echt heel prettig. We hebben wat privacy omdat het suikerriet het zicht vanuit het grote huis belemmert en niemand neemt ooit de moeite het veld over te steken, tenzij ze naar de rivier toe moeten, wat niet vaak voorkomt.

Hier heb ik het leven aan mijn prachtige Lucinda geschonken en hier hebben we de eerste paar weken als gezinnetje doorgebracht. Ze sliep tussen ons in als we naar de sterren keken en bij iedere ster die verscheen, fluisterden we een nieuwe zegenwens voor onze dochter, en we vielen er met zo veel liefde in ons hart in slaap.

Maar de droom is voorbij, Nora. Voorlopig in ieder geval wel. Tony is nu al weken weg en ik weet niet hoe lang het duurt voor hij terugkomt. Ik zou kunnen zeggen dat ik hem mis, maar dat is net zoiets als zeggen dat ik een hele dag op één ademtocht kan leven. Tony heeft mijn ziel met zich meegenomen naar Angola. Ik breng de dag grotendeels biddend door en stel me dan voor wat voor uitdrukking er op dat moment op zijn gezicht ligt. Meestal stel ik me zijn blik voor als hij met me wil vrijen. Zijn ogen strelen me dan met zoveel verlangen dat mijn hart sneller klopt en mijn knieën slap worden. Dan glimlacht hij, zo vluchtig dat ik er niet zeker van kan zijn dat het niet een schaduw was die over zijn wang vloog. Dat is het enige wat hij hoeft te doen en dan ben ik de zijne, hoe en wanneer hij me maar wil.

Ik probeer sterk te blijven door mezelf voor te houden dat we in een veranderingsproces zitten en dat, bij een revolutie die de filosofie van een heel land met voeten treedt, de dingen altijd erger worden voor ze beter worden. Er staan grote plannen met de landbouw op stapel. De rivieren op het

hele eiland zullen ingedamd worden, zodat er elektriciteit
opgewekt kan worden, en ze zeggen dat er weldra voor ie-
dereen welvaart zal zijn, niet alleen voor een paar mensen
zoals vroeger.
In die toekomst hebben Tony en Lucinda en ik een plek.
We zullen weer samen zijn en in een huis bij het strand van
Varadero wonen. Ik droom dat jij ons dan komt opzoeken
en dat we urenlang op het zand onder de palmen zitten en
naar onze kinderen kijken die aan het spelen zijn.

Alicia

We aten zelden meer met het hele gezin samen. Papi kwam vaak
laat van kantoor en ik kwam soms pas na zevenen thuis van de
universiteit – dat hing van het verkeer af – en Marta was altijd ergens heen. Het verbaasde me daarom niet om mami alleen aan de
keukentafel aan te treffen, met een bord voor zich met een restje
stoofpot van de vorige avond.

Ik haalde een bord uit de kast, schepte mezelf op en ging naast
haar zitten. Ze speelde met de stukjes vlees op haar bord en at niet.

'Ik heb vandaag met Marta gesproken,' zei ze zonder op te kijken. 'Of liever, zij heeft met mij gesproken.'

Ik begon aan het lastige karweitje om de rozijnen uit mijn eten
te halen en wachtte af. Mami klaagde vaak over Marta. Ze vertelde dan omstandig wat ze nu weer uitgehaald had en sprak kwaad
van het vriendje van dat moment, dat haar nooit waard was. De
laatste tijd maakte ze zich er zorgen over dat Marta geen zin had
na de middelbare school haar opleiding voort te zetten. 'Kun je je
dat voorstellen?' had mami gezegd. 'Wat gaat ze doen? Hamburgers omdraaien?'

Ik keek van mijn bord op en zag dat haar ogen roodomrand
waren. 'Wat is er?'

Nu vloeiden de tranen. 'Ik weet niet wat je vader zal doen.
Marta zegt dat ze met die jongen gaat trouwen – die jongen die helemaal geen opleiding heeft, geen gezin kan onderhouden. Ze kent
hem amper! Hoe lang gaan ze nu met elkaar? Zes maanden?'

'Ik denk al zo'n drie jaar, dan is het weer aan, dan weer uit.'

Mami pakte haar servet en snoot luidruchtig haar neus. 'Nu ja,
ze is nog een kind. Het kan me niet schelen dat een achttienjarige
voor de wet volwassen is. Iedereen die Marta kent, weet dat ze nog
een kind is.'

'Ik dacht dat papi en jij Eddie aardiger vonden dan de rest?'
'Dat is ook zo. Het is geen slechte jongen, maar het is nog maar een jongen,' zei mami, terwijl ze op haar ellebogen leunde en zich naar me overboog.
'En hij is toch op de Universiteit van Zuid-Californië aangenomen?'
'Ja, maar heeft hij werk? Nee. Weet je wat Marta zegt? Moet je horen.' Mami zwaaide met haar servet door de lucht. 'Ze zegt dat zij Eddie gaat onderhouden terwijl hij studeert, en dan onderhoudt hij haar als hij klaar is. Heb je ooit zoiets belachelijks gehoord?'
'Ik vind het wel leuk klinken.'
'Marta zal zich afbeulen. En als hij zijn bul in een lijstje heeft, dan vindt hij iemand anders en laat hij haar zitten.'
Mami wilde voor ons niet minder dan het sprookje van haar eigen verkeringstijd en huwelijk. Als we 's avonds achter een wolk van muskietengaas werden ingestopt, smeekten we haar altijd het verhaal te vertellen.
'Nog een keer?' vroeg ze dan lachend. 'Ik heb jullie dat verhaal deze week al drie keer verteld.'
'We willen het nog eens horen,' zeurden wij.
Ze lijkt wel een camee, met haar silhouet in het maanlicht. 'Ik was nog heel jong toen jullie vader en ik elkaar voor het eerst zagen. Niet ouder dan negentien en ik was klein, maar ik had een goed figuur!' We lachen en giechelen goedkeurend, zoals het ritueel vereist. 'Jullie abuelo had een groot feest georganiseerd ter ere van jullie tía Griselda, die net uit Europa teruggekomen was. Er stonden tafeltjes in het zand en er was een trio dat *boleros* zong, en er waren overal kleurige bloemen. Natuurlijk verheugde ik me erop om tía Griselda weer te zien en over haar reis te horen, maar ik keek er vooral naar uit om die jongeman te ontmoeten over wie ik van mijn neven al zo veel gehoord had. Deze jongeman, wiens naam jullie al kennen' (nog meer gegiechel) 'was een goede vriend van mijn neef Alberto. Hij kwam uit een gegoede familie uit Havana. Ze hadden een prachtig huis in Varadero en alsof dat nog niet genoeg was, ging hij een glanzende carrière tegemoet bij de Nationale Bank. Geloof mij maar dat al mijn nichtjes zorgvuldig uitzochten wat ze die dag zouden aantrekken.'
'Wat had u aan, mami?' vragen we.
'Ik had bedacht dat het in ieder geval wit moest zijn. Ik wilde dat deze jongeman meteen zou zien dat dat een toepasselijke kleur

voor me was.' Pas na een paar jaar begrijpen we dit grapje, maar we lachen er hoe dan ook om.

'Toen ik jullie vader voor het eerst zag, droeg hij een linnen pak en een panamahoed, en hij keek uit over de zee. Hij hoefde zich niet om te draaien; ik wist zo ook wel dat hij knap was. Ik zag het aan zijn houding en zijn brede schouders. Maar toen hij zich omdraaide...' Marta en ik zitten rechtop in bed en steken ons hoofd tussen het muskietengaas door zodat we mami's ogen duidelijk zien oplichten, nog helderder dan de maan die buiten het raam zweeft. '... viel ik bijna flauw.'

'Waarom viel u bijna flauw, mami?' vragen we, terwijl we het antwoord al kunnen dromen.

'Kijk, ik zeg dit niet omdat hij jullie vader is, maar ik had nog nooit in mijn leven zo'n knappe man gezien. Al mijn nichtjes werden meteen verliefd op hem, maar...'

'Dat weten we, dat weten we. Hij had alleen oog voor u.'

'Inderdaad. En hij is de hele middag niet van mijn zijde geweken. En daarna heeft hij me ieder weekend ergens voor uitgenodigd: voor de film of voor een prachtige show bij de Copa Cabana, of voor een schitterend diner. Zes maanden later heeft hij jullie grootvader om mijn hand gevraagd en we zijn getrouwd in de kerk van het Heilige Hart, dezelfde kerk waar jullie gedoopt zijn. Ik was de gelukkigste vrouw ter wereld, en dat ben ik altijd gebleven.'

Mami sluit de jaloezieën zodat het maanlicht in stralen over de vloer en de muren om ons heen valt. 'En nu geen gepraat meer, ga slapen,' zegt ze voor ze ons welterusten kust.

Nu zat mami zo aan haar servetje te plukken dat het in stukken op de keukentafel viel. 'Wat moet ik je vader zeggen?'

Ik neem haar beide handen in de mijne om ze tot rust te brengen. 'Maar u was zelf toch ook nog maar negentien toen u trouwde?'

'Ja, maar toen had een meisje nog geen opleiding nodig, zoals nu. Met een mooi gezichtje kwam je toen een heel eind. Maar hier is het heel anders.'

'Precies,' zei ik. 'Hier is het heel anders.'

Er volgden verhitte discussies, die soms tot diep in de nacht doorgingen en die eindigden met met de deuren slaan en het uiten van stevige dreigementen. 'Als jij denkt dat wij een fortuin aan jouw bruiloft gaan uitgeven, terwijl we het eigenlijk aan je studie zouden moeten besteden, ben je gestoord,' gilde mami dan.

'Dan loop ik weg,' bracht Marta ertegen in. 'En dan gaan we ergens anders wonen, en krijgen een hoop kinderen – jullie kleinkinderen, die jullie nooit zullen zien.'

Hierop volgde dan meestal papi's verstandiger betoog. 'Doe nu niet zo dwaas, jullie allebei niet. Laten we redelijk blijven...'

Ik was onder de indruk van Marta's standvastigheid. Ze kreeg dagenlang zowel papi's als mami's aanvallen over zich heen. Ze vormden een geweldig team: mami een vulkaan van emoties die met een onregelmatig maar kwellend ritme uitbarstte; en papi, als het constante gedruppel van een lekkende kraan. Ik probeerde een paar keer tussenbeide te komen, maar werd snel terechtgewezen.

'Nora,' zei papi, zijn woede onder controle, 'je zit dan wel op de universiteit en haalt goede cijfers, maar je weet niet alles.'

Ik stond op het punt na een bijzonder gespannen dag het licht uit te doen toen Marta binnenkwam en op de rand van mijn bed kwam zitten. Ze zag eruit als een gewond hondje terwijl ze tegen me aan kroop. We hadden in Cuba kunnen zijn en naar de sterren kunnen kijken door ons slaapkamerraam, de warme bries voor het laatst om ons heen kunnen voelen voor we ons in onze bedden onder het muskietengaas terugtrokken.

'Bedankt dat je me geholpen hebt met papi en mami.'

'Het had weinig zin, ben ik bang.'

Marta stompte met haar beide vuisten tegelijk op het bed. 'Ze denken dat we de dingen tot onze dood op hun manier moeten doen. Het is mijn keus met wie en wanneer ik trouw, niet die van hen.'

'Natuurlijk.'

'Maar het is zo moeilijk, want ook al wil ik nog zo graag zeggen "jullie kunnen de pot op, we zijn niet meer in Cuba", dat kan ik toch niet. Dat zou voelen alsof ik mijn eigen hart uit zou snijden.' Marta begroef haar gezicht in haar handen en begon voor de zevende of achtste keer die dag te huilen. Ze deed me sterk aan mami denken.

'Heb je al met Eddie gepraat?' vroeg ik zachtjes.

'Ik wil hem niet kwetsen. Hij denkt dat papi en mami hem aardig vinden en zo...' Marta keek me aan, haar bruine ogen liepen over van de tranen. 'Wat moet ik doen?'

Twee dagen later belde Eddie aan, in pak en met stropdas. Zijn besproete gezicht was rozig en zijn haar was met veel water achterovergekamd. Ik herkende hem amper. We hadden Eddie nooit anders gezien dan in een versleten spijkerbroek en een rugbyshirt. Hij groette ons vluchtig en vroeg of hij papi mocht spreken.

Mami wierp een boze blik op Marta, die met opgetrokken benen op de bank in een van de bruidsbladen waar ze de laatste tijd zo graag mee schermde zat te bladeren. We volgden Eddie naar de keuken, waar papi de avondkrant zat te lezen.

'Pardon, meneer Garcia...' Eddie duwde zijn handen in zijn zakken en trok ze er weer uit alsof hij iets heets had aangeraakt.

Papi liet zijn krant zakken. Een lichtrood schijnsel gloeide achter zijn oren op terwijl hij het tafereel voor zich in ogenschouw nam. Ik was bang dat hij Eddie het huis uit zou gooien of ter plekke zou ontploffen. Hij zei niets.

Eddie schraapte zijn keel. Zijn stem haperde, klonk hoog en dun. 'Ik moet u mijn verontschuldigingen aanbieden, meneer. Ik hoop dat u die wilt accepteren.'

'Hoezo?'

'Ik hou van uw dochter, meneer Garcia... van Marta.' Hij kuchte. 'Ik heb haar gevraagd met me te trouwen omdat ik de rest van mijn leven met haar wil doorbrengen, maar ik heb het niet eerst aan u gevraagd. Ik besefte niet...'

Ik keek even opzij naar mami, die door haar tranen heen glimlachte. Papi kwam overeind uit zijn stoel, ook in zijn ogen glinsterden de tranen.

'Meneer Garcia, ik vraag u om de hand van uw dochter.'

Marta kwam stilletjes naar me toe en drukte mijn hand. 'Dank je wel,' fluisterde ze.

17

April 1969

Lieve Nora,
Er is zo veel veranderd sinds mijn laatste brief. Sommige veranderingen zag ik aankomen, maar andere hebben me overvallen als een berg stenen, en iedere steen heeft zijn eigen pijn
toegebracht.
 Lola is vorige maand overleden en tía heeft dagenlang
niets gezegd. Ze zat daar maar in haar schommelstoel met
Lola's lege stoel naast zich. Een hele tijd heeft niemand daarin mogen zitten behalve ik, als ik Lucinda moest voeden. Ze
heeft amper gegeten en ze heeft niet gehuild waar ik bij was,
maar 's nachts hoorde ik haar. Ze klonk als een klein meisje
dat een verdriet heeft waarvoor ze nog te jong is om het te
begrijpen.
 De regering ploegt alle suikerrietvelden om en zaait er een
nieuw soort gras voor de koeien. Het plan is Cuba te veranderen in een van de belangrijkste melkproducerende landen
op het westelijk halfrond. Dat betekent dat we onze huizen
op het land moesten verlaten. We wonen nu in een kleine flat
in Havana, bij de malecón. De regens zijn begonnen en het
regent nu al dagen achtereen. Tony is nog niet terug, en de
pijn in mijn hart heeft zich over mijn hele lichaam verspreid
zodat ik niet meer ben dan een grote open wond. Er zijn dagen dat ik zelfs niet glimlach. Tía zegt dat mijn verdriet in-
vloed heeft op mijn kleine Lucinda, omdat ze amper lacht,
zoals andere baby's. Ze speelt niet met de speeltjes die we
voor haar maken of met de felgekleurde bloemen die ik haar
laat zien. Het enige wat ze doet is zitten en naar de zon staren.

Maar ik wou dat je haar de eerste keer dat ik haar meenam naar zee had kunnen zien. Het was zo'n dag waarop de zon zowat explodeert in de lucht en alles nog tien keer schitterender maakt dan gewoonlijk. Het groen was groener, het blauw meer dan hemels, en het zand was witter dan sneeuw. Tía ging in het zand zitten en ik nam Lucinda mee naar het water. Als altijd hief ze haar hoofdje naar de zon en daar zou ze gelukkig mee zijn geweest, maar toen we het water in gingen, danste ze op en neer op mijn arm en petste met haar handjes in het water en ze was zo gelukkig dat ik moest huilen, terwijl zij het uitschaterde.

Ik heb een geheime angst, Nora, en jij bent de eerste die het hoort. Soms vraag ik me af of er iets mis is met mijn kleine Lucinda, want ze is anders dan andere kinderen. Ze is veel te ernstig, alsof ze belangrijke gedachten heeft in plaats van dat ze de wereld met haar handjes en voetjes verkent zoals ik andere baby's heb zien doen. Maar toen ik haar naar de dorpsdokter in Guines bracht, zei hij dat ze in orde was en heel gezond en dat ik me geen zorgen moest maken. Maar dat doe ik toch. Toen ik haar zo in de oceaan zag genieten, viel alle angst van me af en ik voelde me licht genoeg om naar de top van de palmbomen te vliegen.

Ik heb afgelopen week een heleboel brieven van Tony gekregen. Hij heeft me regelmatig geschreven, maar omdat de post achterloopt, kreeg ik alles in één keer. Het was een feestmaal voor mijn hart. En wat mij het meeste vreugde gaf, was het bericht dat hij gauw thuiskomt. Dit gaf me kracht, en toen kon ik het opbrengen mami in het sanatorium op te zoeken. Maar net als de vorige keer herkende ze me niet. Toen ik over papi begon, dacht zij dat ik het over een man had die verderop in de gang een kamer heeft en die zij haar echtgenoot noemt.

Je hebt misschien gehoord dat abuelo en abuela hun visa hebben. Wat je niet weet is dat Lucinda en ik morgen de trein naar Varadero nemen, waar we abuelo in het geheim zullen ontmoeten op het strand waar we vroeger gingen zwemmen. Ik ben er in geen jaren geweest. Denk je dat het veranderd is?

Ik moet deze brief beëindigen. Tía wacht op me. Het gaat nu beter met haar, ze is zelfs sterker dan ze vroeger was. Het lijkt alsof ze al Lola's kracht heeft opgezogen, zodat ze nu zo *sterk is als zij tweeën samen. We gaan er iedere middag tegen sluitingstijd van de winkels op uit, om te kijken of we een paar bananen of een zak rijst tegen een lagere prijs kunnen krijgen. Ik ben er zelfs in geslaagd een paar dingen gratis te bemachtigen. Tía zegt dat dat door mijn uiterlijk komt, waarover ik nog steeds niet te klagen heb, ook al heb ik geen fatsoenlijke jurk meer over. Het is bijna een avontuur. We nemen onze bonnenboekjes mee en ook al is het onze dag niet, we komen toch en sluiten achter bij een rij aan die soms de hoek om gaat, zo lang is hij. Als we vooraan zijn gekomen (dit werkt alleen bij mannen), vraag ik met mijn liefste stemmetje of er nog iets over is. Iedereen weet dat zelfs als de planken leeg zijn, er altijd nog wel iets over is. Dus knipper ik met mijn wimpers, gooi mijn haar over mijn schouder en glimlach verleidelijk. Op deze manier heb ik drie blikken melk kunnen bemachtigen, een brood, een halve zak rijst en één keer, toen een man tegen me zei dat ik op de Venus van Botticelli leek, een hele kip. Maar meestal krijg ik helemaal niets en ik ben bang dat ik binnenkort op de toonbank moet springen en als een revuedanseres moet gaan dansen om nog iets gedaan te krijgen. Zelfs tegenover jou schaam ik me hier een beetje voor, maar honger kan een mens ertoe brengen dingen te doen die hij vroeger voor onmogelijk hield.*

Ik ben, vrees ik, geen geweldige revolutionair. Ik denk te veel aan mezelf en mijn behoeften en niet genoeg aan wat goed is voor het land. Misschien was het beter geweest als jij was gebleven en ik was weggegaan. Maar je bent hier nog steeds, Nora, dat voel ik in je brieven. Jij bent nooit weggegaan.

Alicia

Toen abuelo en abuela de trap van het vliegtuig af kwamen, herkende ik ze amper. Ze zagen eruit alsof ze samen vijftig kilo waren afgevallen. Abuelo droeg een verschoten pak, een tint tussen groen en grijs in, dat duidelijk voor een man die twee keer zo groot was als hij was gemaakt, en de vroeger zo mollige wangen van abuela waren ingevallen, waardoor het leek alsof ze bijna al haar tanden kwijt was. We slaagden erin onze ontsteltenis te verbergen, maar binnen in ons stroomden de tranen. Jarenlang hadden we onszelf getroost met de gedachte dat het in Cuba misschien niet zo erg was als we gehoord hadden. Per slot van rekening kunnen mensen die hun geliefden missen en die zich aan grote sociale veranderingen moeten aanpassen, geneigd zijn te overdrijven, en Cubanen geven graag een dramatische wending aan hun verhalen. We hoefden maar één blik op hen te werpen om het holle verdriet dat zich in de ogen van abuelo en abuela schuilhield te zien en om te weten dat zelfs onze ergste voorstelling het niet haalde bij de realiteit van hun lijden.

We omarmden hen voorzichtig, alsof ze als we niet oppasten in onze armen uiteen zouden vallen, en ze keken ons aan alsof we vreemden waren. Was het de schok van het hele gebeuren? Was het alsof je je ogen opende om plotseling te beseffen dat de droom en de nachtmerrie van plaats veranderd zijn?

Toen we thuis waren, ging abuelo op de witte bank zitten en streek met zijn beverige handen over de zachte kussens. Hij keek om zich heen naar de schilderijen aan de muren en staarde toen met dezelfde lege, taxerende blik naar Marta en mij.

'We hebben u gemist, abuelo,' zeiden we. Maar de oude man die voor ons zat, was niet de abuelo die me had leren zwemmen. Dat waren die rustige ogen niet die de oceaan in zich opnamen, die stevige armen die zo zeker door het heldere blauwe water kliefden. Abuelo had als een slang zijn huid afgelegd en hem zonder zichzelf op het vliegtuig gezet.

Abuela zat aan het kaasplateau op de salontafel te friemelen en praatte aan een stuk door als een boze vogel. Ze hield haar magere enkels over elkaar geslagen en had haar kousen tot onder haar knieën naar beneden gerold, omdat haar bloedsomloop slecht was. De rode striem van haar haarnetje in haar voorhoofd werd roder terwijl ze vertelde over hun vlucht, hoe het toestel gesteigerd had en dat ze bang was geweest dat Fidel zelf het vliegtuig uit de lucht zou halen – gewoon, omdat hij dat kon.

Dagenlang liepen ze door ons huis te dwalen alsof ze iets zochten waarvan ze zelf niet zeker wisten of ze het wel wilden vinden. Het kwam regelmatig voor dat abuelo een kamer binnenkwam en daar dan alleen maar naar ons stond te kijken, alsof hij niet wist of we echte mensen waren of geesten die een spelletje met zijn verbeelding speelden. Ze vonden het niet prettig om naar buiten te gaan en abuela stelde zichzelf tevreden met het bereiden van Cubaanse gerechten die ze in geen jaren had kunnen klaarmaken omdat de ingrediënten er niet meer waren.

Op een avond trakteerde ze ons op een geweldige geroosterde

ham op een zilveren schotel. Ze zette hem midden op de eettafel, ging zitten, en begon te huilen.

'Wat is er, mami?' vroeg papi.

'Ik heb jarenlang gebeden dat ik op een dag weer ham voor mijn kinderen kon klaarmaken. Nu huil ik van dankbaarheid, vergeef me.'

Het vlees was ongewoon lekker die avond, het smaakte zoals we ons van Cuba herinnerden. Abuelo zei dat het zo lekker was omdat het met onze tranen gekruid was.

De zomer ging voorbij en het werd herfst, en abuelo begon in de middagen de bladeren op het gazon voor ons huis bij elkaar te harken. Hij verbaasde zich, zoals ik dat ook eens had gedaan, over de vallende bladeren, dat roodbruin-met-gele tapijt dat onder onze voeten knisperde. Abuelo zei me dat het bijeenharken van de bladeren en de geur van aarde op zijn handen hem eraan herinnerde dat hij nog steeds bij het land hoorde, ook al was hij zo ver weg van zijn thuis.

'Hebt u er spijt van dat u bent weggegaan, abuelo?'

Hij lachte een beetje om deze vraag. Hij leek nu veel meer op de abuelo zoals ik me hem herinnerde, sterk en vol zelfvertrouwen, en hij bleef stevig doorharken. 'Ik zou liegen als ik zei dat niet iedere avond als ik in slaap val, de geluiden en de geuren van mijn vaderland aan me trekken als een droom die niet weg wil gaan. Maar laat ik je dit vertellen: het is een stuk makkelijker met de pijn van heimwee in je hart in slaap te vallen, dan met de pijn van honger in je buik.'

Bijna iedere avond speelden we na het eten domino. Ik verheugde me op dit ritueel en beeldde me in dat we op de veranda in Varadero zaten en naar de Caribische oceaan keken, in plaats van op het roodhouten terras met uitzicht op de vallei, gevuld met een zee van smog. Op dit soort momenten, als we alleen waren, durfde ik hem naar Alicia en Lucinda te vragen.

'Ja zeker, ik heb ze op het strand ontmoet,' fluisterde abuelo, terwijl hij behoedzaam over zijn schouder keek voor het geval abuela mee zou luisteren. 'Alicia is nog even mooi als altijd, maar mager, zoals iedereen daar. Ze ziet er beter uit dan de meeste mensen,' voegde hij eraan toe toen hij mijn bezorgde blik zag. 'En Lucinda is een beeldschoon kind. Haar ogen zijn betoverender dan de oceaan en de hemel samen, maar ze zijn droevig. Ik heb nog nooit zoiets gezien. Toen ik haar vasthield en probeerde haar aan

het lachen te maken, keek ze recht door me heen, zo mijn hart in.'
Hij schudde treurig zijn hoofd en richtte zijn aandacht toen weer
op de dominostenen.

'Denkt u dat Alicia ooit uit Cuba weg zal gaan?'

Hij klakte op een besliste manier met zijn tong. 'Dat kind gelooft nog steeds in de Revolutie. En Tony is een goede man. Hij
heeft haar gered na de dood van Carlitos, maar hij heeft haar
daarbij gehersenspoeld. Ze is haar vader helemaal vergeten, en
haar moeder, die nog steeds in het ziekenhuis zit opgesloten, ook.
Ze lijkt niet te zien dat het land om haar heen kapotgaat. Ik weet
niet of het door de Revolutie komt of door de obsessie voor haar
man, maar het heeft geen zin om met haar over emigreren te spreken. Ze kijkt je dan op dezelfde manier aan als Lucinda en ze zegt
dat ze haar vaderland nooit zal verlaten.'

In het North Campus Café was het één groot gewoel, maar ik was
in staat me vredig te voelen te midden van zo veel druk gedoe. Als
altijd zat ik aan het tafeltje in de verste hoek en dronk met kleine
slokjes mijn koffie tot het even voor negenen was, of op welk tijdstip ik ook mijn eerste college had. Het was een rare plek voor me
omdat al mijn colleges aan de andere kant van de campus waren,
maar dat was precies de reden waarom ik hier zo graag kwam.
Een kleine herinnering aan het feit dat ik keuzes kon maken, ruimte en vrijheid had.

Ik was sinds ik met mijn studie begonnen was een aantal keren
met een jongen uit geweest, maar ik was er altijd heel goed in geslaagd de verkering af te kappen. Misschien had zuster Margarita
gelijk gehad al die jaren geleden. Een religieus leven leek nu zo gek
nog niet, in ieder geval met weinig zorgen. Mami en papi zouden
misschien trots zijn als ze een dochter hadden die de Kerk toegewijd was; mami zou het aan de hele familie kunnen schrijven en
over me opscheppen, omdat mijn plaatsje in de hemel nu zeker gesteld was.

'Nora, ben jij het?'

Verschrikt gooide ik mijn koffie om en een warme waterval
stroomde over mijn spijkerbroek.

'O nee, sorry... ik...' Jeremy liep haastig weg om een handvol
papieren servetten te halen en ik staarde hem na terwijl de hete
koffie van mijn dijen af drupte. De tijd draaide opeens razendsnel
rond en maakte een salto. Jeremy was geen realiteit meer voor me,
hij was een legende geworden uit een of ander ver land, uit ver-

vlogen jaren. En nu was hij hier, depte de koffie op met een stapeltje servetten, lachte en schudde zijn hoofd, precies zoals ik me hem herinnerde.

Ik legde mijn hand op zijn schouder. 'Jeremy... je bent er... Ik bedoel, wat doe je hier?' Een gevoel alsof er iets in mijn keel fladderde, maakte het me onmogelijk te slikken, laat staan verder iets te zeggen.

Hij lachte weer en omhelsde me hartelijk. 'Nora, wat fijn je weer te zien.' Hij hield me op armlengte van zich af. 'Je ziet er heel anders uit... maar je ogen zijn nog precies hetzelfde.' Hij kneep me even in mijn schouders. 'Mag ik bij je komen zitten?'

'Natuurlijk.'

Ik haalde mijn boeken van tafel en bloosde toen onze knieën elkaar per ongeluk raakten, net als op de middelbare school. Hij vertelde dat hij overwoog om een baan als wetenschappelijk medewerker op het antropologisch instituut aan te nemen. Hij had de afgelopen jaren gereisd, vooral in Zuid- en Midden-Amerika.

'Ik denk dat mijn Spaans nu net zo goed is als jouw Engels,' schepte hij op met een kwajongensachtig lachje.

'Laat maar eens horen,' daagde ik hem in het Spaans uit.

Jeremy's ogen twinkelden, en hij begon over het weer te praten, over de verschillende landen die hij bezocht had, en zei dat hij hoopte er snel weer terug te keren. Ik luisterde beleefd en knikte oprecht goedkeurend vanwege zijn vloeiende woordkeus en goede accent. Sommige woorden sprak hij bijna uit alsof hij een Spanjaard was.

'Ik was naar je op zoek,' zei hij, weer overschakelend op het Engels.

'O ja?'

Jeremy dronk zijn bekertje leeg en gooide het in een prullenbak vlakbij. 'Ongeveer twee jaar geleden. Ik zag je naam op een lijst van studenten die uitgenodigd waren voor een of andere receptie, maar je kwam niet opdagen.' Hij keek langs me heen, alsof hij zich een droom probeerde te herinneren, schudde de flarden toen uit zijn hoofd en lachte. Ik hield mijn adem in en wachtte tot mijn leven zou veranderen in het ogenblik dat het hem kostte om met zijn ogen te knipperen en uit te ademen. 'Ik herinner me die receptie nog heel goed.'

'Ja, waarom?'

'Het was een paar dagen voor mijn huwelijk.'

Er gingen een aantal lange secondes voorbij voor ik in staat was hem glimlachend te feliciteren, maar het was een verre van overtuigend glimlachje, dat ik het best achter mijn bekertje koffie kon verbergen. 'Heb je kinderen?'

'Nee, nog niet. Jane heeft wat problemen met haar gezondheid. Ze heeft op een van onze reizen malaria gekregen, en dat heeft haar verzwakt.'

Ik probeerde blijk te geven van medeleven en ondertussen mijn genoegen te verbergen dat zijn vrouw Jane heette, en niet Cindy.

'Heb je nu college?' vroeg hij.

'Ja, ik ben al te laat.'

'Kom mee dan,' zei hij. Hij pakte mijn rugzak en trok een grimas om te laten merken dat hij hem zwaar vond. 'Ik loop met je mee.'

We praatten over het leven op de universiteit en hoeveel liever hij op reis was en veldwerk deed dan in een kamer opgesloten te zitten. Hij vroeg naar mijn familie en mijn studie. Ik vertelde hem dat ik lerares wilde worden, en hij vond het leuk dat te horen. Ik wilde nog veel meer zeggen, maar we kwamen bij mijn collegezaal en hij gaf me mijn rugzak aan. 'Je hebt nog niet gezegd dat je getrouwd bent of zo.'

Terwijl hij op mijn antwoord wachtte, voelde ik de waarheid van dit ogenblik razendsnel ronddraaien. Het zou jaren kunnen duren voor ik hem weer zag, áls ik hem ooit nog eens zag. Ik moest dit moment aangrijpen. Wat zou Alicia doen als Tony haar door de vingers dreigde te glippen? Ze zou zich aan zijn voeten werpen en hem haar oneindige liefde verklaren. Het zou haar niet kunnen schelen of hij getrouwd was en kinderen of zelfs kleinkinderen had. Ze zou hem gewoon recht in zijn ogen kijken en zeggen wat ze te zeggen had.

'Ik ben niet getrouwd,' zei ik.

'Natuurlijk, ik vergat even hoe jong je nog bent. Je bent zo serieus; dat maakt dat ik me soms vergis, vroeger ook al.'

'Mijn moeder is toen ze amper negentien was met mijn vader getrouwd. Ik ben ouder.'

Jeremy knikte beleefd en deed een stap achteruit. 'Dat klopt, ik weet nog dat je dat vertelde.' Hij hief zijn hand op om me gedag te wuiven.

'Misschien kunnen we nog eens koffiedrinken... als je het niet te druk hebt,' flapte ik eruit.

Zijn gezicht klaarde op. 'Graag, Nora.'

Toen ik thuiskwam, trof ik mami en abuela over hun koffie gebogen: de klassieke roddelhouding. Mami rechtte haar rug. 'Heb jij onlangs nog iets van Alicia gehoord?'

'Al een tijd niet.'

Mami knikte op haar plechtige ik-weet-er-alles-van manier. Abuela vouwde telkens haar servet op en dan weer uit en deed een extra schep suiker in haar koffie.

'Wat is er aan de hand?' vroeg ik.

'We hebben vandaag je tía Maria in Cuba gebeld. Ze vertelde ons dat ze onlangs tía Panchita op bezoek heeft gehad. Zij woont bij Alicia, weet je, en haar kindje...'

'Wat is er met Alicia?'

'Het gaat niet om Alicia, maar om het kind. Hoe heet ze ook weer...'

'Wat is er met Lucinda?'

'Ze zijn er nog niet zeker van, maar ze vermoeden dat het kind blind is. Ze weten niet hoe het komt...'

Ik voelde me duizelig en ging aan tafel zitten. Een hete woede kwam in me bovenborrelen toen ik eraan dacht hoe de familie Alicia vanwege haar huwelijk met Tony doodverklaard had, hoe ze geleden had, en nu dit! Ik stelde me haar voor terwijl ze door de vervallen straten van Havana dwaalde, haar blinde kind op haar heup, op zoek naar een overgeschoten broodkorst die een winkelier haar in ruil voor een glimlach kon geven. Ik huiverde omdat ik zo machteloos stond. Het kon weken duren voor ze mijn volgende brief kreeg.

Abuela schudde droevig haar hoofd. 'Ik wist wel dat er niets goeds van dat huwelijk kon komen. Het was niet voorbestemd en als dingen niet voorbestemd zijn en je doet ze toch, dan gebeurt er zoiets.'

Ik slikte mijn woede in. Ik kon niet oneerbiedig tegen abuela zijn, maar op dat moment voelde het alsof ik gedwongen was aardig tegen Hitler te zijn. Ik klemde mijn kaken op elkaar terwijl de tranen me in de ogen sprongen. Ik plofte bijna uit elkaar omdat ik niet in staat was me te verroeren.

Ik had niet gemerkt dat abuelo de keuken binnengekomen was, en ik wist niet hoe lang hij al stond te luisteren, maar het was duidelijk dat hij al op de hoogte was van het nieuws. Abuelo verhief zijn stem nooit. Zijn natuur was net zo zonnig als de tropische lucht waaronder hij het grootste deel van zijn leven gewoond had, maar nu hij sprak, leek hij een ander mens. 'Hou op met die waanzin, mens,' zei hij nijdig. 'Je hebt het over je kleindochter en je achterkleindochter. Vergeet dat niet.'

Abuela wilde hier iets tegen inbrengen, maar hij legde haar het zwijgen op. 'Je hebt je eigen vlees en bloed de rug toegekeerd, en waarom? Omdat jij er niet in gelooft dat blanke mensen met zwarte trouwen. Toen ik mijn familie in Spanje vertelde dat ik met een Cubaans meisje wilde trouwen, hebben ze geprobeerd me over te halen het niet te doen. Ze wilden dat ik met een Spaans meisje uit het dorp zou trouwen. Stel dat ik naar ze geluisterd had?'

'Dat is iets anders, Antonio. Dat kun je niet met elkaar vergelijken.' Abuela maakte een gebaar met haar hand in de lucht alsof ze een vlieg doodsloeg. 'Zwarte mensen en blanke mensen horen niet in één familie. Dat is niet natuurlijk. En zwarten denken er zelf net zo over.'

Abuelo sloeg zijn armen over elkaar. 'Niet natuurlijk? Toen ik dat kind in mijn armen had, voelde het zo natuurlijk als wat.'

Abuela's mond zakte open. 'Je hebt haar gezien? Terwijl je me beloofd had dat je dat niet zou doen?'

Daar stond abuelo, lang en trots, helemaal de man die ik me van Varadero en het vliegveld al die jaren geleden herinnerde. 'Ja zeker, en ik zeg je dat Lucinda de mooiste is van ons allemaal.'

18

We zagen elkaar al weken. Jeremy kwam zonder mankeren iedere woensdagochtend om acht uur en stond erop mijn koffie te betalen, ook al maakte ik bezwaren. Eén ogenblik, als hij eraan kwam met het blad met twee grote bekers koffie in zijn hand en zijn koffertje onder een arm, kon ik net doen alsof hij van mij was. Als hij vlak bij me zat, durfde ik dat niet. Op die ogenblikken moest ik alle zeilen bijzetten om vriendelijk en luchtig te blijven, en te vermijden te lang naar hem te kijken, uit angst dat mijn ogen in twee aanbiddende hartjes zouden veranderen.

Ons lievelingsgespreksonderwerp was Cuba. Jeremy had er altijd heen gewild, maar dat had niet gekund vanwege de reisbeperkingen. Ik sprak vrijuit over teruggaan, een verboden onderwerp binnen ons gezin. Dat was een onuitgesproken regel, omdat het verdriet en de spijt die zo'n gesprek zou veroorzaken te veel voor papi en mami zouden zijn. O, we konden best praten over de schoonheid van de stranden, over de onovertroffen kwaliteit van de zeevruchten en over winkelen in El Encanto. Maar over het gevoel dat we onze ziel verloren hadden, daar moesten we over zwijgen, en ook over de pijn in onze overgeplante wortels, die nog steeds snakten naar hun geboortegrond. Niemand zou het waarschijnlijk opgevallen zijn, omdat wij Cubanen er goed in zijn ons aan te passen, maar ik zei tegen Jeremy dat je het als je goed keek kon zien, als doorzichtig plakband op een prachtig ingepakt cadeautje, of de touwen van Peter Pan als hij over het podium vliegt.

'Waarom kun je niet terug?' vroeg Jeremy. 'De reisbepalingen zijn een stuk minder streng. Veel Cubanen gaan terug om hun familie te bezoeken. Er overkomt ze niets.'

Ik trok mijn rugzakje op schoot en ritste het dicht. Het werd laat. 'Mijn ouders willen er niets van horen. Ze hebben beloofd nooit meer een voet op Cubaanse bodem te zetten tot Castro weg is.'

Jeremy legde zijn hand op mijn arm. 'We hebben het niet over je ouders, Nora. Heb jij ook dat soort beloftes gedaan?'

'Nee.'

'Nou dan.'

'Het zou ze kapotmaken als ik tegen hun wens inging... Ik weet dat jij dat moeilijk kunt begrijpen.'

Jeremy haalde zijn hand van mijn arm af, waardoor er een koude plek overbleef, die zijn aanraking miste. 'Ik denk alleen dat als jij terug wilt om je nichtje op te zoeken, die het nu heel moeilijk heeft, dat dat toch niet zo'n ramp zou moeten zijn?'

Tegen de tijd dat we elkaar voor de derde keer zagen was ik weer helemaal verliefd op Jeremy. En iedere dag, tien keer per dag, als mijn gedachten onvermijdelijk naar hem afdwaalden, hield ik mezelf voor dat hij getrouwd was.

Ik stelde me tevreden met onze wekelijkse koffieafspraak. Op maandag begon ik me al druk te maken over wat ik aan moest trekken, hoe ik mijn haar moest doen, welk boek ik zou lezen als hij eraan kwam met het blad met de koffie. Als we weer uit elkaar gingen, draaide ik iedere seconde van dat we samen waren geweest weer af, screende al zijn woorden, iedere subtiele gezichtsuitdrukking op de mogelijkheid, hoe gering ook, dat hij me zou kunnen beschouwen als iets meer dan een vriendin die hem aan zijn fascinatie voor de latino-cultuur deed denken.

Mijn leven draaide om woensdagochtend tussen acht en negen. En daar was ik heel tevreden mee.

September 1970

Lieve Nora,

Vergeef me dat ik je zo lang niet geschreven heb. Ik heb je laatste brief gekregen, en je kunt je niet voorstellen wat een troost hij in deze moeilijke tijden voor me is geweest. Ik dank je met heel mijn hart voor je aanbod te helpen, maar ik weet niet wat jij, of wie dan ook, zou kunnen doen. Na vele nachten vol tranen en zelfkwelling ben ik zover dat ik ac-

cepteer dat ik alleen maar kan afwachten wat er met mijn dierbare Lucinda gebeurt. Ik heb haar naam op de wachtlijst van de oogheelkundige kliniek van Havana gezet. Het is ergens toch een wonder dat een van de meest vermaarde oogspecialisten ter wereld hier in Havana zit. Wist je dat er mensen uit alle landen hiernaartoe komen om zich te laten behandelen?

Ondertussen probeer ik ogen voor Lucinda te zijn. Als we naar het strand gaan, beschrijf ik het zand en de oceaan en de palmbomen die de lucht schoonvegen. Ik heb geleerd om duidelijk en opgewekt te spreken terwijl de tranen over mijn wangen stromen. Hoe moet ik woorden vinden om de schoonheid van ons vaderland te beschrijven? Ik worstel er iedere dag mee, heb het gevoel dat ik met een doos kapotte kleurpotloden een meesterwerk probeer te tekenen. Maar Lucinda waardeert mijn pogingen. Ik weet dat dat zo is, want ze lacht tegenwoordig veel vaker en ze zegt dat ze van me houdt als ze mijn gezicht aanraakt en voelt of ik glimlach. Iedere dag vraagt ze wanneer haar vader terugkomt. Ik kan voorlopig niet meer doen dan hopen dat ze binnenkort zijn armen om zich heen zal voelen en hem met zijn zware geruststellende stem hoort zeggen dat hij van haar houdt. Tony weet nog van niets. Hij denkt dat onze dochter een normale, gezonde tweejarige is, die de schattigste dingen zegt tijdens haar ontdekkingstocht door haar wereld.

In plaats van dat ik me erop verheug Tony weer te zien, maak ik me zorgen. Ik kan me niet langer inbeelden hoe gelukkig hij zal kijken als hij zijn vrouw en dochter weer ziet, ik zie alleen een verschrikkelijk verdriet dat ik zo goed ken. Ook al is hij nog zo sterk, ik ben bang dat dit hem kapot zal maken. Ik kan alleen maar hopen dat de liefde die we voor elkaar voelen hem erdoorheen zal helpen, zoals dat voor mij ook zo is geweest.

Ik vind alleen nog maar verlichting voor mijn zorgen in de kerk op de hoek van onze straat. Misschien herinner je je hem nog, La Iglesia del Carmelo, met een kleine fontein ervoor, waar we als kinderen een muntje in gooiden en een wens deden. Abuela schold ons dan altijd uit en zei dat we geen wensen bij een fontein moesten doen als we toch ook tot God konden bidden. Ik ga hier iedere dag naartoe. De kerk is altijd leeg, op een paar oude vrouwtjes na die in slui-

ers gehuld in het donker zitten en kaarsen aansteken. Er is in
geen jaren een mis opgedragen.

   Er is steeds meer honger, en veel mensen zijn net sterven-
de haviken geworden die op zoek naar voedsel elke gelegen-
heid om toe te slaan, aangrijpen. Ik probeer op te passen
voor de wanhopigen en probeer er vooral zelf niet een te
worden. De wanhoop komt 's nachts aansluipen als een
ziekte en kruipt je hart binnen. De beste menselijke waarden
worden verpletterd onder zijn gewicht en als hij iemand in
bezit heeft genomen, kun je het aan hem ruiken, als het rot-
tende vuil dat zich in de stegen van Havana ophoopt. Dit
vuil spoelt de straten op en verzamelt zich in de goten. Als je
niet oppast, trap je erin en neem je het aan je schoenen mee
naar huis. Ik weet dat de wanhoop zich vooral voorplant in
de harten van degenen die alle geloof in de Revolutie en in de
idealen van verandering verloren hebben. Tony houdt me in
zijn brieven voor dat we sterk moeten blijven en dat het zelfs
voor één enkel mens een enorme inspanning is om te veran-
deren, dus voor een heel land… Nu, je begrijpt waar ik naar-
toe wil.

   Ik sluit mijn ogen nu met geluk in mijn hart en gedachten
aan jou en Jeremy, en hoop dat jullie een manier vinden om
de liefde die jullie voor elkaar voelen te laten groeien. Ik ben
geen voorstandster van overspel, maar ik geloof dat alle din-
gen gebeuren omdat daar een reden voor is, en ik hoop dat
de reden waarom Jeremy in jouw leven is jou en hem gauw
duidelijk zal worden. Ik bid iedere dag voor je.

Alicia

Toen ik aan mijn laatste jaar op de universiteit moest beginnen,
kwamen Marta en Eddie vertellen dat ze een baby verwachtten.
Jeremy vond het fascinerend te horen dat mami bijna iedere dag
naar Marta's nieuwe huis ging om haar te helpen met de inrichting
en de voorbereidingen op het moederschap. En ik begon bijna gewend te raken aan het feit dat ik verliefd was op een getrouwde
man. Maar hij sprak zelden over zijn vrouw. Het enige wat ik wist,
was dat haar naam Jane was, dat ze elkaar in Peru ontmoet hadden, en dat ze aan malaria-aanvallen leed. Ik dacht dat hij me pijnlijke bijzonderheden wilde besparen, maar hij begreep niet dat ik
geleerd had met mijn geheime obsessie voor hem om te gaan. Mis-

schien zou het eerder pijnlijk zijn geweest, maar nu wilde ik alles van hem weten... Zelfs wat voor soort echtgenote hij had uitgezocht, en alles wat daar verder bij kwam kijken.

Toch lukte het me een ander te leren kennen. Het was een zakenvriend die papi had uitgenodigd voor de housewarming van Marta en Eddie. Hij heette Greg, maar papi noemde hem Gregorio. Hij zag er leuk uit, met rossig haar, was een harde werker met goede vooruitzichten, wat papi en mami nog het meest aanstond. Wat mij aanstond was dat ik hem zonder te blozen recht in zijn ogen kon kijken, wat me bij Jeremy nooit lukte.

Tijdens het feest hield abuela me als ik met hem praatte voortdurend in de gaten. Maar haar ogen stonden afwezig en ik wist dat ze dacht over hoe het zou zijn geweest als we nog in Cuba waren geweest. Ik weet niet of het de wijn was, of de bloeiende bougainvilles buiten voor het raam, maar het leek alsof we nooit weg waren gegaan.

Meteen ben ik op een tuinfeestje, aan zee. Niet echt op het strand, maar dichtbij genoeg om de zeewind doorschijnende slierten uit de zee op te zien zwiepen. Iedereen straalt en lacht en iedereen wordt gekoesterd door de goedgeluimde zon die zijn plekje in het blauwe hemelgewelf kent.

Maar de branding dreunt niet, het is het zachte kloppen van ons hart. De bries blaast niet, het is de weerklank van een zangerige fluit. Al onze zorgen lossen op met de regenbuien die drie of soms wel vier keer per dag naar de hemel verdampen.

Greg schonk me nog een glas wijn in en weer ben ik ver weg. Een dame drinkt niet zo veel. Mami en abuela hebben me altijd gezegd dat een dame haar hoofd koel moet houden en in staat moet zijn op naaldhakken te balanceren als ze arm in arm met de man die voor haar bestemd is over de malecón loopt.

Terwijl ik zat te dagdromen, vroeg Greg me mee uit voor een etentje. Daarna gingen we de meeste weekends samen uit, en soms ook door de week. Ik wist dat het onzin was, maar ik durfde Jeremy niet over Greg te vertellen. Maar ook wist ik dat ik toch binnenkort mijn moed bij elkaar zou moeten rapen.

Jeremy lag uitgestrekt op een warm stukje grasveld. Hij had mij nog niet gezien, en ik overwoog weg te lopen voor hij me zag. Ik voelde me verlegen dat hij me nu zou zien, niet in de spijkerbroek en de sandalen die ik gewoonlijk droeg, maar in een pakje met bijpassende schoenen en een handtas. Ik had een afspraak met Greg direct na college voor een rit langs de kust en vervolgens een etentje in ons favoriete visrestaurant. Hij verwachtte me over vijf minuten bij de ingang van de universiteit.

Ik wilde net weglopen toen Jeremy zich omdraaide en me zag. Nu kon ik niet anders dan bij hem gaan zitten, en ik voelde mijn wangen rood worden toen ik naar hem toe liep. Hij keek nieuwsgierig naar mijn nieuwe outfit, maar zei niets terwijl hij zijn gezicht weer naar de zon wendde.

Ik klopte op het gras om me ervan te verzekeren dat het droog was en ging naast hem zitten. Een paar minuten zeiden we niets tegen elkaar. Dat was heel gewoon. We waren net een stel dat zich door de jaren heen op z'n gemak was gaan voelen bij stiltes.

Mijn blik gleed over hem heen. Ik probeerde te negeren dat ik hem nog steeds prachtig vond, en ik probeerde dat gevoel dat ik had als ik bij hem in de buurt was te onderdrukken, dat diepe gevoel van bij hem te horen. Ik schraapte mijn keel om de warme roes tussen ons te doorbreken. 'Ik heb jammer genoeg niet veel tijd.'

Zijn oogleden trilden en hij maakte een brommerig keelgeluid om te laten merken dat hij me gehoord had. Ik kende dat geluid goed. Gewoonlijk werd mijn onderlichaam er warm en tintelend van, maar dit keer vocht ik tegen die sensatie, en spande ik mijn buikspieren aan.

'Ik heb een afspraakje,' zei ik. 'En ik moet over vijf minuten aan de andere kant van de campus zijn.'

Hij kwam langzaam overeind en veegde de grashalmen die aan zijn handen kleefden af. Hij keek me amper aan. 'Dan moet je nu denk ik gaan,' zei hij.

Ik kwam overeind en deed een stap naar achteren, alsof hij een soort val was. 'Ja, dat denk ik ook.'

Hij keek naar me op, zijn ogen stonden vriendelijk terwijl ik wegliep. 'Veel plezier, Nora.'

Juni 1971

Lieve Nora,
Mijn engel is thuis! Tony is pas twee weken terug, maar ons leven is al op een wonderbaarlijke manier veranderd. Hij heeft een flatje voor ons gevonden, op twee blokken afstand van de zee. Midden in de nacht horen we de golven als zuchten in de verte. En er is zo veel meer te eten. Hij heeft dozen

melkpoeder meegenomen en bananen, en die ruilen we voor vlees en wc-papier. Je hebt er geen idee van hoe lang wij geen wc-papier hebben gehad. Ik vind dat het veel te goed is voor het doel waarvoor het bestemd is, dus ik spaar het op om er later als dat nodig is mee te ruilen. Lucinda is gek op bananen, net als wij vroeger, en eet er elke dag een. De zonneschijn is zelfs helderder dan hij vroeger was, Nora, en de kleuren komen terug in een stad die onder zijn blakerende hitte verschoten was.

Ik hoorde hem al voor ik hem zag, toen hij de buren vroeg welke kamer van ons was. Ik vloog de deur uit, liet Lucinda tollend op haar benen achter, en ze was zo van slag door mijn plotselinge vertrek dat ze begon te huilen. En Lucinda huilt haast nooit.

Ik zag het silhouet van zijn brede schouders de trap op komen. Zijn ogen zochten naar me, wild en hongerig van de pijn van te veel eenzaamheid. Ik vloog in zijn armen en we grepen elkaar bij het haar en bij onze kleren en ik drukte me zo hard tegen hem aan dat ik bijna in hem verdween en de tranen stroomden uit mijn ogen en uit al mijn lichaamsdelen, leek het. Als dat moment langer had geduurd, was ik gestorven van geluk. Kan dat?

Ik heb Tony nog nooit zien huilen, niet echt, tot hij naar zijn dochter keek in de wetenschap dat ze niet terug kon kijken. Een paar dagen heeft hij haar in zijn armen gehouden alsof ze een baby was en niet een vier jaar oud meisje. Hij bleef in haar gezichtje kijken en zijn handen voor haar ogen bewegen. Ik weet waarom. Ik deed dat vroeger zelf ook, in de hoop dat ze op het goede moment met haar ogen zou knipperen en me net dat kleine beetje hoop zou geven om me een paar uur te troosten tot ik gedwongen was opnieuw haar blindheid te aanvaarden.

Bijna iedere avond, bij zonsondergang, gaan Tony en ik naar het strand. We liggen zonder kleren op het strand, een heerlijk gevoel. De bries is koel, maar het zand is nog warm van de zon. We spelen als kinderen, naakt en vrij, en we vrijen met elkaar tot we te moe zijn om nog te bewegen. Als we terug zijn in ons nieuwe appartement, vallen we in elkaars armen in slaap, net als vroeger. En als ik mijn ogen opendoe en ik hem bij het open raam onze ochtendkoffie zie zetten, dan is het iedere dag net of ik in de hemel wakker word.

Gisteren nog ben ik weggeslopen naar de kerk. Ik moest teruggaan om God te bedanken dat hij mijn gebeden heeft verhoord en mijn man veilig terug heeft gebracht. Ik stak bij het altaar een wit kaarsje aan, zoals ik altijd doe, en ben maar een paar minuten gebleven om naar de kaarsvlam te kijken. Het geeft me zo'n vredig gevoel om hem in het donker te zien flakkeren. Ik heb nog maar één gebed: dat Lucinda's blindheid genezen wordt. God heeft me gehoord, omdat net toen ik bad, de ramen lichter werden en de kerk met banen gekleurd licht gevuld werd, terwijl het al meer dan een uur donker was.

Lach niet; je weet dat ik altijd op zoek ben naar een wonder, en vinden zal ik het, hoe dan ook, zelfs als het in de koplampen van een passerende auto zit.

Alicia

19

Weer werd het zomer, en mami was nu al bijna een week zenuwachtig in huis in de weer. Er kwam bezoek uit Miami en alles moest perfect op orde zijn. Ze huurde een glazenwasser in en koos met zorg bloemen uit de tuin om in het hele huis neer te zetten. De badkamer werd uitgerust met nieuwe, vrolijk gekleurde gastenhanddoekjes en schaaltjes potpourri. Mami en abuela kookten tot laat in de avond, maakten *croquetas* en gevulde aardappelballetjes en papi maakte de kuil in de tuin gereed om het varken te kunnen roosteren.

Mami voelde zich het gelukkigst als ze gasten verwachtte. Toen papi carrière begon te maken, was ze dineetjes gaan geven en daar genoot ze van, maar voor Cubaanse vrienden en familie stroopte ze haar mouwen extra op en gaf ze zich er helemaal aan over. Ze speelde haar favoriete *danson* op de stereo en liep heupwiegend stof af te nemen. Ze liet zich overhalen om een paar glazen wijn te drinken en op de veranda van de zonsondergang te genieten, ook al was het woensdagavond en had ze nog zo veel te doen voor de gasten arriveerden.

'Herinner je je neef Juan nog?' vroeg mami me.

'Natuurlijk. Ik was vijftien toen we weggingen. Ik herinner me alles nog.'

'Hij is advocaat. In Miami. Heel succesvol, heb ik gehoord, en hij komt met zijn moeder, je tía Carlotta, voor een of andere conferentie hier.'

Mami stak van wal om ons op de laatste roddels over de familie te vergasten. Ik luisterde met een half oor terwijl papi de krant las en zelfs niet dééd alsof het hem interesseerde. Mami sprak heftig over Juans dwaasheid om bij een Cubaanse Broederschap te gaan, een club die zich erop richtte Castro's val te bespoedigen. 'Ik wil niet dat hij over die onzin praat waar ik bij ben. Dat maakt me alleen maar van streek en geeft me valse hoop.'

Juan en tía Carlotta kwamen die vrijdag in een zwarte limousine van het vliegveld. Tía Carlotta droeg het Cubaanse uniform van het succes: een elegant beige linnen pakje, een designerhandtas en kilo's goud om haar polsen en hals. Haar roodgeverfde haar (ik herinnerde me haar als een brunette), zat strak in de haarlak en schuurde mijn wang toen ik haar de verplichte kus ter begroeting gaf. Juan was twee keer zo dik als ik me hem herinnerde, gevat in een perfect op maat gesneden, duur grijs pak. Maar hij werd nog net zo opgewonden als ik me van vroeger herinnerde als hij het over zijn leven had, en zijn werk voor de Cubaanse Broederschap.

Mami hield haar handen voor haar oren, hoewel ze nog steeds glimlachte. 'Toe, Juani, ik wil het niet horen.'

Tía Carlotta wierp Juan een strenge blik toe en hij gehoorzaamde als een brave zoon. Het was geen geheim dat hij voor zijn moeder zorgde (zijn vader was kort nadat ze in ballingschap waren gegaan aan kanker overleden), en dat ze door hem in staat was om de levensstandaard die ze in Cuba had gehad te handhaven, of zelfs te overtreffen. Maar toch had ze haar gezag als moeder niet verloren.

We zaten tussen de tuinbloemen in de huiskamer, dronken wijn en knabbelden van Cubaanse hapjes, toen Juan zich naar me overboog, waarbij hij zijn indrukwekkende omvang geweld moest aandoen, om iets tegen mij alleen te zeggen. Hij sprak me in het Spaans aan en ik besefte opeens hoe lang geleden het was dat ik met iemand van mijn eigen generatie mijn moedertaal had gesproken. Marta en ik waren in de loop der jaren steeds meer Engels met elkaar gaan praten, en nu sprak ik alleen nog Spaans tegen mijn ouders en grootouders. Spaans praten met Juan gaf me het gevoel dat wat we te zeggen hadden op de een of andere manier belangrijk was.

'Hoor je nog wel eens iets van Alicia?' vroeg hij.

'We hebben contact via brieven.'

'Dan weet je dus dat ze een communiste is en dat ze met een communist is getrouwd die haar letterlijk gehersenspoeld heeft.'

'Ik weet dat ze veel van Tony houdt. Ze hebben een dochter, Lucinda.'

'Ik heb gehoord dat ze blind is.'

'Ze hopen op een consult in een oogheelkundige kliniek in Havana.'

Juan gooide een aardappelballetje in zijn mond en grinnikte terwijl hij kauwde. Het leek wel alsof hij alle vreugde en hoop samen met die aardappel inslikte. 'Daar komen ze nooit binnen,' zei hij en hij nam een slok wijn om zijn keel te spoelen. 'Het is bekend dat de betere ziekenhuizen alleen buitenlandse hoogwaardigheidsbekleders en partijbonzen toelaten. Gewone burgers staan onder aan de wachtlijst.'

Ik wist niet wat ik moest zeggen. Juan was heel stellig in wat hij beweerde. Hij woonde in Miami, en doordat hij daar met hart en ziel actief was in de strijd voor de Cubaanse zaak, was hij goed op de hoogte van de laatste nieuwtjes. Wij zaten verder weg in onze Californische omgeving, waar latino-kwesties draaiden om problemen met seizoenarbeiders uit Mexico en tweetalig onderwijs in de binnenstad. Ik wilde hem tegenspreken, maar had geen ammunitie, terwijl Juan een heel arsenaal tot zijn beschikking had.

'Jij kunt haar helpen, Nora.'

'Hoe?'

'Door haar te overreden een visum aan te vragen. Ik kan hier wel aan wat touwtjes trekken als ze dat doet.'

'Ze wil niet van Tony weg. Ze wil niet uit Cuba weg.'

Het was alsof we in de achtertuin van tía Maria zaten. 'Speel toch een spelletje honkbal met me, Nora, eentje maar,' zei hij dan, terwijl hij zijn mollige handen in een smekend gebaar ineensloeg.

'Je gooit die bal altijd te hard,' antwoord ik.

'Ik beloof je dat ik dat dit keer niet zal doen.' Hij gooit me zijn honkbalhandschoen toe en ik pas hem aan. Hij is ongeveer drie maten te groot, maar ik geef toch toe omdat ik op dit moment voor Juan het meest in de buurt kom van mannelijk gezelschap en omdat ik weet dat hij niet op zal geven tot ik toegeef. We spelen in de tuin tot de schaduwen lengen en ons opslokken, tot ik mami's geklaag dat ik vuil word niet langer kan negeren, of tot Alicia komt en me voor iets interessanters meetroont.

'Ze is de enige van ons die daar nog is,' ging Juan verder, misschien omdat hij nog wist dat ik altijd toegaf.

'Ja?'

'Van onze groep dan. Verder zijn alleen de oude mensen gebleven.'

'Zoals tía Panchita.'

Juan fronste zijn vlezige voorhoofd en wierp een snelle blik op zijn moeder, die naar ons gesprek had zitten luisteren zonder dat te willen laten merken. Ze trok net zo'n verward gezicht als hij en wendde zich weer tot mami, die de *croquetas* en aardappelballetjes op de schaal herschikte.

'Tía Maria zei dat ze je zou bellen,' zei tía Carlotta.

'Waarover?' Mami liet een aardappelballetje op haar voet vallen.

'Panchita is twee weken geleden overleden. Ze zeggen dat ze is gestorven terwijl ze een sigaar zat te roken, terwijl de dokter haar gezegd had dat ze niet meer mocht roken, en dat het beste wat haar kon overkomen het tabakstekort in Cuba is.'

Mami's ogen werden vochtig. Ze leunde achterover, het aardappelballetje nog steeds op de punt van haar bruine pump. 'Moge ze rusten in vrede.'

'Het was een goed mens,' voegde tía Carlotta eraan toe met een plechtig knikje van haar stijve, roodbruine hoofd.

'Ze gaf om de zwarten alsof het haar eigen vlees en bloed was.'

'Soms ten koste van haar eigen mensen...'

'Als ze Alicia anders had aangepakt, zou die nu vrij zijn en niet in de greep van die communistische leugen...' deed Juan een duit in het zakje.

'Ze zeggen dat het voor de Revolutie veel beter met de plantage zou zijn gegaan als ze het beheer niet in handen van haar zwarte vrienden had gegeven.'

'Ze zeggen dat Lola haar ertoe heeft aangezet iedere dag te roken en dat Panchita geld dat ze niet had, heeft uitgegeven om haar sigarenverslaving te bekostigen.'

Mami pakte met een servetje het aardappelballetje van haar schoen en vouwde het er zorgvuldig omheen. 'Ze was misschien niet zo verstandig, maar Panchita was een goed mens.'

'Een heel goed mens,' zei iedereen in koor.

Er werd gebeld en mami deed de deur open voor een glimlachende Greg. Mami introduceerde hem trots als mijn *novio*, iets waarvan ik nog steeds niet wist of ik het wel prettig vond. Na een stevige handdruk van neef Juan ging hij op de stoel naast mij zitten. Hoewel we al een paar keer met elkaar naar bed waren geweest, durfde hij me niet te kussen, of me zelfs maar aan te raken in het bijzijn van mijn familie. Ik schonk geen aandacht aan hem, omdat ik overstuur was door de dood van tía Panchita.

Ik stond op en gooide daarbij een glas rode wijn van tafel over het witte kleed. Mami snakte naar adem en Greg begon de vlek snel met zijn servet te deppen.

'Tía Panchita was een geweldige vrouw. Ze was de enige die Alicia niet de rug heeft toegekeerd toen ze met Tony trouwde,' verkondigde ik aan het verbijsterde gezelschap.

'Rustig, Nora,' zei mami.

'Jullie maken aanmerkingen op tía Panchita omdat ze zwarte mensen hielp en omdat ze meer van Lola hield dan de meeste mensen van hun eigen broers en zusters... En dat is in wezen de reden waarom de Revolutie er gekomen is.'

Mami stond op. 'Je weet niet waarover je het hebt, meisje.'

Tía Carlotta schraapte haar keel. 'Misschien kunnen wij beter weggaan, Regina. Nora is van streek.'

Mami hief haar hand vastberaden naar haar op. 'Jij blijft,' zei ze, en vervolgens deed ze een stap in mijn richting. 'En pas jij op je woorden, jongedame. Zolang je in dit huis bent, gedraag je je.'

Ik liep de deur uit en hoorde Gregs moeizame uitleg terwijl ik wegliep. 'Ze is heel gespannen nu ze een baan zoekt... De laatste tijd is ze snel van streek...' Ik zag zijn gezicht voor me, net zo rood als de vlek die hij depte.

'Ze is verwend,' zei mami. 'Ze denkt dat ze het beter weet dan de rest.'

'Ze heeft absoluut de Garcia-lach,' zei papi terwijl hij in de wieg tuurde.

'Doe niet zo dom, José. Ze kan nog niet lachen.'

'Heus, ik zag haar daarnet lachen, toen jij niet keek.'

We waren gewend geraakt aan het gemoedelijke gekibbel van papi en mami sinds Lisa geboren was. Het leek of hun intrede in het grootouderschap er tijdelijk voor gezorgd had dat ze niet meer wisten hoe ze met elkaar om moesten gaan. Mami sprak over niets anders meer dan over de baby, en hoe het met Marta ging en of zij en Eddie goed omgingen met hun ouderschap. Je zou denken dat Marta en Eddie een of andere exotische, ongeneeslijke ziekte hadden opgelopen, die constante waakzaamheid van iedereen vereiste. En voor het eerst in jaren kwam papi vroeg thuis uit zijn werk, zodat hij mami op haar dagelijkse bezoekje kon vergezellen voor Lisa voor de nacht naar bed werd gebracht. We hoorden hem een wijsje fluiten als hij door de achterdeur binnenkwam, lachend van oor tot oor.

Maar mami's vreugde over Marta's huiselijke geluk leidde haar niet af van de teleurstellende ontwikkelingen in mijn leven.

'Ik begrijp niet dat je die aardige jongeman hebt laten lopen,

Nora. Hij had een goede baan en was heel beschaafd en gevoelig. En meer dan dat, volgens mij was hij erg verliefd op je.'

Ik vroeg me af of mami aan voortijdige dementie leed, nu ze dit onderwerp weer aansneed. We hadden het hier al minstens twintig keer over gehad. Een paar weken eerder had ik mami en papi allebei apart genomen en hun verteld dat ik niet meer met Greg ging. Papi had het nieuws met een mengeling van verrassing en nieuwsgierigheid ontvangen en gaf toen eenvoudig commentaar, dat overtuigender weerspiegelde dat hij de Amerikaanse idealen verworven had dan zijn groeiende voorliefde voor American football boven honkbal. 'Zolang jij maar gelukkig bent, Nora. Dat willen je moeder en ik, meer dan wat ook.' Hij dacht even na. 'Als je het nog niet aan je moeder verteld hebt, doe dat dan maar zo snel mogelijk. Ze is erg op Greg gesteld geraakt.'

Mami had me aangestaard alsof ik haar verteld had dat ik astronaut was geworden en dat ik de volgende ochtend naar de maan zou vertrekken. 'Heb jij het uitgemaakt?'

'Ja. Ik voelde me gewoon niet echt op mijn gemak met hem, mami.' Ik had haar kunnen zeggen dat zijn aanraking me begon tegen te staan en dat ik de laatste keer dat we met elkaar vrijden merkte dat ik aan mijn rugpijn lag te denken, en aan het verschrikkelijke feit dat ik een dag eerder mijn eerste grijze haar uitgetrokken had.

Ze legde papi's overhemd glad op de strijkplank, maar de rimpel tussen haar wenkbrauwen werd dieper en rood. 'Ik hoop dat je hier goed over nagedacht hebt. Greg is een goede man. Hij heeft een goede baan, een veelbelovende toekomst en dat soort mannen ligt niet voor het oprapen, weet je.'

'Dat weet ik, mami.'

'Hij had begrip voor dingen...'

'Ja, mami.'

'Voor onze cultuur en respect en... Ik moet zeggen, ik denk dat je een grote fout maakt.' Ze begon verwoed te strijken. 'O, ik weet wel hoe het in Amerika gaat. Ouders mogen zich niet met het leven van hun kinderen bemoeien. Ze moeten maar glimlachen en knikken en zeggen: "Prima schat, als jij maar gelukkig bent."'

'Dat is precies wat papi gezegd heeft.'

Mami hield op met strijken en wierp me een boze blik toe. 'Je vader is een man en begrijpt niet dat een vrouw naarmate ze ouder wordt, steeds minder keus heeft.'

'Godnogaantoe, ik ben amper vierentwintig.'

Ze knikte en ging verder met strijken alsof ze al twintig jaar on-onderbroken had gestreken en nu niet kon ophouden. 'Toen ik vierentwintig was, was ik getrouwd, had ik twee kinderen, een huis en iemand om me te helpen.' Ze keek weer op van haar werk, haar ogen rond en beschuldigend. 'En wat heb jij?'

'Een universitaire opleiding.'

'Nou, daar heb je wat aan gehad!' mopperde ze. 'Je kunt niet eens een goeie man herkennen als hij voor je neus staat.'

Mei 1972

Lieve Nora,
Je weet inmiddels ongetwijfeld dat tía Panchita er niet meer is. Ik dank God dat Tony hier was toen het gebeurde, want in mijn eentje had ik het niet overleefd. Voor ze stierf, heb ik haar nog een laatste keer mee naar Guines genomen. De bus was drie uur te laat en er zaten zo veel kuilen in de weg dat ik dacht dat ik stukje bij beetje uit elkaar zou vallen, maar tía had er geen erg in. Ze keek alleen maar uit het raampje door haar grote bril en zuchtte de hele weg. Het leek er warempel op alsof ze zich bij iedere kilometer beter voelde.

Toen we eindelijk bij het huis waren, zei ze geen woord. Het dak boven de veranda was gedeeltelijk ingestort en had het grootste deel van het trappetje aan de voorkant verpletterd. Ik probeerde haar uit haar hoofd te praten naar boven te gaan, maar ze stond erop, dus zaten we op een kratje terwijl ik bad dat het dak niet helemaal in zou storten en ons allebei zou verpletteren. We keken uit over het bos, het enige wat niet veranderd is.

Ze had de hele dag bijna niets gezegd, maar op dat moment zei ze dat dit de enige plek was waar ze naar de wereld kon kijken en hem begrijpen. 'Als ik hier op mijn plekje zit,' zei ze, 'dan weet ik wie ik ben.'

Later probeerde ze me over te halen haar de nacht op de veranda te laten doorbrengen. Het kostte heel wat heen-en-weergepraat, maar uiteindelijk begreep ze dat het een slecht idee was, of misschien was ze te moe om erover te blijven kibbelen. Ze is in de bus terug onderweg in slaap gevallen, en toen we in Havana aankwamen, was ze er niet meer. Een paar weken later heb ik haar as op haar veranda uitgestrooid, omdat ik zeker weet dat ze daar haar ziel heeft achtergelaten.

Ik ga nog steeds als ik de kans krijg naar de kerk. Ik heb de oude vrouwtjes al in geen maanden gezien, dus zit ik in mijn eentje in mijn hoekje en bid tot ik niet meer kan. Meestal bid ik dat Lucinda gauw naar de oogheelkundige kliniek mag. Tony zegt dat dat nu ieder moment kan gebeuren omdat partijleden voorrang hebben en omdat ze hem gevraagd hebben erbij te gaan. Hij gelooft nog net zo hard in de Revolutie als vroeger. Hij leest zijn boeken, neemt Castro's toespraken over de radio in zich op alsof het voedsel is dat met de dag schaarser wordt. Hij wil soms dat ik hem voorlees als hij moe is, maar ik luister amper meer naar de woorden die uit mijn eigen mond komen.

Vroeger kon Tony zeggen dat dingen eerst erger moeten worden voor ze beter worden, en dan geloofde ik dat. Hij kon zeggen dat kapitalisme de religie van de machtigen en rijken is en dat het zuivere hart van het socialisme uiteindelijk zal zegevieren, en dan geloofde ik dat. Hij zegt dat soort dingen nog steeds en ik luister omdat ik weet dat hij het nodig heeft dat ik luister, maar ik geloof er niet meer in.

We lopen iedere zondag met Lucinda tussen ons in over de brede boulevard van de malecón. Ik kijk in de ogen van anderen, die hetzelfde doen, die langs gebouwen lopen die eens schitterden en straalden en die nu als enorme graftombes zijn, waar het krioelt van de hongerige ratten. De zon is een naakte, brandende gloeilamp geworden, die de lelijkheid van ons leven benadrukt. Alleen 's avonds kun je nog troost putten uit doen alsof. Ik kijk naar de lichtjes die langs de malecón twinkelen en denk terug aan vroeger. Was het allemaal een droom, Nora? Hebben we samen op het strand gelachen, zorgeloos, er zeker van dat ons middageten klaar zou staan, en dat er meer dan genoeg zou overblijven voor de bedienden om mee naar huis te nemen? Ik zou ons gezinnetje een maand kunnen voeden met het eten dat ik op mijn bord heb laten liggen. Ik zou een dag kunnen leven op de kruimels die op de vloer vielen.

Vergeef me dat ik klaag, maar een van de weinige dingen die me nog troost bieden is dat ik weet dat jij deze woorden zult lezen en me zult begrijpen zoals niemand anders dat kan. Ik weet dat je denkt dat ik een van die wanhopige mensen ben geworden, maar ik verzeker je dat mijn verdriet me niet langer opslokt zoals dat vroeger gebeurde. Vreemd ge-

noeg is het juist mijn kracht geworden, omdat het me eraan
herinnert dat ik me niet langer in fantastische dromen kan
verliezen als ik wil overleven. Ik weet niet of ik volwassen
word of gewoon moe. Misschien allebei een beetje.
Voor ik deze brief afsluit, moet ik je nog zeggen hoe trots
ik op je ben dat je het met Gregorio hebt uitgemaakt. Daar
was moed voor nodig, iets wat je moeder niet begrijpt. Je
hart zal je naar je bestemming toe leiden en je moet me gauw
schrijven om me te vertellen waar die is.

Alicia

Ik vond een baan als kleuterjuf in Oost-LA, met kinderen die net
Engels leerden. Ik was dol op ze en hield mezelf bezig met werk en
school en probeerde zo veel mogelijk tijd met mijn nichtje door te
brengen. De tijd ging snel voorbij, ik dacht amper aan mannen of
afspraakjes. Ik dwong mezelf op een aantal uitnodigingen voor
etentjes in te gaan, onder andere een van een vriend van Eddie, van
wie Marta beweerde dat dat de ideale man voor me was, maar als
ze me voor de tweede keer vroegen, zei ik nee.

Marta en mami waarschuwden me dat ik niet zo kieskeurig
moest zijn, maar ik had helemaal niet het gevoel dat ik kieskeurig
was. Ik wachtte gewoon op iets wat goed voelde. Ik wachtte tot de
hoop me zou vinden, zoals die altijd gedaan had. Weer moest ik te-
rugdenken aan zuster Margarita's voorstel, zo lang geleden. Misschien had zij in haar grote wijsheid mijn toekomst gezien, en de
romantische rampen die ik zou kunnen vermijden als ik haar heilige voorbeeld volgde. Misschien had zuster Margarita het toch bij
het rechte eind gehad.

Ik was altijd succesvol geweest met wat ik op leergebied had on-
dernomen, en tegen de herfst begon ik aan de voorbereidingen
voor het tweede gedeelte van mijn studie. Ik moest een paar keer
naar de universiteit om papieren op te halen om mijn inschrijffor-
mulier te kunnen invullen. Het verbaasde me hoe goed het voelde
om weer terug te zijn, en ik verbaasde mezelf nog meer door op
een middag met twee bekers dampende koffie naar Jeremy's kamer te lopen. Ik hoorde hem telefoneren, zijn kalme stem probeerde een van zijn studenten, die kennelijk ongelukkig was met
zijn cijfers, gerust te stellen. Ik wachtte niet tot hij klaar was met
telefoneren maar klopte en keek om de hoek. Hij leek verrast me

te zien en stotterde een beetje terwijl hij zijn gesprek beëindigde. Ik zette de bekers koffie op zijn bureau en ging naast hem zitten. We keken elkaar glimlachend aan en zeiden bijna een volle minuut niets.

'Hoe is het met je?' vroeg hij uiteindelijk.

'Prima. En met jou?'

'Goed hoor.'

We glimlachten nog wat naar elkaar en toen vermande hij zich en begon de papieren op zijn bureau recht te leggen. 'Laat me raden,' zei hij. 'Je kwam langs om me persoonlijk voor je huwelijk uit te nodigen.'

Ik lachte. Ik vond het wonderlijk prettig dat hij zoiets zei. 'Hoe kom je daar nu bij?'

'Ik kreeg de laatste keer onmiskenbaar de indruk dat je met iemand ging en dat je op weg was naar een gelukkig huwelijk. Hoe lang was dat ook weer geleden?'

'Bijna twee jaar... geloof ik.'

'Er kan een hoop gebeuren in twee jaar,' zei hij. Hij zat nog steeds met zijn papieren te schuiven en keek me amper aan.

'Ja, nou ja... ik ga in ieder geval niet trouwen. Misschien trouw ik wel nooit.'

Jeremy sloeg zijn armen over elkaar en knikte langzaam, maar ik zag de kuiltjes in zijn wangen bewegen, alsof hij probeerde niet te lachen. Hij leunde achterover in zijn stoel en keek me nog steeds opmerkzaam aan.

'Wat is daar zo grappig aan?'

Hij schudde zijn hoofd. 'Je klinkt zo Amerikaans als je dat zegt.'

'Is dat erg?'

'Nee, het is niet erg,' zei hij, nog steeds glimlachend.

Rond mijn middel kwam weer een warme gloed optrekken en ik begon me een beetje zweverig te voelen. 'En hoe is het jou vergaan?'

Jeremy haalde zijn armen van elkaar en leunde weer achterover. 'Er is niet veel gebeurd.' Toen bracht hij zijn hand naar zijn gezicht en streek over zijn kin, zoals hij dat vroeger op de middelbare school gedaan had als hij zat te bedenken hoe hij iets in het Spaans moest zeggen. 'Dat is niet waar... Jane en ik zijn een poosje geleden uit elkaar gegaan. De scheiding kan er elk moment door komen. Ik heb erover gedacht je te bellen en je het te vertellen... maar dat leek gewoon niet...' Hij zweeg abrupt en leunde naar voren om zijn hand over mijn handen te leggen, die in mijn schoot gevouwen waren. Dit keer was het niet per ongeluk. Zijn stem was zacht en duidelijk toen hij verderging. 'Er is geen reden om het je nu niet te zeggen, en misschien krijg ik wel nooit meer de gelegenheid.' Hij drukte mijn handen alsof hij moed wilde verzamelen voor hij verderging. 'Vanaf de allereerste dag dat ik je gezien heb, al die jaren geleden met je paardenstaart en je kniekousen, heb ik... heb ik van je gehouden, Nora. Ik heb je opgezocht toen ik terugkwam uit Peru, maar je was verhuisd en ik dacht dat je naar Cuba terug was, zoals je gezegd had. Toen kwam ik Jane tegen en dacht ik dat ik beter verder kon gaan met mijn leven. Maar toen ik jou weer tegenkwam, wist ik dat dat een vergissing was.'

De tranen sprongen in mijn ogen, zodat zijn beeld onscherp werd, als in een droom.

'Ik wilde je niet van streek maken...'

Mijn hart had nog nooit zo heftig geklopt en ik had het gevoel dat ik flauw zou vallen als ik me niet concentreerde op rustig in- en uitademen, ademteug na ademteug. 'Jaren geleden heb ik je gezegd dat het erger is hoop te verliezen dan om honger te hebben omdat je moet wachten tot de hoop je vindt, weet je dat nog?'

'Jawel.'

'Ik had het mis, Jeremy. Ik had het verschrikkelijk mis. Ik had niet moeten wachten tot de hoop me vond, ik had er zelf op uit moeten gaan om hem te zoeken. En zuster Margarita had het ook bij het verkeerde eind.'

'Wie is zuster Margarita?'

'Heb ik niet over haar verteld?'

'Nee, maar ik wil het graag horen.'

Ik begon hem over zuster Margarita te vertellen, maar mijn verhaal was verward, en iedere keer als ik naar hem keek, zoals hij daar zo teder zat te lachen, was ik niet meer in staat nog een verstandig woord uit te brengen. Trillend stak ik mijn hand uit naar mijn koffie, in de hoop dat die me zou kalmeren, maar Jeremy nam het bekertje uit mijn hand en zette het terug op zijn bureau. Hij schoof zijn stoel naar voren, zodat onze knieën elkaar raakten, en leunde naar me toe, zijn ogen overspoeld door een vredig verlangen.

'Ik heb je altijd al iets willen vragen,' zei hij.

'Ga je gang.'

Hij schoof nog iets dichterbij. 'Hoe zeg je "mag ik je kussen?" in het Spaans?'

'Dat weet je wel,' zei ik blozend als een schoolmeisje.
'Maar ik wil dat jij het zegt. Wil je het niet voor me zeggen?'
Hij was zo dichtbij, ik kon de warmte van zijn adem op mijn lippen voelen. '*Te puedo besar?*' zei ik.
Hij raakte mijn wang aan en herhaalde het in volmaakt Spaans.
'Nora, *te puedo besar?*'
'Ja, Jeremy,' zei ik. 'Tegen jou zal ik altijd ja zeggen.'

Ik schreef het goede nieuws over Jeremy en mij ogenblikkelijk aan Alicia, maar er gingen maanden voorbij zonder dat ik iets van haar hoorde. Ik was buiten mezelf van angst dat haar en Lucinda en Tony iets overkomen was. Zoals Juan al had gezegd, Alicia was de laatste van de familie die nog in Cuba was, zodat er niemand was die ik kon opbellen of schrijven om erachter te komen wat er aan de hand was. De enige manier om mijn angsten te bedwingen was mezelf voor te houden dat als ze in moeilijkheden zou zijn, ik het zou weten. We hadden altijd geweten wat de ander dacht en op de een of andere manier was ik ervan overtuigd dat dat nu ook weer zo zou zijn, zoals ik jaren geleden diep in mijn hart geweten had dat ze over haar vaders dood heen zou komen.
Ik overtuigde mezelf ervan dat het goed met haar ging en ik stelde me haar voor terwijl ze met kleine hapjes van mijn brieven zat te genieten, die haar op de been hielden te midden van haar moeilijkheden. Maar ik schreef de brieven meer voor mezelf dan voor haar. Ze herinnerden me eraan wie ik was. Ze waren een reis naar huis in mijn gedachten, en zonder hen voelde ik me incompleet. En dus schreef ik brief na brief, ook al schreef zij niet terug.

November 1974

Lieve Alicia,
Jeremy en ik hebben een huisje in Santa Monica Beach gekocht. Het is wel niet vlak aan de oceaan zoals het huis van abuela en abuelo in Varadero, maar als ik op mijn tenen op de wc in de badkamer ga staan, kan ik er over de daken van de huizen net een glimpje van opvangen. We lopen er vaak langs, ongeacht het jaargetijde, omdat Jeremy de oceaan bij elk weertype mooi vindt. Hij heeft me overgehaald een paar maanden vrij te nemen terwijl ik voor mijn extra onderwijsbevoegdheid studeer, dus konden we meer tijd samen doorbrengen.

Mami leert me nu ook koken. De meeste ochtenden nadat Jeremy naar de universiteit vertrokken is, rijd ik naar haar huis voor een les. Tot nu toe heb ik geleerd arroz con pollo te maken, en picadillo, kimbobo, fritos, ham met mojo-saus, en flan. *Ik weet nog dat ik uren in de keuken doorbracht en Beba hielp met het snijden van uien en tomaten en knoflook tot we ernaar stonken, maar we hadden het nooit over koken. Beba praatte graag over geesten die in de bossen leven en over het kwaad dat domme mensen over zichzelf afroepen als ze geen gepaste eerbied voor hen hebben. En mami is al net zo en ik moet goed opletten wat ze doet terwijl zij over Eddies zus roddelt, die voor de tweede keer getrouwd is.*

Ik weet nu hoe jij je jaren geleden voelde toen je schreef dat je als je leven vanaf dat moment niet zou veranderen gelukkig zou sterven. Iedere dag is een volmaakte bloem die met Jeremy in mijn armen begint en op dezelfde manier eindigt.

Ik weet niet of jij je ook zo voelde, maar ik ben een beetje bang om zo gelukkig te zijn. Ik ben bang dat ik op een ochtend wakker word en dan merk dat ik Jeremy kwijt ben, en ons huisje en onze middagwandelingen en alles. Ik heb geprobeerd dit aan Jeremy duidelijk te maken, maar hij begrijpt het niet. Hij zegt alleen maar: 'Ik ga helemaal nergens anders heen. Je zit aan me vast.'

Ik lig 's nachts wakker, lang nadat Jeremy in slaap is gevallen, en maak me toch weer zorgen. Ik weet wel dat dat dom is. Jeremy heeft me geen enkele reden gegeven om aan hem te twijfelen. Hij is als echtgenoot net zo lief en voorkomend als als vriend, nog meer zelfs. Maar mijn zorgen hebben ook niets met Jeremy te maken, ze zijn deel van wie ik ben en het is iets wat blijft en niet langzaam verdwijnt, zoals mijn accent.

Op een dag vroeg mami waarom ik er zo gespannen uitzag en ik vertelde haar over mijn krankzinnige angsten en hoe kinderachtig dat was. Ze zei me wat ik al de hele tijd zelf ook dacht. 'Dat is niet kinderachtig,' zei ze, net zo zeker alsof ik een mango voor een banaan aanzag. 'Toen je vader zijn eerste baan hier kreeg, was ik ervan overtuigd dat hij die binnen een week weer kwijt zou raken. En toen we het huis kochten heb ik voortdurend de straat af gekeken, in de verwachting een of andere Amerikaan in een donker pak onze

oprit op te zien lopen om ons te vertellen dat er een vergissing gemaakt was en dat we het terug moesten geven. Als je een keer alles in je leven bent kwijtgeraakt, is er grote kans dat het nooit meer gebeurt, maar het is onmogelijk het te vergeten, en het is heel gewoon om je zorgen te maken.'
Dus laat ik, nu ik permissie heb me zorgen te maken, je nog maar eens zeggen hoe bezorgd ik ben dat ik zo lang geen brief van je heb gehad. Je moet mijn nieuwe adres nu toch wel hebben. Misschien ben je weer verhuisd en ben je vergeten je post te laten nasturen. Als je maar weet, hoeveel tijd er ook voorbijgaat, dat ik jou en Lucinda en Tony altijd in mijn gebeden opneem.

Nora

Juni 1976

Lieve Nora,
Vergeef me dat ik er zo lang over heb gedaan om terug te schrijven. Ik heb al je brieven keer op keer herlezen. Ik heb gehuild van blijdschap toen ik over je huwelijk met Jeremy las, en ik ben dolgelukkig nu ik weet dat jullie gelukkig zijn. Het is zoals ik altijd wel geweten heb dat het zou zijn.
Ik weet niet waarmee ik moet beginnen, of waar ik in mijn laatste brief was gebleven. Mijn leven is als een ingewikkeld recept waarbij je niet meer weet of je er al suiker of zout bij hebt gedaan of niet. Ach, ik ga gewoon door, het doet er niet toe, alles is toch kapot.
Want weet je, Tony is weer weg. En dit keer is zijn liefde voor de Revolutie niet de boosdoener, maar zijn toenemende haat ertegen. Hij is niet van de ene op de andere dag veranderd. De betoverende werking die de Revolutie op hem had, werd langzaamaan weggevreten terwijl zijn woede geleidelijk groter werd, zoals het aanhoudende ritme van een trommel die steeds harder en harder klinkt, tot hij het uitschreeuwde van ellende. Het hoopvolle lichtje dat altijd in de ogen van mijn man danste, is vervangen door zwarte woede, ziedend, onvoorspelbaar.
Tony ging wekelijks naar de oogheelkundige kliniek om naar de wachtlijst te informeren. Hij kreeg steeds hetzelfde

te horen: dat Lucinda's afspraak zo snel mogelijk ingepland zou worden en dat we thuis bericht zouden krijgen. Op een dag kreeg hij te horen dat Lucinda's naam niet langer op de lijst stond, en moest hij door twee politiemannen afgevoerd worden. Hij zou gearresteerd zijn als een van hen niet toevallig een oude vriend uit Angola was geweest.

Tony was daarna een ander mens. Hij zat uren achtereen uit het raam in het niets te staren. Hij deed me aan mezelf denken toen papi vermoord was, behalve dat ik hem niet kon bereiken zoals hij mij bereikt had. Alleen Lucinda kon een vaag glimlachje om zijn lippen brengen, en dat niet eens altijd.

Toen kwam de bevriende politieman langs en hij vertelde Tony dat een buurman mij met Lucinda naar de kerk had zien gaan, en dat dat de reden was waarom haar naam van de lijst was gehaald. Je kunt vragen hoe het kan dat tien of vijftien minuten per dag in een lege kerk je leven kunnen ruïneren, maar in de communistische partij worden godsdienstige neigingen beschouwd als zwakheid die de integriteit van het communisme aantast en de Revolutie bedreigt. We hebben geprobeerd gewoon verder te gaan met ons leven, maar onze wanhoop nam toe. Lucinda voelde dat ook en ze huilde om kleinigheden.

Op een avond glipte Tony in bed en fluisterde iets in mijn oor. Hij was buiten adem en zijn stem was onvast. Hij zei dat hij niet werkeloos kon blijven toezien hoe de wereld instortte terwijl het leven uit Lucinda en mij weggezogen werd. We bedreven die nacht de liefde met zo'n hartstocht alsof het onze eerste keer was... alsof het de laatste zou zijn.

Tony is een paar weken later gearresteerd, samen met andere demonstranten en journalisten, op het Plaza José Marti. Dat is nu meer dan een halfjaar geleden en niemand kan me vertellen of hij dood is of nog leeft, en of ik hem ooit zal weerzien. Ik ga nu overdag naar de kerk, het kan me niet schelen wie het ziet. Lucinda gaat met me mee; ze zit heel rustig in het licht dat door de ramen valt en bidt met me mee. Ze bidt voor haar vader en haar land met een stemmetje als van een engel.

Het klinkt je misschien vreemd in de oren, maar zelfs na al deze gebeurtenissen koester ik weer hoop. Hoewel Tony en ik fysiek gescheiden zijn, zijn onze harten en onze ge-

dachten meer verenigd dan toen we elkaar nog wel steeds
konden aanraken.

Ik mocht Lucinda thuishouden van school, omdat ze nog
te jong is om naar de staatsschool voor blinden te gaan. Ik
geef haar zelf les, met hulp van een nieuwe vriendin, Berta.
Ze werkt in een hotel en is heel erg grappig. Nu is het be-
langrijker dan ooit om zo veel mogelijk te lachen.

Ik beloof je dat ik je vaker zal schrijven, daar hebben we
allebei wat aan.

Alicia

Het was bijna kerst en we scharrelden weer, als elk jaar, een winkel op die ons een heel varken kon verkopen om te roosteren. Jeremy vond deze traditie voor de feestdagen geweldig, en het had
onze vrolijkste kerst in lange tijd kunnen zijn geweest als abuelo
niet een hartkwaal had ontwikkeld, waardoor hij voor de tweede
keer in een jaar in het ziekenhuis opgenomen moest worden.

Ik ging dagelijks bij hem op bezoek; we keken samen naar zijn favoriete Spaanstalige soaps, en hij lachte en klaagde over het bizarre
gedrag van de acteurs alsof het zijn vrienden of buren waren. Maar
zodra het programma afgelopen was, werd hij weer somber. Hij zei
me dat hij dit keer het ziekenhuis niet meer uit zou komen. Ik bracht
hem in herinnering dat hij dat de vorige keer dat hij erin lag, een jaar
geleden, ook al gezegd had. Hij schudde zijn hoofd en zonk dieper
in zijn kussen weg. Zijn sterke gestel werd langzaam ondermijnd,
als de balken van een stevige steiger die het afleggen tegen de voortdurende aanval van de golven. Terwijl ik naar hem keek, moest ik
denken aan abuelo's kracht in het water, de beste zwemmer van de
wereld. Hij had om de ernstigste meningsverschillen gelachen en
zijn aanwezigheid had iets extra's toegevoegd aan alles wat we deden, al was het maar samen een glas cola drinken.

Ik maakte me klaar om naar huis te gaan om aan het avondeten
te beginnen, toen hij vroeg: 'Heb je onlangs nog een brief van Alicia gehad?'

We hadden al een tijdje niet meer over Alicia gesproken, maar
hij had me gevraagd hem op de hoogte te houden, en hij had duidelijk gezegd dat hij niet wilde dat ik hem nare dingen zou besparen. Toen ik verteld had wat er in de laatste brief stond, knikte hij
langzaam. 'Wat ga je doen?'

'Ik ga haar geld sturen.'

Hij knikte weer. 'En verder?'

'Ik weet niet wat ik verder kan doen, abuelo.'

'Je kunt toch naar haar toe? Ze heeft je hulp nodig.' Zijn woorden deden me pijn en ik voelde me ongemakkelijk onder zijn boze blik.

Abuelo wist dat dit een teer punt was, hij had mami's uitbarstingen thuis gehoord. Hij hield niet van ruzies en het was niets voor hem iets voor te stellen wat ruzie kon opleveren. 'Maar papi en mami, u weet hoe zij erover denken...'

'Jij en Alicia staan elkaar na als zusjes. Ze is weer alleen, en ik heb geen goed gevoel over die nieuwe vriendin die in een hotel werkt.' Hij zuchtte en pakte mijn hand. De zijne voelde zo broos als papier. 'Jij bent niets veranderd, Norita. Je denkt te veel na, terwijl je beter gewoon in het diepe kunt duiken en kunt doen wat je moet doen.'

Ik glimlachte en hield zijn hand in mijn beide handen. 'De vorige keer dat ik die raad opvolgde, bezorgde ik mezelf bijna een permanente vakantie op de bodem van de zee.'

'Ik was er, Norita. Ik zou je nooit laten verdrinken, en dat weet je.'

'Ik heb nooit aan u getwijfeld, abuelo, geen seconde. Ik wist dat ik veilig was.'

Hij sloot zijn ogen. 'De volgende keer ben ik ook weer bij je. Gewoon erin duiken. Je bent een geweldige zwemmer.'

Op de tiende dag van zijn ziekenhuisverblijf, kort nadat hij naar zijn lievelingsserie had gekeken, ging abuelo even slapen, zoals hij dat gewend was, en werd niet meer wakker.

Ik vind het prettig te denken dat hij van de warme, blauwe zee thuis droomde, en genoot van de manier waarop hij zich in het water liet glijden en zichzelf erdoorheen bewoog, zo soepel en volmaakt... de beste zwemmer van heel Cuba.

20

De zondagen deden me zo langzamerhand aan de zondagen in Cuba denken, jaren geleden.

Marta en ik waren getrouwd en we waren gewend aan ons leven met onze Amerikaanse mannen. Als we kwamen eten hadden papi en mami om de tafel te dekken bijna al hun goede servies nodig. Het eten begon rond de middag. Marta was weer zwanger en zat graag buiten op het terras onder de boom, vroeger abuelo's lievelingsplekje, terwijl Eddie op Lisa lette, die het erg leuk vond om de jonge knoppen van de bloemen af te plukken en ze aan papi te geven, die dat niet zo kon waarderen. We aten Cubaanse gerechten, afgewisseld met de Amerikaanse *cuisine*, die we steeds lekkerder gingen vinden. Jeremy was begonnen in de weekends zelf te koken en vond het leuk mijn familie te verrassen met een nieuw gerecht uit een of ander obscuur kookboek dat hij van zijn reizen had meegenomen.

We dronken wijn en bier terwijl de middag verstreek. We luisterden naar Benny More en Celia Cruz, en wisselden dat af met moderne achtergrondmuziek, het opium van de nieuwe generatie, zoals Jeremy graag zei, hoewel hij er zelf heel wat platen van had waar hij graag naar luisterde.

Papi en mami stonden er versteld van hoe blond hun kleinkind was. 'Je zou helemaal niet zeggen dat ze Cubaans bloed had,' zei mami glimlachend; ze vond dat duidelijk prettig.

'Je weet op wie ze lijkt, toch?' zei Marta terwijl ze een liefdevolle blik op haar dochter wierp, die haar neus optrok bij het proeven van een olijf.

'Ze lijkt op Alicia,' zei mami achteloos. Ze had het sinds haar woede-uitbarsting niet meer over Alicia gehad, en dat was zo lang geleden dat ze er niet meer aan dacht. 'Alicia was een heel mooi meisje. Zij was zelfs nog blonder dan Lisa, volgens mij.' De niet uitgesproken vraag bleef in de lucht hangen als een donkere regenwolk, maar niemand durfde iets te zeggen uit angst dat hij zou breken en ons allemaal doornat zou maken. Ik wist dat ze zich afvroegen of ik van haar gehoord had en hoe het met haar ging. En hoe zat het met haar blinde dochter van gemengde komaf, die volgens abuelo een van de allermooiste kinderen was die hij ooit had gezien?

Jeremy bracht een schaal binnen met Griekse humus met keurige sneetjes pitabrood ernaast. Hij knipoogde naar me toen hij de schaal neerzette en kwam toen aan mijn voeten zitten, zijn hoofd tegen mijn knie. 'Nora heeft een paar maanden geleden nog een brief van Alicia gekregen. Een lange, toch, lief?'

Ik voelde al mijn nekharen overeind komen en ergerde me aan Jeremy omdat hij dit ter sprake bracht, ook al wist ik dat hij dat niet uit onnadenkendheid deed, maar juist met opzet. Ik kuchte, stak mijn hand uit naar een pitabroodje terwijl ik Jeremy's hoofd ondertussen een tikje gaf. 'Het was een heel lange brief.'

Mami pakte ook een pitabroodje met humus. 'Dit ziet er interessant uit, Jeremy.' Ze stak het in haar mond en knikte goedkeurend. Papi trok nog een fles wijn open en schonk zichzelf een glas in, liet de wijn in het glas ronddraaien en hield het tegen het licht.

'Hoe gaat het met haar?' vroeg mami, terwijl ze nog een stukje pita pakte.

'Met wie?'

Ze keek op van de schaal, haar gezicht rood en bezorgd. 'Met Alicia, natuurlijk.'

'Niet goed. Er zijn moeilijkheden.'

Mami ging weer zitten en snoof. 'Dat verbaast me niets. Iedere dag proberen er mensen op vlotten weg te komen. Ze zeggen dat de gevangenissen vol zitten met mensen die hebben geprobeerd het land illegaal te verlaten. Dezelfde mensen die eens de Revolutie steunden, worden nu gevangengezet omdat ze het land uit willen.'

Jeremy kneep me in mijn enkel. Hij wilde dat ik iets zei, maar ik bleef zwijgen. Hij ging rechtop zitten, een eindje van me af. 'Alicia en Tony hebben de partij de rug toegekeerd. Tony zit in de gevangenis omdat hij mee heeft gedaan aan een demonstratie tegen de regering. Niemand weet wanneer hij eruit komt, als hij er al uit komt.'

Mami snakte naar adem en liet haar broodje vallen. 'O, lieve god.' Nu had ze allerlei vragen, en terwijl ik ze beantwoordde, begon zij te huilen. Papi probeerde haar te kalmeren, maar ze raakte steeds meer van streek en trilde terwijl ze sprak. 'We moeten haar geld sturen, José,' zei ze steeds weer.

Augustus 1977

Lieve Nora,
Ik steek iedere dag in de kerk een kaarsje voor abuelo aan. Moge hij rusten in vrede. En als ik het vlammetje in het duister zie flakkeren, dank ik God dat hij in vrijheid gestorven is, bij jou en de familie. Ik bid dat de jaren waarin hij in overvloed en vreugde geleefd heeft, de jaren van honger en angst die hij hier heeft gekend, zullen uitwissen.
Ik moet jou en je familie bedanken. Jullie weten niet hoeveel verschil jullie vrijgevigheid voor ons uitmaakt. Tony zit nog in de gevangenis en ik gebruik het grootste deel van de Amerikaanse dollars die jullie gestuurd hebben om de cipiers om te kopen zodat ik hem eten mag brengen. Er is een cipier met vriendelijke ogen die me zegt dat hij de pakjes persoonlijk aan hem geeft, en ik heb geen andere keus dan hem te geloven.
We hebben uit de flat die Tony voor ons gevonden heeft moeten verhuizen, naar een kleinere op de begane grond. We zitten in ieder geval nog steeds vlak bij de malecón en Berta is bij ons ingetrokken. Ze had een verschrikkelijke man die haar vrijwel dagelijks bont en blauw sloeg. Toen hij langskwam, op zoek naar haar, heb ik hem gezegd dat ze met een soldaat naar de Sovjet-Unie is vertrokken. Ik heb zelfs de naam van een van Tony's oude vrienden genoemd, van wie ik weet dat hij er onlangs naartoe is gegaan, voor het geval hij de moeite neemt het na te trekken. Berta was erg dankbaar en ze blijkt een geweldige vriendin te zijn, heel vindingrijk ook. Sinds we haar kennen eten we weer regelmatig en hebben we zelfs in ieder geval één keer per week vlees. Ze werkt in de toeristenbranche, in de hotels, en ze heeft me beloofd voor mij een baantje te zoeken. Had ik mijn Engelse lessen maar serieuzer genomen, denk ik nu, maar Berta verzekert me dat ik geen Engels hoef te kennen en dat de toeristenbranche de zekerste manier is om uit Cuba weg te komen.

Ik ga niet zonder Tony, maar ik moet een plan klaar hebben liggen, zodat we weg kunnen zodra hij uit de gevangenis komt. Ricardo, de cipier die Tony spullen geeft, zegt dat hij heeft horen fluisteren dat Tony binnenkort vrijkomt, en ik wil hem geloven, want als ik dat doe heb ik het gevoel dat er twee harten dapper in mijn borst kloppen in plaats van eentje dat zich door zijn miezerige bestaantje worstelt.

We hebben om heel veel redenen niet veel tijd meer. Lucinda is al zo lang niet naar school, ik ben bang dat ze haar binnenkort komen halen en haar dwingen naar een staatsschool te gaan, wat ze met alle kinderen doen. Dan zal ze weken achtereen weg zijn, en ze programmeren haar hart en haar ziel zodat ze onze hoop op vrijheid op zal geven en deze onophoudelijke ellende zal leren verdragen.

Ik vraag me soms af of ik niet zo snel mogelijk met Lucinda moet vertrekken. Als ik eraan denk hoe verschrikkelijk het zal zijn als mijn dochter me wordt afgenomen, lijken honderdvijftig kilometer op een vlot niet zo'n groot risico. Ik heb gehoord dat als je op het goede moment vertrekt, als de stroming naar het zuiden voert en als je de wind in de rug hebt, je het in twee dagen kunt halen. Twee dagen naar de vrijheid, Nora. Wat een prachtige gedachte.

Ik moet deze brief beëindigen, het papier is op. Nog één ding: je schreef me dat abuelo's laatste woorden tegen jou voor hij stierf over mij gingen, maar je hebt me niet verteld wat hij zei. Ik zou het graag weten als je de kans krijgt terug te schrijven. Ik zal ook weer snel schrijven. Ik voel me veel beter als ik je schrijf.

Alicia

Ik werd wakker met het beeld helder voor ogen. Twee witte, bewegende gezichten, als geesten, heel stil, die uit de zee op kwamen duiken. Ze lopen hand in hand over de bodem van de oceaan om de kusten van de vrijheid te bereiken. Ze gaan door de verschrikking van duizenden doden heen om mij te bereiken, en ik wacht aan de kust als hun kruinen als twee nieuwe manen opduiken uit het water. Hun lichamen glinsteren van het water, maar er is iets droogs aan hun zielen, een opgedroogd verdriet dat me dwingender roept dan een kreet of klacht zou kunnen doen. Hun blote voeten zakken weg in het zand terwijl ze aan de waterrand staan.

Lucinda loopt naar me toe, neemt mijn hand en noemt me tía Nora. Ze zegt dat ik mooi ben, net zoals ze al gedacht had, en ze knippert steeds met haar ogen als ik mijn hand eroverheen laat glijden. Ik draai me om om te zien of Alicia verbaasd is over deze wonderbaarlijke genezing van haar dochter, maar ze is gewend aan wonderen en ik besluit dit wonder in zijn eigen betovering te laten bestaan.

Ik neem ze mee naar mijn huis, dat op het strand staat, zo dicht bij de zee dat de golven over de drempel van mijn voordeur spoelen. We eten rijpe, zoete appels en sinaasappels die in de bomen groeien die zich door mijn ramen naar binnen buigen, zo vertrouwelijk dat ik niet eens uit mijn stoel hoef op te staan om ze te plukken. We eten meer dan dat we praten. En als we praten, dan zeggen we alleen dat het prachtig weer is en dat het fruit lekker is en dat het water hier veel te troebel is om in te zwemmen.

21

Maart 1978

Lieve Nora,
Ricardo heeft me verteld dat Tony niet zo snel vrijkomt als
hij gedacht had. Ik wilde hem eerst niet geloven toen hij me
dat vertelde. Ik wilde liever denken dat hij met iemand anders in de war was, of dat hij te veel gedronken had, maar
toen gaf hij me een briefje van Tony zelf. Het was erg kort,
maar ik huilde van vreugde toen ik zijn lieve handschrift
zag, dat nog steeds op dat van een klein jongetje lijkt. Hij
schreef dat hoewel het gevangenisleven hard is, er een paar
cipiers zijn die het draaglijk maken, en dat Ricardo daar een
van is.
    Ik begreep dat ik iets moest doen om Ricardo te bedan-
ken voor zijn vriendelijkheid en ervoor te zorgen dat hij voor
mijn liefste blijft zorgen. Ik begon ermee hem eten te brengen, dat ik koop met de dollars die jullie sturen. Op een middag bracht ik hem een verse mango. Hij was zo rijp en zoet
dat ik de geur vanuit de tas kon ruiken. Ik had er een voor
Ricardo en een voor Tony. Hij nam de tas van me over en
keek me aan alsof hij me nog nooit eerder gezien had. Om je
de waarheid te zeggen, Nora, het was zo lang geleden dat iemand op die manier naar me heeft gekeken dat ik me eerst
afvroeg of er iets tussen mijn tanden zat.
    Ik ben niet zo dom als vroeger. Ik geloofde geen moment
dat Ricardo verliefd op me was geworden, maar ik begreep
dat de manier waarop ik op zijn avances zou reageren er alles mee van doen had of Tony die rijpe mango die tussen ons
in hing ooit zou proeven.
    Had ik al verteld dat Ricardo's gezicht ruw is, vol litte-

kens, en dat zijn handen met zijn harige vingers op twee enorme spinnen lijken? Zijn vriendelijke blik veranderde in een dreigende en ik kalmeerde hem door zachtjes over zijn spinnenhanden te wrijven. Dat was voor dat ogenblik genoeg, maar de volgende week heb ik hem toegestaan mijn haar aan te raken en dwaze dingen in mijn oor te fluisteren, terwijl hij in m'n bloes gluurde. Op die dag bracht ik Tony een vers brood dat Berta van het hotel had meegenomen.

Ricardo vertelde me dat Tony naar een ander gedeelte van de gevangenis was overgeplaatst en dat het moeilijk voor hem zou worden hem eten te blijven brengen, maar als hij zijn handen in mijn bloes mocht steken, zou hij zorgen dat hij weer overgeplaatst zou worden.

Ik betaal nu al maanden de hoogste prijs voor mijn gemoedsrust. Eén keer per week om elf uur, als Ricardo's dienst is afgelopen, ontmoeten we elkaar op de noordpunt van de malecón. Hij zegt dat ik niet te laat moet komen, omdat zijn vrouw lelijk en erg jaloers is, en als hij te laat thuiskomt, vraagt ze zich af waar hij geweest is en eet ze waarschijnlijk zijn rijst en bonen op, want ze is nog dik ook. Hij zegt me dat mij te bezitten het waard is om een avond honger te lijden, maar als hij mij én zijn bord eten kan hebben, waarom niet?

Ik heb al eerder geschreven dat de wanhoop mensen kan veranderen. Honger, net als alcohol, maakt de drempel lager, zodat wat eens onmogelijk was om te doen, plotseling niet alleen mogelijk, maar zelfs waarschijnlijk wordt. Ik weet nu dat ik tot wat dan ook in staat ben om Lucinda en Tony te beschermen. Het probleem is dat er steeds minder wanhoopsdaden zijn om uit te kiezen en er zo langzamerhand niets anders meer overblijft dan de meest ordinaire verloedering.

Ik denk na over het aanbod dat jij zo lang geleden gedaan hebt, om een visum aan te vragen, en dat Juan ons dan zo veel mogelijk zal helpen. Toen dacht ik nog dat ik zou sterven als ik uit Cuba weg zou gaan, maar vandaag zou ik nog op een drijvende boomstam vertrekken als ik maar wist dat Tony veilig was. Ik ben mét hem gevangen en de enige rust die ik dezer dagen nog heb is de wetenschap dat Lucinda bij me is en niet op een staatsschool. Ik heb afgelopen week bericht gekregen dat ze voorlopig nog niet hoeft, maar ik weet niet hoe lang dat uitstel zal duren.

Ik ga hier weg. Ik beloof je met alle liefde en kracht die ik in mijn hart heb dat, zelfs als mijn dochter nooit zal weten wat het is om naar de koningspalmen te kijken of naar de schoonheid van haar eigen gezicht, ze in ieder geval vrijheid zal kennen.

Alicia

Jeremy hield me in zijn armen terwijl ik huilde.

'Je moet naar haar toe,' zei hij, terwijl hij me stevig bij mijn schouders greep. 'Misschien kun je haar overhalen te stoppen met wat ze zichzelf aandoet.'

'Het enige wat haar iets kan schelen is Tony helpen. Het maakt geen verschil of ik daar ben of niet.'

Jeremy en ik hadden nooit ruzie. Ik had dan wel de neiging mijn stem te verheffen tot de Cubaanse hoogte waaraan ik in mijn ouderlijk huis gewend was, maar zijn rustige, redelijke antwoorden kalmeerden mij altijd.

Dit keer was hij degene die kwaad werd. 'Andere Cubanen bezoeken hun familie ook, waarom jij niet? Je zegt gewoon tegen je ouders dat je een volwassen vrouw bent en dat je besluit vaststaat.'

Ik wendde me af en voelde de verlamming die ik altijd voelde als ik erover dacht daarheen te gaan in me opkruipen. Ik zag het gezicht van mijn moeder, vertrokken van verdriet, toen Castro Cuba tot een socialistische staat had uitgeroepen. Ik zag mijn vader, met opgetrokken knieën als een klein kind op het bed, huilend toen hij van de dood van tío Carlos had gehoord. 'Zo gemakkelijk ligt het niet,' zei ik.

'Jawel. Jij maakt het alleen maar moeilijk.'

Ik draaide me om om hem aan te kijken. 'Je begrijpt het niet omdat jij nooit uit je leven bent gestapt alsof je uit een paar makkelijke schoenen stapt om daarna rond te moeten klossen in een paar zware laarzen die je niet passen en die dat ook nooit zullen doen.'

Jeremy hield zijn hoofd schuin. 'Je hebt gelijk. Dat begrijp ik niet, Nora. En ik denk dat ik dat ook nooit zal begrijpen.'

We hoorden het nieuws over de *balseros* voor het eerst op de tv. Wanhopige Cubaanse mannen, vrouwen en kinderen die zichzelf in de zee werpen en hopen dat de met touw bij elkaar gebonden vrachtwagenbanden en stukken hout hen naar de vrijheid zullen brengen. We hadden het erover tijdens ons zondagse maal en zoals gewoonlijk voerde mami het hoogste woord.

'Niemand hier kan het wat schelen wat er met die arme stakkers gebeurt,' hield ze vol. 'De Amerikanen zijn Cuba vergeten. Want wat is het tenslotte? Niet meer dan een klein eiland midden in de oceaan, dat er voor niemand toe doet. Het doet er voor ons toe, maar voor niemand anders.'

Papi, Marta en ik hadden door de jaren heen geleerd onze mond te houden als mami zo begon. Het lukte niet haar van ook maar iets hoopgevends te overtuigen als het om Cuba en de Cubanen ging. Ze was hopeloos pessimistisch en was altijd hogelijk beledigd als iemand een wat zonniger kijk op de dingen had. Eddie had dat jaren geleden al opgepikt, maar Jeremy wist het niet, of het kon hem niet schelen.

'Ik denk dat er wel Amerikanen zijn die er zich iets van aantrekken. Ik bijvoorbeeld,' zei hij, terwijl hij de kip op zijn bord ontleedde.

'Natuurlijk, jij bent met een Cubaanse getrouwd,' zei mami, en ze zwaaide met haar vork in zijn richting. Maar hij was nog niet klaar.

'Ik trok het me al aan voor ik met Nora trouwde.' Jeremy legde zijn vork neer en veegde zijn handen aan zijn servet af. Hij koos zijn volgende woorden zorgvuldig. 'Ik wil ook dat de Cubanen de vrijheid van een democratie mogen smaken, Regina. Ik ben er alleen niet van overtuigd dat de manier om dat te bereiken is om onszelf van Castro te distantiëren.'

Als ik dicht genoeg bij hem had gezeten, had ik Jeremy in zijn knie geknepen. Nu wilde ik onder de tafel duiken.

Mami's woede was rood en overvloedig, hij kwam op in haar buik, trok dan omhoog en toonde zichzelf in vlammen die opflakkerden boven haar bloes en die haar nek, haar oren, alles overtrokken tot haar hele gezicht in lichterlaaie stond. 'Ons distantiëren? Zei je distantiëren? Ze hebben die moorddadige crimineel uitgenodigd op Europese toppen en Zuid-Amerikaanse congressen. Congressen waar ook Amerikaanse politici heen zijn geweest, onze president inbegrepen. Congressen waar die man officieel wordt erkend als de president van Cuba. Heb je ooit zoiets stoms gehoord?' Ze spuugde de woorden uit alsof het vergif was. 'President! Alsof hij gekozen is, alsof ze meer dan één naam in het kiesregister hadden staan bij dat circus dat zij een verkiezing noemden. Wist je dat mensen die niet kwamen stemmen voor God weet hoe lang geen bonnenboekjes meer kregen? Wist je dat?'

Mami zette haar handen op tafel en drukte zich op. Ze stoomde nog. 'Deze regering neemt een hard standpunt in jegens het communisme waar dan ook ter wereld, maar aan de buren doen ze niets. Cubanen zijn zij aan zij met Amerikanen gestorven in Vietnam, vanwege de haat van dit land jegens het communisme. Maar gaan ze naar de buren om die gestoorde gek weg te jagen die Cuba als persoonlijke speeltuin gebruikt?'

Haar ogen puilden uit terwijl ze naar Jeremy keek, die daar zwijgend maar vastberaden stond. Alleen ik kon de schaduw van teleurstelling op zijn gezicht zien. En alleen ik wist dat deze teleurstelling hemzelf betrof, en zijn eigen ongevoeligheid.

Ik schraapte mijn keel. 'Maak je niet zo van streek, mami. Je kunt het op een heleboel manieren bekijken...'

Jeremy onderbrak me. 'Laat maar, je hoeft me niet te verdedigen. Je moeder heeft gelijk.'

'Natuurlijk heb ik gelijk,' zei ze snuivend, nog niet bereid tot een wapenstilstand.

'Alsjeblieft, vergeef me dat ik zo onbehouwen was.' Jeremy richtte zich met zijn verontschuldiging zowel tot papi als tot mami. Papi knikte, ook al had hij niets gezegd.

Mami keek langs de gezichten rond de tafel, die duidelijk opgelucht stonden nu de ontploffing voorbij was zonder dat er onherstelbare ongelukken gebeurd waren. Ze keek Jeremy somber aan. 'Natuurlijk, jij mag je eigen mening hebben, Jerry. Ik zeg alleen wat ik ervan vind. We zijn niet in Cuba, weet je. Je mag denken wat je wilt.'

Jeremy knikte en mami liep glimlachend naar de keuken. Ze kwam in minder dan een minuut terug, met een prachtige gouden *flan*, druipend van de gesmolten karamel. Ze zette hem voor Jeremy neer, wetend dat het zijn lievelingstoetje was, en sneed een groot stuk voor hem af. Toen kuste ze hem boven op zijn hoofd en liep weg om de afwas te doen, zonder verder voor iemand nog een stukje af te snijden.

Jeremy hield me dicht tegen zich aan, fluisterde in mijn oor en snuffelde onder in mijn nek tot ik giechelde als een kind. We vrijden in de gloed van het maanlicht dat door het open raam naar binnen viel. Soms vond de oceaanwind ons kleine huisje door de doolhof van buurtjes en huizen heen. We ademden de frisse koelte in en lieten de zweetdruppels op onze huid drogen.

Jeremy viel met zijn armen om me heen in slaap en plotseling drijven we midden op zee op een klein, stevig vlot. De oceaan golft rustig terwijl druppeltjes over de zijkant sproeien en ons strelen. Ik zie de sterren boven ons stralen. Dit is de mooiste nacht van mijn leven. Mijn lot is bepaald door de kracht van mijn geloof en mijn dromen. Die is de wind in mijn zeilen, de rondgaande kracht van de stromingen, het kloppen van mijn hart. Wat een onvoorstelbaar gevoel om alles wat ik ben en alles waarin ik geloof in de waagschaal te stellen voor dit gevoel van hoop. Het wassende water hindert me niet. Weldra zal de zee weer tot rust komen en de zon zal uit zee opkomen zoals hij altijd gedaan heeft. We zijn op weg naar een beter leven.

Jeremy en ik zien samen de zon opkomen. Het begint als een aarzelend licht dat zich in zachte linten afzet tegen het donker van de voorbijgaande nacht. De oceaan gloeit diep en warm terwijl hij glimlachend opkijkt naar de hemel. Er is weer een nieuwe dag begonnen.

'We maken hier nu deel van uit, Jeremy,' zeg ik en zijn gezicht is goud van de zon. Hij houdt mijn hand voorzichtig en liefhebbend vast, alsof het een bloem is. Een strook land zweeft op de mist in de verte. Het is amper te zien, slechts een suggestie van een bruine omtrek die onbeweeglijk afsteekt tegen de woelige zee. We gaan er regelrecht op af, en als we dichterbij komen wordt de mist weggebrand en zien we de massieve heuvels, de deinende palmen, de brede, rustige natuurlijke haven die het land voorbestemde tot zijn grootse rol in de Nieuwe Wereld. Weer kijk ik naar de schoonheid van mijn geliefde Cuba.

22

Januari 1979

Lieve Nora,
Ik voel me heel trots, want ik heb een baan in het Hotel National. Ze hebben het prachtig opgeknapt en als ik over de marmeren vloer loop en de rijke geur van het eten opsnuif die uit het restaurant komt, kan ik net doen alsof alles nog als vroeger is. Maar dat duurt niet lang, want het hotel zit vol toeristen uit allerlei landen, zoals Canada en Duitsland. Niemand spreekt Spaans, maar gelukkig hoef ik voor mijn werk niet veel te zeggen. Ik glimlach gewoon beleefd, wijs ze de weg naar de lobby en soms breng ik ze naar hun kamers. Ik draag een prachtig uniform. Het is blauw, met een gouden tres op de mouwen en onderlangs de rok, en ik heb ook bijpassende schoenen.

Lucinda blijft alleen thuis als ik werk. Ik weet niet hoe het anders moet. Ze is nog geen tien, maar voor haar leeftijd is ze heel volwassen en ze weet precies waar alles staat. Als de stroom uitvalt, dat komt op het ogenblik vaak voor, vertrouw ik op haar om alles te vinden. Ik wil de paar kaarsen die we hebben niet verspillen, dus zitten we uren in het donker en dan vertel ik haar over jou en je leven. Ze weet alles over Jeremy en ze wil Engels leren om indruk op jou te maken. Ik ben begonnen haar de paar woorden die ik ken te leren, zoals: 'Hallo, ik heet Lucinda', en 'Weet u hoe laat het is?' Ze kan deze zinnetjes heel goed onthouden, maar haar accent is helaas verschrikkelijk, nog erger dan het mijne!

Zij vertelt mij ook dingen. Vorige week hoorde ze dat een van onze buren het land in een bootje verlaten heeft. Hij had *jaren geleden een aanvraag voor een visum ingediend, maar hij kreeg genoeg van het wachten. Het is onvoorstelbaar wat de mensen allemaal aan mijn Lucinda vertellen, alsof ze geloven dat door haar blindheid hun geheimen bij haar veilig zijn. Normaal is men niet zo open over ontsnappingsplannen, omdat je als je betrapt wordt voor jaren de gevangenis in gaat. Maar steeds meer mensen nemen het risico. Het leven is voor hen angstiger dan de mogelijkheid van gevangenisstraf, verdrinking of zelfs opgegeten te worden door de haaien.*

Mensen hier snakken naar dingen als zeep, tandpasta en aspirine. Een voorraadje zeep onder je bed is het beste geneesmiddel tegen slapeloosheid. Vorig jaar heb ik een doos vol kunnen bemachtigen. De zeep rook naar rozen en elk stuk was gewikkeld in dun, bijna transparant papier: heel verfijnd. Ik telde ze iedere avond, en voelde in mijn handen hoeveel ze wogen, alsof het goudstaven waren. Ik moest onlangs, toen Lucinda ziek was, de laatste paar stukken inruilen tegen medicijnen, en toen wist ik hoe een miljonair zich moet voelen als hij alles kwijtraakt. Het gevoel is misschien nog erger dan honger: een leegte die je hart verbittert.

Sommige mensen vinden deze toestand spannend. De vrouw die aan de overkant van de straat woont, gaat iedere ochtend weg met een rieten mand aan haar arm. Je kunt de opwinding zien in haar springerige manier van lopen, als een jager die op jacht gaat. Haar echtgenoot is helemaal niet zo levendig. Hij heeft het huis in geen maanden verlaten en hangt rond op de veranda tot zijn vrouw terugkomt. Dan duikt hij op haar tas alsof hij een ouwe hond is die op zijn bot wacht. Een paar keer heb ik, ongelogen, gezien dat ze hem op zijn neus tikte toen hij te dicht bij de tas kwam; hij legt steeds als een hondje zijn hand op haar arm als ze het huis in lopen. Treurig om te zien.

Ik zit in het donker als Lucinda in slaap gevallen is en denk eraan hoe makkelijk het zou zijn, Nora. Hoe makkelijk om naar de vrijheid te drijven... naar het paradijs. Ik herinner me nog hoe schitterend mijn leven was voor alles veranderde. Ik kreeg bijna iedere week een nieuwe jurk en het dienstmeisje borstelde 's ochtends mijn haar tot het glansde. Het brood was altijd vers en warm en de boter droop eraf op onze borden, en er was iedere dag vlees en vis, tot het onze neus uit kwam. Bij iedere gootsteen en badkuip lag een nieuw stuk zeep. Op elke straathoek klonk muziek en de mensen die die muziek maakten waren mollig en vrolijk en ze lachten terwijl ze speelden. De kinderen waren fris als aankleedpoppen die net nieuw uit de doos komen. Ik weet nog hoe fijn het voelde als ik in bad was geweest en meteen daarna met mijn ouders uit eten ging. Mijn huid voelde een beetje strak aan van de zeep en mijn hoofdhuid voelde koel aan in de bries.

Als dit toen allemaal mogelijk was, zou het dan niet ook mogelijk zijn dat ik nu een vlot vind en naar de vrijheid toe drijf? Vorige week nog hoorde ik over een bananenvrachtschip dat mensen die er het geld voor hebben naar Jamaica meeneemt. Als Tony er niet geweest was, was ik zonder meer met Lucinda vertrokken.

Genoeg. Morgen moet ik weer werken. God zegene jou en Jeremy, op allerlei manieren. Weet dat ik van je hou.

Alicia

We waren laat voor het eten op zondag omdat Jeremy een heleboel werk van studenten moest nakijken.

We hadden verwacht dat iedereen al aan tafel zou zitten, maar tot onze verbazing stond mami nog in de keuken met haar schort voor en onder haar bezigheden snotterde ze steeds in een tissue. Haar ogen lichtten op toen we binnenkwamen en ze liet in haar opwinding de salade bijna vallen. Ze greep me bij mijn schouders. 'Je raadt nooit wie er gebeld heeft!'

Ik keek naar Jeremy, die net zo verbaasd was als ik en zijn schouders ophaalde, zijn ogen nog rood van het urenlang lezen van tentamens.

'Raad dan,' zei ze, terwijl ze me even schudde.

'Geen idee.'

'Alicia. Onze kleine Alicia!' Mami liet mijn schouders los, hief haar handen, liet ze weer vallen en wrong ze toen zenuwachtig. 'En ik kon haar zo duidelijk horen. Een heel goede verbinding.'

'Alicia... je hebt haar gesproken, echt, over de telefoon?' Ik voelde Jeremy's hand op mijn rug.

Mami knikte en slikte. 'We hebben een paar minuten gepraat, over van alles en nog wat. Ze vroeg naar jou. Ik heb haar je nummer gegeven en ze zei dat ze je thuis zou proberen te bellen.'

'Heeft ze telefoon?'

'Ze belde kennelijk vanuit het hotel waar ze werkt, maar het klonk alsof ze niet lang kon bellen.' Mami leek niet te weten of ze verder moest gaan met de salade of in de pan met stoofvlees moest roeren. 'Ze klonk nog precies zoals vroeger, Nora. Precies zo. Ze heeft nog hetzelfde stemmetje en...' Ze leunde tegen het aanrecht en begon te huilen. Ik liep snel naar haar toe, voelde mijn eigen ogen vochtig worden en hield haar vast. 'Ik kon haar gewoon voor me zien. De laatste keer, toen we afscheid namen in Varadero, weet je nog? Ze was een heel mooi meisje. En zo lief en slim.' Ze wendde zich naar Jeremy en snikte luid. 'Ze had prachtig krullend gouden haar. Je zou haar nooit voor een Cubaanse houden. En haar ogen waren groen.'

'Haar ogen zijn waarschijnlijk nog steeds groen, mami. Je praat over haar alsof ze dood is.'

Mami richtte zich weer op de kokerij. 'Mensen die ik ken die terug zijn gegaan om familie te bezoeken, beschrijven het als een kerkhof vol rondwandelende lijken, levend dood.' Ze snoof hard.

We spraken tijdens het eten over bijna niets anders. Mami draaide haar vijf minuten durende gesprek met Alicia minstens twintig keer af. Iedere herhaling leek een extra detail of nuance over hoe haar leven was te onthullen, en over haar plannen. Natuurlijk wist ik dit allemaal al, maar ik vertelde niet wat ik aan extra informatie had. Wat Alicia in haar brieven geschreven had was heilig en alleen voor mij bestemd.

'Ze werkt in een chic hotel,' zei mami. 'Het zal nog wel een paar jaar duren voor Tony uit de gevangenis komt, maar ze hoopt dat het eerder gebeurt. Het schijnt dat ze een vriend heeft die voor hem bezig is. Ze spaart het geld dat wij sturen en dat de toeristen haar geven. Ze zegt dat ze met dat geld direct weg kan als Tony uit de gevangenis komt.'

'Dus ze zijn vastbesloten weg te gaan?' vroeg Marta, terwijl ze haar best deed haar zoontje Michael te voeren, die zich net zo Amerikaans gedroeg als hij eruitzag en zijn zwarte bonen uitspuugde.

'Zo te horen wel.'

'Willen ze visa aanvragen?' vroeg papi.

'Ze zegt dat ze dat gaan proberen, maar als het niet lukt, dan gaan ze op een andere manier.'

Het bleef na deze woorden stil aan tafel. Iedere dag kwamen er nieuwe verhalen van verdronken mensen die op een vlot hadden geprobeerd te vluchten.

'Zei ze dat ze mij zou bellen?' vroeg ik voor minstens de tiende keer.

'Ze heeft je nummer opgeschreven en het twee keer herhaald. Ze zei dat ze je zo snel ze kon zou bellen.'

Papi was stil tijdens het eten. Hij kon niet over Alicia horen praten zonder aan zijn broer te denken. Hij at erg weinig en ging vroeg van tafel, zeggend dat hij voor maandag nog iets moest lezen. Mami verontschuldigde hem tegenover Eddie en Jeremy. 'Hij heeft een verschrikkelijk verlies geleden, moet je weten. In feite wij allemaal...'

'Dat weten ze, mami,' zei Marta. En mami liet zich het zwijgen opleggen, opgelucht, net als wij, dat ze de dood van tío Carlos niet nog eens hoefde te beschrijven.

Ik wachtte dagenlang, toen wekenlang. Iedere keer als de telefoon overging, griste ik de hoorn van de haak in de hoop dat ik het dunne gekraak van statische elektriciteit zou horen en dan Alicia's stem in de verte, onzeker balancerend op de lijn. Zou ik die stem nog herkennen na zoveel jaar? Als ik haar brieven las, hoorde ik een kinderstem, een prachtige, bloemachtige stem vol licht en mogelijkheden. Het soort stem dat alleen aan een beeldschoon meisje kon toebehoren. Maar ze was nu een volwassen vrouw, en ze had veel moeten doorstaan. Haar stem zou anders zijn, dat moest wel.

Jeremy plaagde me en zei dat hij omdat ik zo wanhopig zat te wachten op een telefoontje van Alicia het gevoel begon te krijgen dat hij een afgewezen minnaar was. En mijn wanhoop voorzag mijn dromen van brandstof, ze kwamen bijna iedere nacht. Ik werd wakker terwijl ik me aan Jeremy vastklemde, zijn T-shirt nat van mijn tranen. Ik zocht naar Alicia. Tony liep naast me. We liepen langs het strand en hij vertelde me hoeveel hij van zijn vrouw hield en zijn groene ogen glansden terwijl hij naar de zee keek en zich afvroeg waar ze was. We waren allebei bedroefd om haar afwezigheid en ik legde mijn hand op zijn schouder om van mijn medeleven te getuigen. Plotseling waren we allebei naakt en draaiden we ons ineen als slangen die elkaar in het zand omhelzen.

Jeremy wilde altijd weten wat ik gedroomd had, maar deze droom vertelde ik niet. Hij was nooit jaloers geweest en hij zou waarschijnlijk nieuwsgierig glimlachen als ik het hem vertelde. In het donker zouden zijn ogen dwars door me heen gaan en hij zou me lachend vasthouden omdat ik er zo ontzettend schuldig uit zou zien.

'Ik hou zo van je,' zei ik, terwijl ik mijn vochtige wang op zijn borst legde en het troostende rijzen en dalen van zijn ademhaling voelde.

'Maak je niet druk, ze belt wel,' fluisterde hij, half in slaap.

23

November 1980

Lieve Nora,
Ik heb je laatste brief wekenlang ongeopend weggestopt in mijn tas voor ik de moed had hem te lezen. Alsjeblieft, vergeef me, maar mijn leven heeft weer een ingrijpende verandering ondergaan. Als ik je eerder had geschreven, had je je afgevraagd wie dat vreemde mens was die met mijn naam ondertekende. Misschien vraag je je dat nog steeds af, maar ik kan niet anders dan eerlijk tegen je zijn. Ik weet nu meer dan ooit waarom tía Panchita op haar veranda moest zitten voor ze stierf. Voor mij geldt hetzelfde met naar jou schrijven.

Ik ga naar de kerk en spreek met God tussen de stilte van de beelden, overdekt met stof en spinnenwebben. Lucinda en ik bidden samen en ik neem aan dat onze gebeden de hemel bereiken, maar het is lang geleden dat ik Gods stem gehoord heb. Ik hoorde hem vroeger altijd, luid en helder in de wind en het brullen van de branding. Nu hoor ik alleen herrie, herrie die me uit de slaap houdt.

Berta heeft me over haar werk geleerd. Ze komt bijna iedere dag thuis met prachtige spullen. Vorige week had ze een fles citroenshampoo. De week daarvoor een grote, vierkante doos tissues om je neus in te snuiten. Die daarvoor twee paar gloednieuwe kousen, ragfijn. We lachten toen we ze omhooggooiden en ze als veren naar beneden zagen fladderen. Je hoeft er maar een teen in te steken en je waant je Assepoester en dat heerlijke gevoel trekt door je hele lichaam omhoog.

Ik weet nu al een tijdje dat Berta een van die dames is over

wie we van abuela niet mochten praten. Ze draagt haar
mooiste kleren en zit in de lobby van het hotel of in de bar te
roken en haar benen over elkaar te slaan en weer terug, tot
een man haar iets te drinken aanbiedt of haar vraagt hoe laat
het is, terwijl ze niet eens een horloge heeft. Vaak heb ik haar
vanaf mijn plekje bij de deur aan het werk gezien. Ze gooit
haar hoofd in haar nek en lacht zoals ik me herinner dat ik
vroeger deed in het gezelschap van bewonderende jonge-
mannen. Ze trekt aan haar strakke rokje, zodat de mannen
wel naar haar benen moeten kijken, die tot haar dijen onbe-
dekt zijn. En na korte tijd vertrekt ze aan de arm van een van
hen. Soms gaan ze naar een restaurant of naar een voorstel-
ling, maar de jongere mannen nemen haar regelrecht mee
naar hun kamer.

Berta zegt dat dit de enige manier is om echt geld te ver-
dienen. Had ik je al geschreven dat ze afgestudeerd ingeni-
eur is? Ze heeft een tijdje in de Sovjet-Unie gestudeerd en
kan in drie talen, Spaans niet meegerekend, een drankje be-
stellen.

Ongeveer drie maanden geleden ging ik zoals gewoonlijk
aan het werk toen de manager me naar zijn kantoor liet ko-
men. Ik was daar nooit eerder geweest. Het rook nog naar
nieuwe verf en het raam keek uit op de oceaan en vormde er
een prachtige omlijsting van. Hij vroeg me te gaan zitten en
bood me een cola aan. Weet je hoe lang geleden ik voor het
laatst cola heb gedronken? Mijn hand trilde toen ik het glas
pakte en naar mijn lippen bracht en ik kon de tranen die
over mijn gezicht stroomden niet bedwingen.

Toen fluisterde hij iets in mijn oor. Een week daarvoor
zou ik naar buiten gerend zijn voor hij zijn zin had afge-
maakt, maar die dag drongen zijn woorden tot diep in mijn
ziel door. Ik ben het ergste geworden wat een vrouw kan
worden. En ik doe het net zo gemakkelijk als ik jaren gele-
den naar het platform toe ben gezwommen. Ik sluit gewoon
mijn ogen en duik erin. Ik voel het niet als de mannen me
aanraken, ik hoor de belachelijke dingen die ze zeggen niet.
Ik doe mijn werk, maak gebruik van een gelegenheid waar-
door ik aan het eind van de dag of avond naar huis kan gaan
naar mijn Lucinda met een tas vol melk, tandpasta, vlees,
blikjes groente en vers fruit.

Ik hou nog steeds van Tony en niets kan dat veranderen.

*Anderen mogen mijn lichaam een tijdje bezitten, maar alleen
bij Tony heeft mijn ziel gedanst. Ik blijf hem iedere week via
Ricardo pakjes sturen, maar gelukkig vraagt die niet meer
om extra betaling, ik geloof dat hij een ander heeft.*

    *Ik kan nu geld sparen om te kunnen vluchten en als we
weggaan kan ik alles uit mijn geest en hart uitwissen. Dit is
de gedachte die me in leven houdt.*

    *Ik wacht op je brief zoals ik iedere dag op nieuws van
Tony wacht, met één hand op mijn hart en de andere opgeheven naar de hemel.*

Alicia

Mami viel snikkend op de bank neer en papi stond mistroostig
maar gelaten naast haar. Het was precies zoals ik verwacht had,
maar toch waren mijn handpalmen zweterig en voelde ik een nieuwe angst diep in mijn maag opborrelen. Jeremy stond bij me, een
paar stappen naar achteren. Zelfs na meer dan vijf jaar huwelijk
was hij nog niet gewend aan dit soort emotionele uitbarstingen en
hij had door schade en schande geleerd dat het geen zin had om te
reageren als een objectieve antropoloog die een eigenaardige stam
ergens diep in het oerwoud bestudeert. Of hij dat nu wilde of niet,
hij was één van ons, wat verstandelijker en beschouwelijker dan
de rest, maar niettemin één van ons.

    'Weet je hoe ik me voel?' vroeg mami, terwijl ze haar door tra-
nen bevlekte gezicht van het kussen hief. 'Ik voel me alsof mijn vaderland me is afgenomen, en nu mijn eer ook nog omdat mijn eigen vlees en bloed teruggaat om Amerikaanse dollars in dat
criminele systeem te pompen. Iedere cent die je uitgeeft, komt in
de zakken van die man terecht.'

    'Regina, toe, kalmeer,' zei papi, terwijl hij zijn hand op haar
arm legde. Ze trok hem weg, maar ze sloeg haar blik neer, als een
kind dat een standje gekregen had.

    Papi schraapte zijn keel. Zijn blik was vast maar verdrietig, zo-
als tijdens de ergste ogenblikken van zijn leven. 'Je weet wat onze
gevoelens hierover zijn, Nora, maar je bent nu volwassen en wij
kunnen je niet meer voorschrijven wat je moet doen. Misschien als
je eenmaal zelf kinderen hebt, dan...' Papi stopte zijn handen in
zijn zakken en schudde zijn hoofd terwijl de tranen hem in de ogen
sprongen. 'Ooit zul je het wel begrijpen.'

    We gingen weg zonder het zware, behaaglijke gevoel van papi

en mami's zondagse eten in onze maag. In plaats daarvan aten we sushi in een klein restaurantje bij de boulevard en liepen naderhand over de pier. We zeiden weinig tegen elkaar. Jeremy hield mijn hand lekker warm in zijn jaszak, want er stond een koude wind.

'Dus je gaat toch?' vroeg hij toen we bijna aan het einde van de pier waren.

'Ik ga.'

We stonden even stil en leunden tegen de reling terwijl we naar de zee onder ons keken. De wind zat vol fijne waterdruppeltjes die onze neus en ogen vulden, ons schoonwasten terwijl we tegelijkertijd drooggeblazen werden.

'Mooi,' zei hij, terwijl hij zijn arm om mijn schouder sloeg en me naar zich toe trok, zodat ik nog maar op één been stond. 'Weet je zeker dat je het alleen redt? Ik kan proberen vrij te krijgen, ook al is het lastig, midden in het trimester.'

'Heus, het lukt wel.'

We stonden naar de golven te kijken, die symmetrisch naar voren kwamen rollen, onafgebroken strepen van een onvoorstelbare kracht die tegen de fundering van de pier beukten. Het water was diep en onheilspellend groen, ondoorzichtig en glanzend, als heel dik glas dat aan de randen scherp en puntig is, en wierp steile wanden op naar de hemel, die vervolgens in een heftige eruptie van schuim weer opgeslokt werden. Wat een verschil met de oceaan in mijn vaderland, die ik binnenkort weer zou zien. Ik probeerde het aan Jeremy uit te leggen terwijl we daar in de nevel stonden, en terwijl ik sprak, was het alsof het jaloerse gebrul van de zee me probeerde te overstemmen.

'Ten eerste is hij rustig,' zei ik. 'De golven beuken niet, ze glijden over je heen als een zachte bries. En je kunt helemaal tot je tenen in de diepte kijken, zelfs al komt het water tot je schouders. Soms, als je in die volmaakte warmte rondzweeft, drijft er opeens uit het niets een regenwolk langs en dan begint het dikke, warme druppels op je hoofd te regenen. Alicia en ik deden graag alsof we zeemeerminnen waren die hun haren in de oceaan wasten. Of we doken onder het oppervlak, vonden onszelf heel slim dat we die paar seconden dat we onze adem in konden houden aan de regen ontsnapten. Net zo plotseling als het begonnen was, stopte de regen en dan scheen de zon nog stralender dan daarvoor. Op deze manier maakten we op één dag verschillende ochtenden en avonden mee!'

Hij keek naar me, lachte dat wonderlijke lachje waardoor mijn hart steeds smelt. 'Echt, dan hoef je dus maar één week te gaan, in plaats van twee. Als je op één dag verschillende ochtenden en avonden hebt...'

Ik sloeg mijn armen om zijn hals en fluisterde in zijn oor, dat koud van de wind was: 'Ik zal je missen, Jeremy. Ik zal je zo vreselijk missen.'

Jeremy gaf half slapend de telefoon aan mij en toen ik haar stem hoorde, schoot ik recht overeind in mijn bed.

'Hoor nou toch eens! Je neemt op als *una Americana*!' zei ze.

'Alicia, ben je het echt?'

Ze lachte. 'Natuurlijk, gekkie!'

'Niet te geloven dat ik nu echt met je praat! Niet te geloven dat jij het bent!'

'Je bent je Spaans dus niet vergeten. Ik was bang dat ik met dat kleine beetje Engels dat ik ken met je zou moeten praten en dan hadden we een heel saai gesprek gehad.'

'Je klinkt nog precies hetzelfde, Alicia. Je stem... hij is nog precies als vroeger.'

Ze zuchtte. 'Was alles maar precies als vroeger. Je kent me, ik heb de neiging het onmogelijke te verlangen, maar soms komen mijn dromen uit. Kom je echt naar huis?'

'Ik ben er over een paar dagen. Precies zoals ik schreef.'

'Het is onvoorstelbaar fantastisch.' Ik hoorde een geluid op de achtergrond en toen bleef het stil. Toen ze weer wat zei, klonk Alicia's stem gedempt. 'Er komt iemand aan en ik mag de telefoon eigenlijk niet gebruiken.'

'Is er iets mis?' vroeg ik, de angst in haar stem aanvoelend.

'Helemaal niets. Het enige wat ertoe doet is dat jij naar huis komt. Ik sta je op te wachten op het vliegveld. Ik hou van je, Nora.'

'En ik van jou, Alicia.'

Havana

1981

24

TOEN IK TWEE UUR ONDERWEG WAS OP MIJN VLUCHT VAN LOS Angeles naar Miami, dwong ik mezelf een glas rode wijn te drinken om mijn zenuwen te bedwingen. Een zuivere rust en uiteindelijk slaap overmanden mijn angst en opeens stond ik met een aantal anderen in een lichtcirkel.

Het vuur is schitterend, het likt bijna aan onze tenen en streelt onze lichamen als we ernaartoe en er weer vandaan bewegen, als de wisseling van de getijden. Onze heupen schokken op het ritme van de trommels. Beba is degene die ze bespeelt, en ze glimlacht met haar grote, prachtige tanden, nog witter dan haar sneeuwwitte tulband. Ze slaat zo hard op de trommels dat ik bang ben dat ze moe zal worden, maar ze glanst als een engel.

'Ik wacht al een hele tijd op je, meisje,' zegt ze zonder een slag te missen. 'Waar heb je al die jaren gezeten?'

'Ik was ver weg, maar nu ben ik thuisgekomen.' Ik beweeg me naar haar toe. Ik wil haar gladde huid van dichtbij zien. Ik wil de lucht van uien en rode peper op haar handen ruiken en het diepe gouden timbre van haar stem horen, die geruststellender voor mij is dan de stem van mijn eigen moeder.

Ik kijk in haar ogen en zij stopt met spelen. Die ogen zijn zoals ik ze me herinner, sprankelend om een geheim grapje, balancerend op de grens tussen tranen en lach. Met één enkele omhelzing, een zwaai van haar hand, een knipoog kan ze al het kinderverdriet en de kinderangsten doen verdwijnen.

'Alles komt goed, meisje. Wees maar niet bang.'

'Beloof je dat?'

'Heeft Beba ooit tegen je gelogen?'

'Nee, Beba. Jij hebt nog nooit tegen me gelogen. Tegen niemand. Dat weet ik net zo zeker als ik weet hoe ik heet.'

Tevreden met mijn antwoord begint ze weer te spelen en beweegt ze haar enorme hoofd op en neer in het ritme dat door en om ons heen stroomt. Ze let niet langer op me. Ze weet dat ik er ben. Ze weet dat ik veilig ben.

Lucinda neemt mijn hand en leidt me weer naar het vuur. Ze brengt me er steeds dichterbij. 'Het is in orde, tía Nora. Het doet geen pijn.' En ze stapt er zelf in om het mij te laten zien.

De vlammen schieten door haar lichaam en ze wordt verlicht door het vuur, dat in haar mond en ogen krult als in een oven met gloeiende kolen. Haar haar is een gouden licht dat op de hitte zweeft. Ze glimlacht een stralende, verzengende glimlach en steekt haar handje naar me uit, dat zachtjes van binnenuit gloeit zodat de aderen duidelijk zichtbaar zijn. Ik wil dat handje pakken en dan tilt de duisternis me op en blaast me weg en legt de wind en de fluisteringen in mijn geest het zwijgen op.

Ik beefde toen het vliegtuig de grond in Havana raakte en toen ik voet op Cubaanse bodem zette, vormden de gebeden die ik me nog uit mijn kindertijd herinnerde zich op mijn lippen. Ik was niet de enige. Veel passagiers huilden van vreugde en dankten God en alle heiligen dat ze vóór hun dood in hun vaderland terug mochten komen. Een oudere vrouw zakte op haar knieën en drukte haar gezicht tegen de grond. Haar jonge metgezellin, zo te zien haar kleindochter, geneerde zich om dit vertoon van emoties en probeerde haar aan haar arm omhoog te trekken, maar haar grootmoeder weigerde op te staan.

Ik liep langs ze heen en wilde net tegen het meisje zeggen dat ze geduld met haar grootmoeder moest hebben, toen het tropische parfum in de lucht ook mij dwong doodstil te blijven staan. Na zoveel jaar vruchteloos herinneren, sprong mijn hart op. Als woorden van een langvergeten liedje dat plotseling in je opkomt; ieder akkoord, iedere zin, iedere wending in de melodie zong me toe: 'Je bent thuis, je bent eindelijk daar waar je thuishoort.' Ik voelde de bloembladeren van mijn hart bewegen en zich openen; nog één ademteug, dan waren ze helemaal open. Een paar seconden langer in de warmte van de zon die dit land vanuit zijn unieke positie in de hemel raakt, en dan zou ik zijn zoals ik bedoeld was te zijn.

Mijn voeten bewogen zich langzaam naar voren en ik hoorde het Cubaanse Spaans overal om me heen, met dat accent van slordige s'en en slepende medeklinkers waardoor ieder woord klinkt als het grillige slaan op een trommel. Ritmisch, levendig, onderbroken door gelach en wilde gebaren; het zei me meer dan duizend woorden.

Mijn hoofd tolde van de emoties. Hele families waren op het vliegveld om hun veramerikaanste familieleden te begroeten. In hun haast bij ze te komen, struikelden ze over elkaar, waarbij zwaarbeladen tassen met zeep en toiletpapier over de vuile grond rolden, en snel weer werden opgeraapt door gretige familieleden wier emoties tijdelijk werden opgeschort bij de aanblik van die zeldzame luxeartikelen.

Mijn blik zocht de menigte af, ik huilde en zwaaide met mijn zakdoek door de lucht zodat Alicia me zou kunnen zien. Mensen botsten tegen me op terwijl ik mijn weg zocht door de drukte, keken me onderzoekend in de ogen, zoals ik hen onderzoekend aankeek. Hoewel ik hen niet kende, was hun gezichtsuitdrukking van verlangen en hoop me maar al te bekend.

Eindelijk zag ik hen staan, leunend tegen precies dezelfde muur waar ik zoveel jaren geleden had staan wachten om uit mijn land te kunnen vertrekken. Alicia's gezicht was amper veranderd. Haar volmaakte, verfijnde trekken, haar amandelvormige ogen die sprankelden van intelligentie, inspiratie en nieuwsgierigheid. Ze was nog steeds een kind. Haar gouden haar was in een paardenstaart opgebonden, losse krullen omgaven haar gezicht als het teerste kant. Maar ze was magerder dan ik me haar herinnerde, en haar schouders waren onder het frisse bloesje dat ze droeg wat naar voren gebogen. Haar rok zou tot haar voeten zijn afgezakt als ze geen riem had gedragen die strak om haar magere middel gesnoerd zat.

Mijn blik gleed naar beneden en toen zag ik een van de mooiste kinderen die ik ooit gezien had. Het was letterlijk een gouden kind, en ze leek veel jonger dan ze was – twaalf. Haar haar was één massa donkergouden krullen en haar huid, hoewel lichter van tint dan die van haar vader, behield nog steeds die warme gloed van het licht dat bij zonsondergang door de bomen valt. Haar zeegroene ogen keken recht vooruit, maar ze waren niet leeg. Er lag een geheimzinnige rust in, alsof ze voortdurend in gebed was. Ze glimlachte stralend om iets wat haar moeder tegen haar zei. Omdat mijn blik gevangen was door Lucinda, had ik niet gemerkt dat Alicia me in de menigte gezien had. Nu liepen ze naar me toe.

We stonden even stil en ik was weer in de tuin van tía María. Ik keek naar Alicia, afwachtend wat ik moest doen, of wachtend op een grapje dat ons in een eindeloze giechelbui zou storten die iedereen behalve onszelf ergerde. Maar van zo dichtbij kon ik zien dat ze veranderd was. De eens zo fijne structuur van haar huid was door de tijd achteruitgegaan en hoewel hij nog steeds mooi was, leek hij niet meer op die porseleinen volmaaktheid die ik me herinnerde. Haar haar, dat vroeger ieder straaltje zonlicht ving, was dof en droog, en toen ze me in een omhelzing naar zich toe trok, besefte ik dat het ook niet zo schoon was.

We hielden elkaar een hele tijd vast en in haar armen werd de schok minder en smolt tot tranen, die over mijn gezicht stroomden en Alicia's haar vochtig maakten. Zij huilde ook en haar magere schouders beefden tegen de mijne aan.

'Je bent er,' fluisterde ze maar steeds. 'Je bent er echt.'

We stonden op armlengte van elkaar af en hielden elkaars hand vast. De herinneringen waren heel wat vriendelijker geweest dan dit ogenblik, want toen ik naar deze vermoeide ouder wordende vrouw keek, stond ik plotseling voor een vreemde. Dit was Alicia niet, tenzij ik naar niets anders dan het gouden licht in haar ogen keek, dat flikkerde als de steeds veranderende schoonheid van de oceaan.

'Wat ben je een prachtige vrouw geworden,' zei ze. 'Zo'n mooie, elegante vrouw.'

Lucinda deed een stap naar voren en greep mijn hand. Ze kwam nog dichterbij, zodat haar hoofd naast mijn hart was en toen knuffelde ze me. Ik liet Alicia's hand los, sloeg mijn beide armen om Lucinda heen en kuste haar boven op haar hoofd. Ik hield ogenblikkelijk van haar.

'Tía Nora, wat ruik je lekker,' zei Lucinda. En ik hield haar nog steviger beet.

Berta wachtte buiten op ons met een geleende auto. Ze was een grote, aantrekkelijke vrouw met dik zwart haar en volle lippen, die slordig fuchsiaroze gestift waren. Ze droeg een topje dat haar weelderige boezem amper bedekte en een zachte rol honingkleurig vlees piepte boven haar nauwsluitende korte broek uit.

Ze reed in een zachtblauwe Chevrolet uit 1955 met een zonneklep, net zo een als papi vroeger had gehad, en hanteerde het veel te grote stuur als een taxichauffeur, en even handig schreeuwde ze vloeken uit het open raampje naar andere weggebruikers die haar hinderden.

Tussen haar geschreeuw en krankzinnige manoeuvres door lukte het haar een blik op mij en mijn kleding en schoenen te werpen. Haar vragen waren direct en ongegeneerd. 'Ik wed dat je meer dan twintig dollar voor die schoenen hebt betaald.'

'Ik geloof het wel.'

'En wat doe je dan voor je geld?'

'Ik ben onderwijzeres. Ik werk met jonge kinderen die nog Engels moeten leren.'

Ze stak haar hoofd voor de zoveelste keer uit het raampje en haar ravenzwarte haar stroomde als een vlag naar buiten, verblindde haar bijna, hoewel dat geen reden voor haar was vaart te minderen. 'Maak dat je wegkomt, miezerig onderkruipsel!' schreeuwde ze naar een andere chauffeur.

'En, moet je lang studeren om dat te worden?'

'Niet al te lang.'

'En hoeveel verdien je?'

Alicia leunde vanaf de achterbank naar voren en legde waarschuwend een hand op mijn schouder. 'Ik ben misschien vergeten te vertellen hoe direct Berta kan zijn.'

Berta giechelde achter het stuur en ik wist niet zeker of ze niet ook uit het raampje gespuugd had. 'Inderdaad,' zei ze, van oor tot oor grijnzend, waarbij ze een opmerkelijk stel grote, volmaakte tanden liet zien. 'Maar je kunt gewoon zeggen dat ik m'n kop moet houden, en dan word ik niet boos, nog geen tel.'

'Zonder Berta zouden we het niet redden,' zei Alicia, terwijl ze achteroverleunde, duidelijk uitgeput. Ik zag een dun laagje zweet op haar bovenlip.

Berta schreeuwde weer door het raampje, dit keer tegen een groepje jongemannen die op straat stonden te lanterfanten en het verkeer blokkeerden. 'Als jullie niet opschieten met je luie reet, dan dien ik hem op bij het avondeten, met jullie ballen als toetje.' Dit lokte nog kleurrijkere reacties van de mannen uit en een sprankelend gegiechel van Lucinda op de achterbank, die tot dan toe gezwegen had.

Ik hoorde Alicia achter me uitademen. 'Ik zei je toch dat het veranderd was, Nora?' Ik wist wat ze bedoelde. Dit soort vulgariteiten zou vroeger nooit in het openbaar getolereerd zijn, maar nu dwarrelden ze als confetti uit de ramen van de eens zo stijlvolle gebouwen. Het hoorde er duidelijk bij en het werd zowel door vrouwen als door mannen gedaan. Misschien was het wel nodig om te kunnen overleven, want Berta gebruikte haar woorden zoals je een groot geweer zou hanteren. Ze baande er zich een doorgang mee voor de auto, net zo effectief alsof ze zo'n wapen op haar motorkap gebonden had.

We reden door de hobbelige straten van Havana, jong en oud ontwijkend. Veel mensen reden op gammele fietsen, soms zelfs twee of drie op één fiets, hun ledematen als koorddansers uitgestoken om hun evenwicht te bewaren. De gebouwen waar we langs reden waren grotendeels ingestort en leken enorme stukken bruidstaart die in de zon lagen te rotten, hun oude glorie als kruimels over de trottoirs uitgestrooid. Gekleurd glas, dat eens de elegante ramen had getooid, moest als zware tranen naar beneden zijn gevallen.

Als kind had ik hier vaak gelopen. De chauffeur zette ons af op de hoek bij de apotheek en ik moest mami's hand stevig vasthouden als we de drukke straat overstaken. Was dit dezelfde plek? Ja, wel degelijk. En om de hoek was de drugstore van Woolworth waar Alicia en ik zo graag aan de bar zaten om ons lievelingsgerecht, een avocado met garnalensalade, te eten. Als mami wegliep om iets te bekijken, draaiden we rond op onze krukken, zodat we soms te duizelig waren om te eten. Of we keken naar de elegante dames die voorbijtrippelden op hun hooggehakte schoentjes met bijpassende tassen die aan hun gebogen armen hingen. We fantaseerden over wat we zelf zouden aantrekken en hoe we zouden lopen als we oud genoeg waren om onze benen te scheren en kousen te dragen. We luisterden naar de straatverkopers die zelfbewust hun waren aanprezen, een geluid dat zich prettig vermengde met de serenades die de straatmuzikanten ons brachten.

Maar nu werd de huid van mijn mooie herinneringen weggetrokken. Mensen trippelden niet meer. Ze schuifelden langs op slechtpassende schoenen die door een rafelig touwtje aan hun voeten gehouden werden. Veel kinderen gingen blootsvoets. Ze hadden de leeftijd dat je voeten snel groeien en ik denk dat ze nog geluk hadden als het enige paar schoenen dat ze in een jaar kregen langer dan een paar maanden paste.

Ik keek naar de gezichten van mijn landgenoten terwijl ze door de stad in ontbinding liepen, hun blik naar binnen gekeerd alsof ze verzonken waren in een droom waaruit ze niet gewekt wilden worden. Ze stapten zonder het te merken over het vuilnis en de rommel. Misschien probeerden ze, net als ik, zich erg hard te herinneren hoe hun stad vroeger was geweest zodat ze niet hoefden te zien hoe hij nu om hen heen ineenstortte.

Ik draaide me om om naar Alicia te kijken en zij glimlachte droevig. 'De dingen zijn veranderd,' zei ze weer met een knikje. 'Niet huilen, Nora.'

Huilde ik? Waren de tranen op mijn wangen de reactie van mijn lichaam op de dikke, tropische warmte die zo anders was dan het droge Californische klimaat? Ik wreef mijn armen met beide handen tegelijk. Ik voelde de warme vochtigheid al, die sensuele ervaring van zachte vochtigheid die mijn huid zo zacht en glad liet aanvoelen als de fijnste zijde. Ik voelde dat de rimpeltjes om mijn ogen en mijn mondhoeken losser werden, dat zelfs mijn hoofdhuid gladder werd, als glas. De lucht was zwaarder, maar geurig en zacht.

Lucinda leunde vanaf de achterbank naar voren, naar me toe, en een glimlach trok over haar gezicht als de zon die vanachter een wolk tevoorschijn komt. 'Mami en ik dromen al zo lang van deze dag. We hebben het er al over sinds ik een klein meisje was.' Ze stak haar hand uit en begon mijn haar te strelen. 'Tía Nora?'

Ik nam haar handje en kuste het. 'Ja, schatje?'

'Ga nooit meer bij ons weg.'

Hierop strekte Alicia haar rug en legde zachtjes haar hand op Lucinda's schouder. 'We hebben het hierover gehad. Nora heeft een man en een baan in de Verenigde Staten. Ze is hier alleen op bezoek.'

'Hij kan hier toch ook wonen? Jeremy spreekt zelfs Spaans, toch, tía Nora?'

Ik glimlachte om de manier waarop Lucinda Jeremy's naam uitsprak, met de j die als een h klonk. Het klonk grappig. Ik pakte haar hand weer beet. 'Als we op de een of andere manier hier samen met jullie konden wonen, dan bleef ik. Maar je mami heeft jammer genoeg gelijk. Ik moet binnenkort weer terug.'

Lucinda ging met een plechtig knikje weer zitten.

Op dit moment dook tussen twee gebouwen de oceaan voor ons op, als een edelsteen gevat in twee droge, schimmelige stukken brood. Hij glinsterde en knipperde in zijn turkooizen volmaaktheid naar me en de golven rolden in sierlijke, zachte banen naar het strand achter de malecón. Ik keek naar de lucht en de oceaan en hoe ze samenstroomden op het punt waar de hemel de aarde raakt. Dat punt aan de horizon waar mijn Cubaanse ziel leeft, die plek was helemaal niet veranderd. Het was precies hetzelfde en al die deprimerende lelijkheid die ik net gezien had, vervaagde.

'Stop even, Berta,' zei ik, en ze reed bijna de stoep van de malecón op. Ik stapte uit en liep naar de muur die de zee tegenhield. De wind blies mijn haar naar achteren en de oceaan sprak me toe terwijl hij aan kwam rollen. De warmte van de zon drong tot me door en raakte mijn hart en ziel tot ze gloeiden. 'Welkom thuis op de enige plek die je hart ooit echt je thuis kan noemen. Vooruit, adem in. Met iedere ademteug wordt het moeilijker te ontkennen dat je een dochter van het eiland bent. De passie in je hart hoort hier.'

Mijn knieën knikten toen ik terugliep naar de auto, alsof ik een sterke drug toegediend had gekregen.

'We kunnen later naar het strand,' zei Alicia nuchter. 'Nu ben je moe en we moeten naar huis om een tijdje uit te rusten. Berta en ik hebben een echte Cubaanse maaltijd voor je gemaakt. Je hebt vast honger.'

Ik besefte opeens dat ik ontzettende honger had. 'Ik geloof niet dat ik ooit zo'n honger heb gehad,' zei ik toen Berta wegscheurde van de stoep en zich weer in het verkeer stortte.

25

Hun huis lag maar een paar blokken van zee af. Het was een tweekamerappartementje in wat eens een mooi herenhuis was geweest met roze muren en terrassen vol geraniums en balustrades van ingewikkeld smeedijzer, zo fijn als kant. De tijd en verwaarlozing hadden gemaakt dat de muren afgebladderd waren, lange krullerige repen huid die loslieten en het poederachtige vlees eronder lieten zien, maar het smeedijzer, als tanden van een lijk dat door vuur verteerd is, getuigde nog van het verleden.

Wat Alicia de keuken noemde, was in feite een kleine bezemkast. Er stonden een tweepitskookplaat in en een ijskast die amper groot genoeg was voor een paar pakken melk. Een aantal kratjes waren tegen de muur gestapeld en dienden als planken waarop twee zakken rijst, een grote zak zwarte bonen, een paar uien en een blik melkpoeder bewaard werden. Het enige raampje in een bovenhoek had geen hor, en kon alleen tijdens het koken geopend worden omdat het keukentje anders zou krioelen van al die wonderlijke gevleugelde insecten van de tropen. Dat had tot gevolg dat het er zo verstikkend heet was dat het een wonder was dat de rijst en de bonen niet vanzelf gaarkookten in hun zakken.

Toen Alicia en Berta in de keuken verdwenen om de laatste hand aan mijn welkomstmaaltijd te leggen, zat ik bij Lucinda en luisterde naar haar lieve, zangerige stemmetje. Ze zat op een bank die ook als bed diende en ze keek me zo teder aan dat ik het gevoel had dat ze niet alleen mijn buitenkant zag, maar ook tot mijn ziel doordrong.

'Ik zorgde altijd voor mami toen ze nog werkte,' zei ze eenvoudig. 'En nu ze niet meer werkt, zorg ik ook voor haar.'

'Werkt je mami niet meer?' Ik was zo blij dit te horen dat mijn stem bijna schril klonk.

'Mami is de laatste tijd te moe om te werken, maar ik zorg ervoor dat ze 's nachts als ze slaapt niet gestoord wordt, want van rust voelt ze zich beter. Als ze de hele nacht goed geslapen heeft, gaan we naar het strand, en daar ben ik het allerliefst.'

Ik knikte dat ik het met haar eens was. 'Dit land heeft de mooiste stranden van de wereld. In Californië zijn de stranden ook mooi, maar heel anders.'

'Zijn stranden dan niet allemaal hetzelfde?'

'Hemel, nee. In Californië is de oceaan koel, koud zelfs. Het water is donkergroen en het is zo diep dat de zon het niet kan verlichten en opwarmen, zoals hier. Als je de zee gevoelens zou kunnen toeschrijven, dan is ze daar somber en ernstig, maar hier is ze speels, en nogal ijdel. Ze is verliefd op zichzelf, op haar eigen schoonheid die ze weerspiegeld ziet in de lucht. Maar wie kan haar dat kwalijk nemen, als geen enkele zee met haar te vergelijken valt?'

Lucinda knikte gretig, en ik bedacht bedroefd dat ze nooit in staat zou zijn de wonderbaarlijke schoonheid van haar eigen gezichtje te zien. Ze liet me de boeken zien die ze onder de bank bewaarde. Ze was er duidelijk erg trots op en ze liet haar vingers voorzichtig over de pagina's glijden terwijl ze mij haar lievelingsstukken uit *Jane Eyre* en *Oliver Twist* voorlas. Ze las heel goed, met gevoel, heel volwassen, maar ik besefte als snel dat ze de passages grotendeels uit haar hoofd kende, omdat haar vingers de bladzijden niet meer aanraakten maar er een paar centimeter boven bleven zweven.

Toen haar moeder haar riep legde Lucinda de boeken weg en dekte de kleine tafel die midden in de kamer stond, zonder enig probleem. Ze wist precies waar de borden stonden en de vorken en lepels. Het was verbazingwekkend en even twijfelde ik eraan dat ze blind was. Misschien, dacht ik, kan ze nog een klein beetje vanuit haar ooghoeken zien. Maar toen ik haar bewegingen nauwlettend bekeek, merkte ik dat haar handen steeds kort aarzelden om zich ervan te overtuigen dat ze raakten waarnaar ze op zoek waren, voor ze het voorwerp echt beetgreep. In deze trieste, kleine kamers was Lucinda helemaal niet blind, maar wist ze precies wat ze deed, en het was een vreugde naar haar te kijken.

Ze fluisterde me toe terwijl we zaten te wachten tot het eten werd opgediend: 'Mami is blij omdat ze gisteren verse tomaten heeft gevonden.'

'Dat is geweldig. Ik ben dol op tomaten.'

'Gelukkig vind ik bananen het allerlekkerst, want ze zijn makkelijker te krijgen dan tomaten. Zijn tomaten moeilijk te krijgen in Californië?'

Ik pakte haar hand. 'Niet zo moeilijk als hier.'

Alicia en Berta kwamen stralend en druipend van het zweet het keukentje uit. Samen dienden ze een maal op dat eenvoudig, maar overheerlijk was. Een hele kip was langzaam in zijn eigen vet met uien en knoflook gaargestoofd. Sinds mijn vertrek uit Cuba had ik niet meer zulke lekkere zwarte bonen geproefd en de rijst, die werd opgediend met een rand van licht gezouten, ronde plakken tomaat, was luchtig en volmaakt.

Berta zette de radio aan en we luisterden naar de krakerige mambomuziek terwijl we aten. De bries van de oceaan blies rond de flat en voegde zich bij ons als een oude vriend. Ik sloot mijn ogen. We hadden in abuelo en abuela's huis in Varadero kunnen zijn en *arroz con pollo* kunnen eten na een lange zwempartij. Na het eten zouden we een wandelingetje maken en onszelf belonen met kokosijs of een verse mangosalade.

Ik deed mijn ogen open en zag dat Alicia me aankeek. Ze zag er eerder moe dan bezorgd uit, en hoewel je duidelijk donkere kringen onder haar ogen zag, was ze nog steeds mooi. Haar gewichtsverlies accentueerde alleen de volmaakt gevormde jukbeenderen, de prachtige lijn van haar neus en de zachte ronding van haar kaak, die bewoog terwijl ze kauwde. Het was verbazingwekkend moeder en dochter naast elkaar te zien. Lucinda leek op haar vader, dat was zeker, maar haar profiel was bijna een exacte kopie van dat van haar moeder.

'Nou heb je dat hele eind gereisd, en hebben we je niet meer te bieden,' zei Alicia, terwijl ze haar vork neerlegde en haar ogen zich met tranen vulden. 'Ik schaam me gewoon je te zeggen hoe lang het heeft geduurd voor we deze kip hadden...' Ze schudde de treurigheid van zich af en knipoogde naar Berta.

'Nou, ik vertel het je graag,' ging Berta ertegen in. Ze maakte een snelle beweging met haar hoofd, waardoor haar zware bos zwart haar langs Lucinda's verschrikte gezicht streek. 'We hadden die kip mooi aan moeten kleden en hem mee uit dansen moeten nemen! Het is bijna zonde hem op te eten.'

We lachten allemaal en ik besefte dat Berta Alicia met veel meer hielp dan alleen met haar gave om kippen en toiletpapier te krijgen. Op een bepaalde manier deed ze me aan Beba denken. Haar nuchtere humor leek hoop op te wekken en aan te sporen om niet achterom te kijken, zo zeker als een goed vuur een ketel water aan de kook krijgt. Er was geen tijd om je zorgen te maken als je wist dat de dag op de nacht volgde en dat je vandaag weer net zoals iedere dag zou doorgaan met ademhalen en leven en lachen en huilen.

Na het eten plofte Alicia op de bank neer en ging Lucinda de afwas doen in de wasbak in de badkamer. Ik bood aan te helpen, maar ze sloeg dat met een achteloos handgebaar af, als een dame van middelbare leeftijd wier keuken haar heiligdom was. Berta trok zich in haar kamer terug, omdat ze de volgende ochtend vroeg op moest. De radio was van haar en ze nam hem mee.

Alicia stond erop een wandelingetje te maken terwijl Lucinda nog bezig was en in minder dan een minuut liepen we arm in arm naar de malecón. We zwegen onder het lopen, luisterden naar de geluiden van de stad, kinderen die binnen werden geroepen om te gaan slapen, het gekletter van potten en pannen die afgewassen werden, het geritsel van bezems die het vuil van de dag de straat op veegden. Je hoorde of zag maar weinig auto's. Alicia vertelde dat het vrijwel onmogelijk was aan koplampen te komen, dus ze konden 's avonds niet rijden. Als je 's avonds een auto zag, was het bijna altijd een taxi of een in de Sovjet-Unie gefabriceerde regeringsauto.

We waren in een paar minuten op de malecón, kwamen uit op bijna dezelfde plek waar ik eerder die dag had gestaan, maar het verschil was spectaculair. Een schitterend snoer van lichtjes, de kustlijn volgend, ontrolde zich voor onze ogen. De slingering van de lichtjes was nog precies zoals in mijn zo gekoesterde herinnering. De muziek van de zee, de nevel tegen mijn wangen, Alicia's stem die tegen me sprak en zei wat er maar in haar hoofd opkwam, zoals ze vroeger ook altijd deed. Ik greep het lage stenen muurtje vast om erop te steunen. Mijn ogen deden pijn omdat ik zo hard probeerde niet te huilen terwijl de tranen voor de derde keer die dag opwelden.

Ik hoorde de stem van Alicia, die door de bries werd gedragen, achter me. 'Ik wilde dat je dit zag.'

'We hadden niet moeten gaan nu je zo moe bent. Het had morgen ook gekund.'

'Ik wilde het vanavond zien.'

Ik wendde me naar Alicia om, die naar me glimlachte. 'Jij kunt dit iedere avond zien, gekkie.'

'Nee, ik wilde de uitdrukking op je gezicht zien als jij het zag.' Ze gaf een speels duwtje tegen mijn schouder. 'Gekkie.'

We liepen nog een paar blokken verder en staken de straat toen arm in arm over. Ze zei amper meer wat, maar leidde me langs die hoek waar de apotheek was geweest, naar de straat waarvan ik wist dat we erheen moesten. Al mijn zintuigen werden gestimuleerd en ik voelde me als een oud paard op weg terug naar zijn stal. We hielden plotseling stil en mijn ogen keken zeven verdiepingen omhoog, naar ons appartement, en de jaren vielen van me af alsof we net voor een boodschap waren weggestuurd. Ik verwachtte ieder moment Beba's witte tulband op het balkon te zien, en mami die stond te kijken en naar ons zwaaide zoals ze altijd deed als we naar de hoek gingen voor een ijsje. 'Neem kokosijs mee voor na het eten,' riep ze dan. 'En pas op met oversteken.' Ik kneep mijn ogen samen tegen de schaduwen in de hoop een glimp van een geest of wat dan ook op te vangen, dat zou maken dat het allemaal weer terug zou komen. Misschien... als ik maar lang genoeg en goed genoeg keek.

'Wie woont daar nu?' zei ik, terwijl ik mijn best deed mijn stem niet te laten trillen.

'Niemand. Het pand is al jaren geleden ten dode opgeschreven.'

Ik keek beter en zag dat de ramen dichtgetimmerd waren en dat andere balkons geen balustrade meer hadden. Ik voelde een plotselinge aandrang de zeven trappen op te rennen en het allemaal weer te zien: mijn kamer, de keuken, de stoel waar papi altijd zijn krant las. Misschien lagen mijn Elvis-platen nog bij het raam, waar ik ze had achtergelaten. Ik deed een stap naar voren, maar Alicia hield mijn arm vast. 'Geen goed idee om naar binnen te gaan, Nora,' zei ze zachtjes.

'Waarom niet?'

'Het is heel gevaarlijk.' Ze nam me mee. 'Gevaarlijker dan je denkt.'

We liepen langzaam terug naar huis, waarbij Alicia nu zwaarder op mijn arm leunde. 'Ben je al naar de dokter geweest?' vroeg ik.

'De dokter? Waarvoor?'

'Je voelt je duidelijk niet goed en je bent heel erg afgevallen...'

'Straks ga je me nog vertellen dat een vrouw rond en mollig moet zijn, met een dikke kont, als ze er goed uit wil zien.'

Ik lachte nu ik herinnerd werd aan de traditionele Cubaanse afkeer van magere vrouwen. 'Zoiets zul je mij nooit horen zeggen, ik denk alleen dat je naar de dokter moet. Misschien kan hij je antibiotica geven, of een ander medicijn...'

'De dokters hier hebben niet zo veel medicijnen om uit te delen, Nora. Trouwens, het enige wat ik nodig heb is rust. Nu jij hier bent, is dat de beste medicijn voor mij.'

De volgende ochtend belde ik Jeremy vanuit een telefooncel aan het eind van de straat. Alicia zei dat de hele buurt ervan gebruikmaakte, en dat ik vroeg op moest als ik niet te lang in de rij wilde staan. Lucinda vroeg zachtjes of ze met me mee mocht, iets wat Alicia plezierig verraste.

Ze hield me stevig bij de hand en regelde haar stappen naar de mijne, en ze babbelde aan een stuk door over haar boeken en dat ze later lerares voor blinde kinderen wilde worden. Ze bleef midden op de stoep naast de telefooncel staan voor ik hem gezien had en toen ik het nummer draaide en met de telefoniste voor internationale gesprekken sprak, bleef ze vlak bij me staan in de schaduw van de cel. Ze lachte toen ze mijn Engels hoorde, ik geloof dat ze trots op me was.

Het was nog heel vroeg in de morgen, maar Jeremy nam al bij de eerste keer overgaan op. Hij klonk blij om mijn stem te horen en zei een heleboel keer dat hij me miste en vroeg nog vaker hoe het met me ging en hoe ik alles vond.

'Heb je met mijn ouders gesproken?' vroeg ik.

'Ze hebben gisteravond gebeld en wilden weten of je veilig aangekomen was, maar ik heb ze gezegd dat ik nog niets van je gehoord had.'

'Hoe gaat het met ze?'

'Ze leken me een beetje bezorgd over jou, maar dat komt wel goed. Het belangrijkste is dat jij goed op jezelf past en gauw weer terugkomt. Ik mis je, weet je.' Hij zei het voor de tiende keer, maar ik kon het niet vaak genoeg horen.

Ik voelde dat Lucinda aan mijn mouw trok. 'Mag ik Heremi goedendag zeggen?' vroeg ze met een verlegen lachje. Ik gaf de hoorn aan Lucinda. 'Hallo, hoe gaat het met je?' vroeg ze in haar beste, bijzonder zorgvuldig uitgesproken Engels. Toen vlogen haar ogen wijd open en giechelde ze, waarna ze Jeremy's vragen in het Spaans beantwoordde met een verslag van minuut tot minuut van alles wat we gedaan hadden sinds mijn aankomst.

'... en vandaag of morgen nemen we haar mee naar ons speciale strand. Het hangt ervan af hoe mami zich voelt.' Lucinda knikte. 'Nee, ze is al een hele tijd ziek en ze moet de hele tijd rusten, maar ik pas heel goed op haar. Ze zegt dat niemand zo goed op haar kan passen als ik.' Ze knikte weer. 'Ja, ik zal ook goed op tía Nora passen. Ik zal ervoor zorgen dat ze altijd bij mij is, behalve als ze een bad neemt of naar de wc gaat. En zelfs dan zal ik in de buurt zijn.' Na een paar keer dag gezegd te hebben gaf ze de hoorn weer aan mij, zeer tevreden met zichzelf.

'Zo te horen heb je daar een competent bodyguardje,' zei hij, nog lachend.

'Het is een schatje, Jeremy. Ik heb het gevoel alsof ik haar mijn hele leven al ken. Ik weet echt niet hoe ik straks weer bij haar weg moet gaan.'

'Probeer je me bang te maken? Je zei dat je over twee weken weer terug was, en ik geloof niet dat ik een seconde langer zonder je kan.'

Ik hield Lucinda tegen me aan gedrukt terwijl ik hem antwoordde. 'Ik mis jou ook en ik ben heel snel weer thuis, dat beloof ik je.'

Alicia bleek zich beter te voelen en het lukte ons die eerste week een aantal keren naar het strand te gaan. Alicia en Lucinda noemden het hun geheime strand en het was nog een hele toer er te komen. Het was een stuk verder dan het strand uit onze jeugd, en we moesten er tussen negen en tien in de ochtend aankomen en door een opening in het prikkeldraadhek kruipen, dat nog minstens zes kilometer langs de weg doorliep. We namen een picknickmaaltijd mee van brood, kaas en ham, allerlei dingen die ik zonder moeite in een supermarkt voor toeristen kon krijgen. Ik slaagde er ook in een strandparasol op te scharrelen, belachelijk duur, maar het geld waard, omdat er op het geheime strand nergens schaduw was.

Alicia zakte met een hoorbare zucht achterover op haar ellebogen. De kringen onder haar ogen waren donkerder geworden en ik vroeg me af of ze sinds mijn komst nog vermoeider was geworden.

'Waarom gaan we niet naar het gewone strand? Het is zo ver om hier helemaal naartoe te gaan.'

Alicia schudde haar hoofd en stootte een droog lachje uit. Haar ogen hield ze gericht op Lucinda, die zorgeloos door het warme water waadde. Als ze op iets interessants trapte, bukte ze zich om het op te rapen en tegen haar wang te houden.

'We mogen dat strand niet op,' zei Alicia nuchter. 'Jij kunt gaan, als je wilt.'

'Hoe bedoel je?'

Alicia liet handenvol zand door haar vingers glijden voor ze antwoordde. 'Sinds ze zijn begonnen hotels te bouwen, hebben ze de beste stranden voor de mensen, de Cubaanse mensen bedoel ik, gesloten.'

'Dat slaat toch nergens op?'

Alicia bleef zandhoopjes gieten. 'In feite is dit strand ook gesloten. Daarom is dat hek er. Ze beginnen over een paar maanden met de bouw van het hotel en dan moeten we een ander plekje zoeken. Nu zijn ze nog niet zo streng, maar dan wel.'

Ik dacht hier stil over na. 'Het is ongelooflijk. Toen we weggingen, noemden ze ons *gusanos* en verraders van de Revolutie. En nu krijgen wij de beste dingen.'

'Ach ja... jullie waren misschien wormen toen jullie weggingen, maar nu zijn jullie vlinders, en nog beter, jullie vleugels zijn van Amerikaanse dollars gemaakt. En dat is het enige waar de Castristas om geven.'

Alicia sprak onaangedaan. Ze had deze realiteit kennelijk al lang geleden geaccepteerd. Maar ik was kwaad en ik had veel zin naar het eerste het beste hotel te wandelen om mijn beklag te doen. Ik zei dit tegen Alicia en haar ogen vlogen wijd open van schrik.

'Dat is het ergste wat je kunt doen,' zei ze. 'Het kan me helemaal niet schelen. Het enige waar ik om geef is Tony en Lucinda en hier weggaan als dat kan.' Ze draaide zich naar me toe, haar ogen groot van angst. 'Beloof me dat je geen herrie gaat schoppen in de hotels.'

Ik knikte, en ze ontspande zich.

Lucinda riep vanaf de waterrand dat ze prachtige schelpen voor ons raapte. Alicia glimlachte en strekte zich uit in het zand. Ze droeg een oud jakje en een te grote short. Ze zag eruit als een pubermeisje, met amper een aanzet tot borsten. Haar eens zo welgevormde benen waren dunner dan die van Lucinda, met knobbelknieën, en haar huid was zo teer en bleek dat ik het fijne spoor van adertjes in haar hals kon zien kloppen.

Alicia knipperde met haar oogleden. 'Konden we maar omhoogkijken naar de palmen, zoals vroeger. Weet je nog?'

'Ik weet het nog,' antwoordde ik, nog geschrokken van haar uiterlijk.

Ze deed één oog open. 'Kom naast me liggen, Nora.'

Ik ging liggen en sloot mijn ogen, ik voelde een koude rilling ondanks de warmte van de zon en het zand onder onze lichamen. Hij kwam van ergens diep binnen in me, maar ik durfde er niet langer over na te denken. Ik kon beter naar het zuchten van de oceaan luisteren en naar Lucinda's gegiechel dat erboven zweefde.

26

DE HETE WIND KWAM DOOR HET OPEN RAAM BINNENBLAZEN EN loeide. Ik had moeite adem te halen terwijl ik op de ochtend wachtte. Alicia sliep op de bank en Lucinda sliep vredig naast haar op een paar dekens.

Ik had drie dagen geleden voor het laatst met Jeremy gesproken. Zou hij me vergeten zijn? Wat een rare gedachten kreeg ik, nu ik niet kon slapen. Hij kon me onmogelijk in een week vergeten zijn. Hij hield van me en had me bezworen altijd bij me te blijven, en ik was me pijnlijk bewust van mijn verlangen om bij hem te zijn in ons kleine huis. Ik keek uit het raam naar de sterren, dezelfde sterren waarnaar ik als kind vanuit deze speciale hoek in de lucht getuurd had. Over minder dan een week was ik weer thuis. Ik zou weer in het grote bed bij mijn Jeremy liggen, zijn armen om me heen geslagen zoals hij graag deed voor hij in slaap viel. Op zaterdag maakten we een ochtendwandeling en daarna gingen we naar huis terug om eieren met spek te eten, een ontbijt dat we onszelf alleen in het weekend toestonden. Door de week hielden we ons trouw aan gezondere ontbijtjes met muesli en fruit en misschien een beetje suiker.

De kleine hand op mijn voorhoofd maakte me aan het schrikken. Lucinda zat naast me gehurkt. De maan wierp zijn schijnsel op haar engelachtige gezichtje en werd in haar tandjes weerspiegeld. Het leek of ze in mijn ogen keek. Eerst dacht ik dat ze lachte en een grap met me uithaalde, maar toen besefte ik dat het verdriet was wat op haar gezicht te lezen stond, een volwassen pijn die niet bij zo'n jong kind paste.

Ze schoof dichterbij en fluisterde in mijn oor. 'Tía Nora, ben je wakker?'

'Ja, schatje, ik ben wakker.'

'Ik moet je iets vertellen.'

'Wat dan, lieverd?'

'Mami is erg ziek.'

De elleboog waarmee ik mezelf ondersteunde, dreigde weg te schuiven. Sliep ik nog? Ik knipperde met mijn ogen, maar Lucinda bleef zoals ze was, haar handje op mijn schouder, haar krullen die het binnenvallende maanlicht vingen, haar vragende blik, volkomen op haar gemak in het donker.

'Lucinda, je hebt vast naar gedroomd.'

'Nee. Zij weten niet dat ik het weet.'

'Wat weet je precies?'

'Mami heeft de ziekte.' Haar gezicht vertrok van verdriet. 'Ik heb Berta en mami met elkaar horen praten toen ze dachten dat ik sliep.'

Ze stak haar handen uit naar mijn gezicht, om mijn gezichtsuitdrukking te lezen, haar vingers zochten zachtjes bij mijn ogen naar tranen. Opgelucht omdat ze droog waren, ging ze door. 'Ze brengen mensen die het hebben ver weg, omdat ze niet weten hoe ze het kunnen genezen. Mami en Berta houden het geheim, zodat mami niet van me weg hoeft.'

Ik ging recht overeind zitten en hield Lucinda tegen me aan. 'Maak je maar geen zorgen, ik zal je mami helpen, Lucinda.'

Ze sloeg een arm om me heen en ik voelde haar trillen van het huilen, maar ze herstelde zich snel en onderdrukte haar snikken uit angst dat ze haar moeder wakker zou maken. Terwijl ik haar vasthield, kon ik amper ademhalen, alsof ik in mijn maag gestompt was.

'Mag ik bij jou slapen, tía?'

Ik sloeg het laken weg en maakte plaats op het smalle bed, en ze nestelde zich tegen me aan als een warm poesje, snikte nog wat na en viel in minder dan een minuut in slaap.

Alicia vertelde dat ze al bijna vijf jaar iedere week dit tochtje de stad uit maakte, en dat Ricardo het laatste jaar geen speciale gunsten meer gevraagd had. Ze had me erover geschreven, maar ik voelde dat ze de behoefte had het nogmaals te vertellen. We liepen langzaam door de smalle straten, aan de schaduwkant, omdat de hitte verstikkend was. Het drogende wasgoed dat in de hete wind boven onze hoofden heen en weer zwaaide, was de enige beweging op straat en we kwamen zelf maar langzaam vooruit.

Alicia praatte terwijl ze naar haar voeten keek. Ik mocht de boodschappentas van haar dragen, waarin spullen zaten die moeilijk te krijgen waren zoals aspirine, een doosje met crackers en de onvermijdelijke tube tandpasta, waarop niets anders stond dan het woord 'dentaal'.

'Het geeft me zo veel rust dit te doen,' zei ze. 'Ik weet dat Tony het door deze dingen prettiger heeft en veiliger is. Misschien heeft hij een brief voor me.' Ze leefde op bij het vooruitzicht.

'Schrijft hij je iedere week?'

'Nee. Deed hij dat maar, maar het is niet makkelijk om aan papier te komen en ik denk dat hij soms gewoon te moe is. Ze laten de gevangenen op het veld werken, vooral de sterke, die wat kunnen. Ik heb een keer bijna een halve dag in de zon gezeten om naar een rij mannen te kijken die op het land werkten. Ik heb een man uit de groep uitgekozen en net gedaan of het Tony was. Zijn schouders waren breed en hij zwaaide met zijn armen zoals ik me voorstelde dat Tony zou doen, en hij hield zijn hoofd rechtop, zoals ik hoop dat Tony nog steeds doet. Toen spuugde hij op de grond en wist ik dat het Tony niet was. Die zou nooit zoiets doen.'

We liepen weer een halfuur zwijgend verder, onze voeten raakten het kapotte trottoir als pannenkoeken op een gloeiend rooster. Mijn keel was droog en ik stelde voor om bij de volgende supermarkt te stoppen om iets te drinken. We zaten op een stoep in de schaduw van een versleten zonnescherm sodalimoen te drinken. De weg zinderde van de hitte en ik vroeg me af of de oceaan zelf ook zou koken.

'Hoe lang heb je het al, Alicia? Die ziekte?'

Ze keek recht voor zich uit naar de lege weg, alsof ze in trance was. Haar sodawater werd warm en de condensdruppeltjes op het glas maakten haar vingers vochtig. 'Is het zo duidelijk?'

'Het is duidelijk dat je ziek bent.'

Ze knikte, keek me nog steeds niet aan. 'Ik weet het nu al een paar maanden.'

'En je bent niet naar een dokter geweest?'

'Een dokter kan nu niets voor me doen. Niets waar ik wat aan heb.'

Alicia dronk haar soda met grote, langzame slokken op, de spieren in haar magere hals rolden bij iedere teug.

'Ga je gewoon blijven wachten tot je doodgaat? Je moet iets doen. We moeten een manier vinden om je hier weg te krijgen. Vanavond nog!' Mijn lege glas glipte uit mijn handen en rolde in de goot. 'Verdomme, Alicia. Je had toen je de kans had met Lucinda op dat vrachtschip moeten vertrekken.'

'Ik kon Tony niet in de steek laten.'

Alicia stond op en ik liep achter haar aan. Ze liep de straat af, rustig en langzaam, en ik liep huilend als een klein kind met haar mee. Het was nu iets koeler geworden en een paar mensen kwamen uit hun vervallen huizen naar buiten. Ik was inmiddels hysterisch en smeekte Alicia te doen wat ik zei. Mensen keken ongeïnteresseerd naar me. Ze hadden net zo vaak wanhoop in hysterie zien omslaan als ze de dageraad hadden zien verkeren in de verzengende hitte van de middag. Er was niets ongewoons aan mijn emotionele uitbarsting, en het deed Alicia helemaal niets. Ze knikte, klopte me op mijn schouder terwijl we verder liepen, zoals ze bij een kind zou doen dat om een ijsje zeurde.

Ik bleef staan en ging met mijn hoofd in mijn handen op de stoeprand zitten. Ik keek naar het stof dat mijn voeten bedekte, en zag mijn tranen waterige sporen langs mijn enkels trekken.

Alicia ging zuchtend naast me zitten. Ik was in de verleiding haar te vertellen dat Lucinda alles wist. Dat ze in haar pogingen haar dierbare kind te beschermen het in feite martelde.

Ze fluisterde in mijn oor, zoals ze had gedaan toen we kinderen waren en ze wilde dat ik meedeed aan een of andere kinderlijke streek. 'Weet je, ik ben niet bang om dood te gaan.' Ik draaide mijn hoofd opzij en zag haar door mijn armen heen naar me gluren. 'Ik wist dat ik een risico nam, maar ik wilde zo dolgraag geld verdienen dat het me niet kon schelen. Ik heb altijd van mezelf gedacht dat ik een geluksvogel ben, maar ik denk dat ik dit keer pech heb gehad.'

'Weet je zeker dat je het hebt? Het kan iets anders zijn…'

Alicia schudde beslist haar hoofd. 'Berta en ik hebben het vaak genoeg gezien. Veel mensen die we kennen, en nog meer die we niet kennen, zijn weggestuurd. Ze gaan naar een ziekenhuis, maar in wezen is dat een kamp dat ze vasthoudt, zodat ze geen andere mensen kunnen besmetten.' Alicia strekte haar magere benen voor zich uit zodat ze de smalle straat op staken. Ik wist nog hoe haar benen er op haar vijftiende hadden uitgezien: welgevormd en sterk, de benen van een uitstekende zwemster. 'Je gelooft het misschien niet, maar ik kende een man die probeerde de ziekte te krijgen zodat hij ervan verzekerd zou zijn dat hij drie maaltijden per dag zou krijgen, en een schoon bed 's nachts. Zoiets zou ik nooit doen, maar ik weet wat hij voelt.'

'Misschien zijn er medicijnen waar je wat aan hebt, Alicia.'
'Niet hier. Niet voor mij. Het enige wat er nu nog toe doet is dat mijn Tony en Lucinda veilig zijn. De rest komt vanzelf, zoals altijd.' Ze legde haar hand op mijn knie. 'Kom op, anders is Ricardo weg en moet ik morgen nog een keer.'

Hij stond te wachten aan het eind van het pad dat naar de zij-ingang van de gevangenis voerde, zijn vettige gezicht samengetrokken tegen de brandende zon, terwijl hij probeerde te zien wie ik was. Hij hield zijn hoofd schuin en liet zijn rechterhand op zijn pistool rusten. In zijn linkerhand hield hij een witte envelop, die in het licht flikkerde als een spiegel. Toen we dichterbij kwamen kon ik zien hoe pokdalig zijn gezicht was, en hoe zijn wenkbrauwen midden op zijn voorhoofd samenkwamen en een volmaakte V vormden. Zijn glimlach onthulde een stel gele tanden en dik, opgezwollen tandvlees dat onder de tabaksspikkels zat.

Alicia groette hem alsof ze zijn zuster was, met een warme omhelzing en een kus op zijn wang. Ze was oprecht blij hem te zien, en stelde me voor als de nicht uit de Verenigde Staten over wie ze hem verteld had. We schudden elkaar de hand en ik gaf de tas met spullen aan Alicia, die hem direct aan Ricardo doorgaf.

'Ik heb dit keer een extra rol wc-papier voor hem meegebracht,' zei ze, met een gelukkige blik op de brief die Ricardo nog steeds vasthield, maar hij had het te druk met het inspecteren van de inhoud van de tas. Zijn ogen gingen wijd open toen hij het stuk zeep zag dat ik erin had gestopt: Irish Spring.

'O, ik was hem bijna vergeten. Alsjeblieft,' zei hij en hij gaf haar de brief. 'Hij heeft hem vanmorgen afgemaakt.'

Alicia nam de brief aan en stopte hem in haar bloes. 'Hoe gaat het met hem? Heb je nog nieuws gehoord?'

'Ik hoor allerlei geruchten, maar je weet het nooit. Ze kunnen hem morgen vrijlaten, maar het kan ook pas volgend jaar zijn.' Hij bepaalde zijn aandacht weer tot de tas.

'Onderin zit een brief voor Tony,' zei Alicia.

Ricardo tuurde naar ons beiden. Zweet droop in zijn ogen, waardoor hij nerveus met zijn oogleden knipperde. Met de tas over zijn ene arm deed hij een aantal stappen terug naar de schaduw van de wachtpost. Hij wees met zijn dikke, harige vinger naar mij. 'Hoe lang blijf je?'

Alicia antwoordde voor ik daar de kans toe had. 'Ze vertrekt over een week, dus misschien stuur ik Berta wel met de pakjes van volgende week.'

Hij knikte goedkeurend toen hij dit hoorde en maakte toen een wuivend gebaar dat betekende dat we weg moesten gaan.

Alicia liep met herwonnen kracht naar huis. Ze was opgetogen dat ze een brief van Tony op haar hart droeg, die nieuw leven in haar pompte; maar de ontmoeting met Ricardo maakte dat ik minder hard liep dan gewoonlijk.

'Denk je dat Tony de dingen die je hem stuurt, krijgt?' vroeg ik. Alicia glimlachte. 'Jij denkt natuurlijk dat ik behoorlijk stom ben.'

'Zoiets zou ik nooit denken.'

Ze lachte en klopte op de brief op haar hart. 'Ik weet dat Tony een paar dingen krijgt, omdat hij me dat geschreven heeft, hoewel ik er zeker van ben dat Ricardo het beste voor zichzelf bewaart. Maar zelfs al zou hij alles houden, kon dat me nog niets schelen omdat ik weet dat hij in ieder geval een oogje voor me houdt op Tony.'

'Is het wel eens bij je opgekomen dat Ricardo misschien niet wil dat Tony ooit vrijkomt, zodat hij die pakjes kan blijven ontvangen?'

Alicia bleef stokstijf staan. 'Daar heb ik nog nooit aan gedacht.' Toen kwam er een glimlach op haar gezicht. 'Stel dat ik hem een beloning aanbied als Tony vrijkomt?'

'Ik wilde niet zeggen dat je dat moet doen...'

'Natuurlijk! Een schitterend idee. Als wat jij zegt klopt, dan zal mijn Tony heel snel vrijkomen. En ik heb het geld, Nora. Ik geef Ricardo zijn beloning. Ik heb hem al het andere al gegeven.'

Toen we thuiskwamen, sloot Alicia het gordijn voor het enige raam, liep meteen naar de bank en trok hem weg. In de muur achter de bank bleek een klein gat te zitten, volgestopt met proppen van servetjes en tissues, geel verkleurd door de vochtige lucht. Ze haalde haastig het papier eruit en schoof haar hand naar binnen. Na enig gegraaf haalde ze een metalen doosje tevoorschijn. Ze wenkte dat ik dichterbij moest komen en opende het. Het was gevuld met bankbiljetten. Vooral Amerikaanse, maar ook wat Canadese en Duitse. Ze stond erop dat ik ze telde, en er zat bijna vijfduizend dollar in.

'Ik zei je dat ik het me kan permitteren,' zei ze trots. 'Behalve Lucinda ben jij de enige die van dit geld weet.'

'En Berta dan?'

Alicia schudde, enigszins beschaamd, haar hoofd. 'Niet dat ik haar niet vertrouw, maar ik heb gezien wat wanhoop bij mensen aanricht. Ik mag met dit geld geen enkel risico nemen.'

Behoedzaam deed ze het doosje terug op zijn plek en propte het gat weer dicht. Ik hielp haar de bank tegen de muur aan te schuiven, en meteen zakte ze erop neer.

Tegen de tijd dat Lucinda en ik het avondeten van kaas en crackers klaar hadden gemaakt, was Alicia in slaap gevallen. We aten snel en ik legde een dunne deken over haar heen voor we op onze tenen de zwoele avondlucht in liepen.

De muziek uit de hotels bereikte ons snel genoeg toen we arm in arm langs de malecón liepen. Lucinda huppelde naast me, als ze haar voeten niet ritmisch op de muziek bewoog. De nevel van de oceaan kwam over de kademuur aanblazen en omhulde ons. Mijn voeten volgden die van Lucinda en algauw dansten we samen in het zachte licht van de straatlantaarn, die de nevel verlichtte tot kleine kristallen die in de lucht zweefden. In de verte konden we de gebogen ramen van het Intercontinental Hotel zien, waar de gasten op dezelfde muziek op de gladgewreven dansvloer dansten.

Ik stelde me voor hoe Alicia voor haar werk in zo'n hotel aankwam, als altijd de ogen van alle mannen in het vertrek op zich vestigend, hun walgelijke liefkozingen duldend in de hoop op ontsnapping.

'Wat is er, tía Nora?' Lucinda trok aan mijn arm. Zonder dat ik het besefte, was ik opgehouden met dansen.

'Sorry, meisje. Ik denk dat ik ook een beetje moe ben.'

We liepen langzaam terug, met onze rug naar de lichtjes langs de malecón. Algauw hoorden we alleen nog maar het dreunen van de golven en af en toe de roep van een zeemeeuw.

'Tía Nora?'

'Ja, lieverd?'

'Gaat mami dood?' Ze stelde de vraag zo zachtjes dat hij bijna op de zeebries wegdreef.

Ik had moeite een antwoord te vinden dat eerlijk was, maar niet wreed. 'Eens moeten we allemaal sterven.'

'Dat weet ik. Dat heeft mami tegen me gezegd toen tía Panchita stierf. Maar tía Panchita was oud en mami is nog niet oud en ze wil nog liever naar de Verenigde Staten dan ik.'

Mijn keel kneep samen terwijl ik naar woorden zocht. 'Waarom wil je daarheen?' vroeg ik.

'Omdat mami zegt dat de hoop in Cuba lang geleden gestorven is. Ze zegt altijd dat je zonder zeep en tandpasta kunt leven, maar niet zonder hoop.'

27

Ik glipte vroeg in de ochtend naar buiten om Jeremy te bellen. Hij zou vast slapen, maar ik kon het risico niet lopen dat hij niet meer thuis zou zijn. Tijdens ons laatste telefoongesprek had hij gezegd dat hij me zo erg miste dat het hem er bijna toe dreef gedichten te schrijven, en dat ik de wereld deze tragedie moest besparen en naar huis moest komen. Ik stelde me hem voor in ons bed, in slaap, een arm onder zijn hoofd en de andere om een kussen geslagen, op de plek waar ik had moeten liggen. Hij zou niet blij zijn met mijn telefoontje. Hij zou het vreselijk vinden.

'Hóé lang blijf je dan?'

'Dat weet ik nog niet. Het enige wat ik weet is dat ik Lucinda niet zo kan achterlaten om helemaal in haar eentje voor Alicia te zorgen. En ik ben bang dat ze haar weghalen en ergens opsluiten. Als ze erachter komen dat Alicia besmet is, God weet wat ze dan doen. Het is krankzinnig, Jeremy, het is krankzinnig wat ze doen. En...'

'Goed, rustig maar, lief. Laten we hier even over nadenken.'

Mijn hart klopte als een razende terwijl ik wachtte op een oplossing die aan de andere kant van de lijn uit de stilte zou moeten ontstaan. De zon was boven de zee uit gekomen en de schitterende stralen, die al ontzettend warm waren, brandden op mijn enkels, terwijl het nog geen zeven uur was. De hoorn lag plakkerig van het zweet in mijn hand. 'Ben je er nog?'

'Ja... Ik zit te denken... Stel dat je nu volgens plan naar huis komt, en dat je dan teruggaat als het ernaar uitziet dat Alicia... Als het ernaar uitziet dat ze je hulp meer nodig heeft dan nu?'

Een snik kwam van achter uit mijn keel naar boven. 'Ik wil

meer dan wat ook bij jou zijn, maar ik kan ze niet in de steek laten. Alsjeblieft, begrijp het toch. Ik ben de enige die ze hebben. Ik kan niet toelaten dat ze Alicia weghalen. Ik kan niet toelaten dat ze Lucinda weghalen.'

Tijdens het gesprek had zich een rij achter me gevormd, en ik bedacht dat dit de enige telefoon in een paar blokken was die het deed.

'Alsjeblieft, Nora, bel me morgen zo snel je kunt. We moeten hierover praten.'

'Dat doe ik. Dat beloof ik.'

'Ik hou van je.'

'Ik ook van jou.'

Ik hing op, draaide me om en zag een groep haveloze Cubanen staan die me door de mist van een slechte nachtrust in de verstikkende hitte aankeken. Ze keken naar mijn nieuwe sandalen en schone kleren. Mijn smalle horloge flikkerde in het zonlicht en ik kon voelen dat ze zich afvroegen wat deze buitenlandse met meer dan genoeg geld voor een hotelkamer met eigen telefoon hier eigenlijk bij de openbare te zoeken had. Waarom lag ik niet te genieten op de beste stranden met een enorme badhanddoek en een gekoelde fruitsalade terwijl ik op m'n ontbijt wachtte? Waarom lachte ik niet zoals al de andere toeristen die ze na een avondje uit door de straten zagen zwalken en die geld gooiden naar de straatmuzikanten alsof het magere vogeltjes waren? In plaats daarvan stond ik voor ze te grienen als een kind.

Een oudere, zwarte vrouw kwam op me toe. Ze had met de anderen in de rij staan wachten en ik kon zien dat ze van plan was me de wind van voren te geven omdat ik zo lang gebeld had. Ik begon in mijn tas te zoeken naar iets om haar te geven. Ik had al het geld dat ik meegenomen had aan mijn telefoongesprek besteed, maar zelfs een pakje papieren zakdoekjes of een reepje kauwgum was beter dan niets. Ik diepte een pen op en een rolletje pepermunt en stak ze haar toe, maar ze maakte geen aanstalten ze te pakken. Ze staarde naar mijn gezicht, bekeek me van top tot teen en schudde ondertussen ongelovig haar hoofd. Ik wachtte haar standje af en liet mijn hoofd hangen, zag haar blote voeten en enkels, opgezwollen en vol vlooienpikken.

'Als ik het niet met mijn eigen ogen zou zien, zou ik het niet geloven!' De gouden stem vloeide als honing in mijn oren; warme, zoete honing waardoor alles beter smaakt en waardoor alle zorgen in de wereld op een kalme stroom weggevoerd worden.

Ik keek op en staarde in het gerimpelde, zwarte gezicht en de zwarte, glanzende ogen die al vol tranen stonden. Ik greep die grote, ruwe handen die naar me uitgestoken werden beet en verborg mijn gezicht tegen haar schouder, terwijl ze haar armen om me heen sloeg en me geruststellend op de rug klopte, zoals ze zo veel jaren geleden ook had gedaan.

'O, Beba,' huilde ik. 'Waar was je toch?'

'Hier, kind. Ik ben hier altijd geweest.'

Beba woonde maar een paar korte blokken van Alicia af, in een klein eenkamerappartement met uitzicht op een smalle steeg. Ze zat op de tweede etage en toen we de trap van de eerste naar de tweede op klommen, werd de hitte verstikkend. Door de aanhoudende warmte en vochtigheid had schimmel de gangen binnen gevlekt, een aardse mengeling van groen, bruin en roestrood, als het mos dat in het hart van het oerwoud groeit. De meeste oude huizen die sinds de Revolutie niet geschilderd waren, hadden deze kleur.

Het was een wonder dat ik Beba gevonden had, een wonder waarop ik sinds ons vertrek niet had durven hopen, hoewel ik nog steeds aan haar dacht wanneer ik me erg alleen of bang voelde. Hoe vaak ik niet aan haar en mij bij het aanrecht had gedacht, terwijl ze uien sneed en een van haar exotische Afrikaanse wijsjes neuriede, wist ik niet. Tegen de tijd dat we op de tweede verdieping aangekomen waren, voelde ik een rust die ik sinds ik kind was niet meer gevoeld had.

Ze zei me dat ik op een van de metalen klapstoelen moest gaan zitten en was zelf druk doende bij het kookplaatje bij het raam. Haar handen trilden terwijl ze koffie en suiker afmat voor onze *café con leche*. Terwijl ze bezig was, vertelde ze me dat ze de afgelopen tien jaar in dit flatje had gewoond en door haar ene raam met uitzicht op de steeg haar buren in de gaten hield, die als lawaaierige geesten kwamen en gingen. Ze had tot drie jaar geleden een goede baan gehad, als sigarenrolster in een fabriek even buiten Havana, maar toen was de fabriek gesloten. Maar ze voegde eraan toe dat ze door haar artritis sowieso gedwongen zou zijn ermee te stoppen en nu leefde ze van een mager pensioentje en haar maandelijkse toelage, wat op amper tien dollar per maand neerkwam.

'Ik heb vaak aan de familie Garcia gedacht,' zei ze met een trilling in haar stem die ik niet wilde horen.

'We hebben steeds aan jou gedacht, Beba. Ik weet dat mami in de eerste jaren nadat we weg waren gegaan heeft geprobeerd je op te sporen, maar niemand wist waar je was.'

'Mensen raken elkaar heel makkelijk kwijt,' zei ze met een kalm knikje.

Ze liep langzaam door de kleine kamer met in iedere hand een kopje, en lette erop dat ze mij het exemplaar gaf waar geen stukje af was. Ik nam het dankbaar aan, in de wetenschap dat koffie, suiker en melk lastig te krijgen waren en dat ze ze zorgvuldig opgespaard moest hebben. Maar ze had niet op de ingrediënten beknibbeld. De *café con leche* was dik en rijk en in perfecte harmonie, precies zoals ik me herinnerde dat ze hem vroeger maakte. Tranen welden op in mijn ogen. Dit was zoals ik me thuis herinnerde: samen met Beba in de keuken zitten en wachten tot zij me vertelde wat haar bezighield, zoals ik altijd had gedaan. En zij was net zo direct en heerlijk als de hete kop koffie met melk die ik in mijn hand hield. Ze maakte je hoofd en hart helder, beter dan de sterkste cafeïne.

'Je bent een vrouw, Norita,' zei ze, terwijl ze met omfloerste ogen naar me keek. 'Een mooie vrouw, zoals ik wist dat je zou zijn. En hoe is het met Martica?'

'Ze is getrouwd en heeft twee kinderen. In haar tienertijd heeft ze ons een hoop last bezorgd.'

Beba sloeg lachend een hand op haar knie. 'En jij dan? Was jij nog lastig?'

'O nee, ik ben altijd een braaf meisje geweest. Je had me niet herkend.'

Beba keek nadenkend. 'Ik had gedacht dat het precies andersom zou zijn; misschien heeft iets in dat nieuwe land gemaakt dat jullie van rol gewisseld hebben. Misschien heeft het je in de war gemaakt, net zoals wanneer je raar weer hebt. Als het te heet is, zoals vandaag, dan kan ik niet denken. Ik kan helemaal niet denken.' Beba nam een slokje *café con leche*, terwijl ze me over de rand van haar kopje bleef aankijken.

Ik vertelde haar over hoe het in de Verenigde Staten was, hoe ik daar was opgegroeid, en over Jeremy. Ik vertelde dat papi en mami niet gewild hadden dat ik naar Cuba ging, maar dat ik in al die jaren dat ik weg was geweest aan bijna niets anders gedacht had. De ochtend ging voorbij als een tropische stortbui terwijl ik haar al die dingen vertelde, en zij luisterde met af en toe een verstandig knikje van haar hoofd en een klein lachje dat eerder verdrietig dan gelukkig was. Toen vertelde ze me over haar leven, terwijl ze naar buiten keek naar de schimmelige muur. Ze had het vooral over de moeilijkheid om aan eten te komen, en over slimme vrienden die ze op de zwarte markt had.

'Het lukt me wel, maar ik moet voorzichtig zijn,' zei ze. 'Twee jaar geleden was ik bijna gearresteerd. Te veel mensen laten zich nog opjuinen door die man, neem dat van me aan.' Beba zwaaide met een kromme vinger in mijn richting en ik kon een glimlach niet onderdrukken. Het amuseerde me dat ze, net als mami, Castro nog steeds 'die man' noemde.

'Ik kan beter zeggen: die hond,' zei Beba toen ik dit tegen haar zei. 'En dat is nog te goed voor hem. Hij heeft dit land ondergescheten, erger dan een zwerfhond zou doen.'

Ik vertelde Beba over Alicia en Lucinda en ze knikte ernstig, absoluut niet verrast. 'Ze heeft gelijk dat ze niet naar de dokter gaat. Die sturen haar gewoon weg en God weet wat er dan met haar kind gebeurt. Ik heb het vaak genoeg meegemaakt.'

'Ze hebben alleen een kans als Tony gauw uit de gevangenis komt.'

Beba duwde haar stoel tegen de muur en leunde naar achteren. Ze sloeg haar armen over elkaar en hield mijn blik gevangen, zoals ze vroeger deed als ze me op een leugentje betrapt had. 'Waarom denkt ze dat hij vrijkomt?'

'Alicia krijgt steeds brieven van hem en hij schijnt te denken dat hij een kans maakt. Het is haar enige hoop, Beba, het houdt haar overeind.' Alleen al door haar naam uit te spreken kreeg ik weer het gevoel dat ik tien jaar oud was.

'Zou kunnen.' Beba stak haar onderkaak naar voren. 'Misschien heeft hij geluk. Ik hoop het, voor haar.'

Ik wilde niet weggaan, maar het was bijna twaalf uur en ik wist dat Alicia en Lucinda zich zouden afvragen waar ik de hele ochtend geweest was. Ik beloofde Beba gauw terug te komen en spullen voor haar mee te brengen.

'Je hoeft niks voor me mee te brengen. Als er iets is wat ik al die jaren geleerd hebt, is het dat ik weinig nodig heb. Kom zelf, Norita. En neem de rest van je familie mee, als je wilt. Ik ben er.'

28

ALICIA KON DE VOLGENDE DAGEN NIET UIT BED KOMEN. EEN milde storm stak op terwijl Lucinda en ik voor haar zorgden. Berta kwam en ging met de wind, in haar strakke kleren, haar haar één grote bos zwarte krullen, die onmogelijk glad te strijken waren in het vochtige weer. Ze keek amper naar ons, mompelde een haastige groet en liep meteen door naar haar kamer.

'Zo is ze als ze veel werk heeft,' zei Alicia op een middag toen ze zich beter leek te voelen. 'Slecht weer betekent meer werk omdat de... de klanten minder te doen hebben... zich vervelen.' Ze haalde haar schouders op en nam een slokje thee uit de beker die ze al een uur in haar handen hield.

Nu het dek was teruggeslagen, moest ik me dwingen niet naar haar uitgemergelde gestalte te kijken. Ze was al mager geweest, maar nu was ze een sliertje rook, dat onder mijn ogen kringelde en vervaagde. We hoorden Lucinda in de keuken de afwas doen en opruimen. Ik wist dat het geen zin had haar te helpen. Je kon maar met een tegelijk een beetje plezierig in de keuken in de weer zijn, en Lucinda kon het veel beter dan ik.

'Ik voel me zo veel beter sinds jij er bent,' zei Alicia nadat ze haar thee had opgedronken. 'Lucinda is gelukkiger dan ik haar in tijden heb meegemaakt. Ze lacht meer en ze slaapt zoals een kind moet slapen, de hele nacht door, en is niet om het uur wakker om te kijken of alles goed is met mij.'

'Het is een verbazingwekkend kind.'

Alicia knikte en keek me aan, haar goudgroene ogen heel groot in haar bleke gezicht. 'Ik weet dat je gauw weer weggaat, maar dat je het me niet zeggen wilt omdat je weet dat ik dan verdrietig word. Je moet terug, naar je man en je prachtige leven. Het maakt me gelukkig te weten dat jouw leven goed is, Nora. Het is bijna alsof het mijn leven is. Snap je dat?'

Ik glimlachte. 'Toen we opgroeiden, had ik het gevoel alsof de geweldige dingen die jou overkwamen, mij overkwamen. Bijvoorbeeld als we over straat liepen en geen man zijn ogen van je af kon houden. Ik had net zo goed je schaduw kunnen zijn, maar ik genoot ook, omdat ik meeproefde hoe het was om mooi te zijn.'

'Moeilijk te geloven dat ik dat was.' Alicia trok de trui die ze over haar schouders geslagen had vaster om zich heen, ook al was het ruim boven de dertig graden. 'Ik geloof dat ik me goed genoeg voel om Beba op te zoeken. Lucinda wil haar graag ontmoeten en ik weet zeker dat jij afscheid wilt nemen voor je weggaat.'

'Ik ga graag naar Beba, maar niet om afscheid te nemen. Ik heb besloten dat ik nog een tijdje langer blijf.'

Alicia kikkerde zichtbaar op. 'Meen je dat?'

Ik keek even op mijn horloge. 'Mijn vliegtuig is een uur geleden vertrokken en ik zit er echt niet in.'

Alicia wierp haar hoofd in haar nek en schaterde, zoals ik haar niet meer had zien doen sinds mijn komst. 'Wat hebben we te eten? Ik heb opeens honger.'

Op weg naar Beba hield ik Alicia bij een arm vast en Lucinda hield mijn vrije hand vast. Het was maar drie blokken verderop, maar het kostte ons bijna een halfuur om een blok af te lopen. Alicia moest zich op iedere stap die ze zette concentreren en tegen de tijd dat we de hoek bereikt hadden, was ze duidelijk uitgeput. Het zou makkelijk zijn geweest als ze een rolstoel had gehad, maar daarvoor zou ze uiteraard minstens een doktersverklaring nodig hebben, en nadat ik daar met Beba over gesproken had, wist ik dat dat geen optie was.

Alicia haalde diep en moeizaam adem en plotseling moest ze lachen. 'Ik voel me alsof ik weer opnieuw leer lopen.'

'Misschien is dit geen goed idee. Ik kan Beba vragen naar ons huis te komen.' Ik huiverde in de hitte bij de woorden 'ons huis'. Was dat het geworden? Mijn huis was toch in Santa Monica, bij Jeremy? Dat lieve, geelgeverfde huis met de witte luiken dat de middagbries ving. Hoe voelde een koele bries? Ik had plotseling heimwee naar mijn ongecompliceerde leven in Californië.

Ik voelde Alicia's greep op mijn arm verstrakken. 'Het is goed voor me er eens eventjes uit te zijn,' zei ze. 'Misschien moeten we even rusten.'

We hielden stil in de schaduw van een verlaten gebouw dat zo te zien eens een boekwinkel was geweest. Binnen zag ik planken, vol spinrag, waar niets op stond dan lege rumflessen. Waarschijnlijk kwamen hier na de avondklok mannen stiekem bijeen om te drinken en te gokken. Een paar flessen leken nieuw en staken glanzend af naast het vuil van bijna twintig jaar. De achterdeur stond op een kier, net wijd genoeg open om een stukje overwoekerde tuin te zien. Tussen een verwarde hoop onkruid zag ik een klein wiel.

'Lucinda, wacht hier met je moeder. Ik ben zo terug.'

Het duurde even voor ik het geheimzinnige voorwerp onkruidvrij had gemaakt. Het was roestig, ik moest er wat aan verbuigen, maar het was precies wat ik gehoopt had.

Ik ging weer terug naar de voorkant van de winkel terwijl ik mijn vondst triomfantelijk voor me uit duwde.

Alicia hield lachend haar hoofd schuin. Lucinda ook. 'Wat is dat voor grappig piepend geluid?' vroeg ze.

'Wat ben jij in godsnaam van plan met een oude kruiwagen, Nora? Je denkt toch niet dat ik daarin ga zitten? Ik kruip nog liever op mijn knieën naar Tres Pinos en terug dan dat ik me daarin vertoon.'

Lucinda sprong opgewonden op en neer. 'Ik ga d'r in, ik ga d'r in,' riep ze.

'Later misschien, meidje. Nu moet je mami haar verstand gebruiken en ons haar erin laten zetten. Toch, mami?'

Alicia sloeg haar armen over elkaar en trok een pruillip. 'Hij is vuil.'

'Klopt, maar we kunnen hem later schoonmaken. En kijk eens hoe goed hij het nog doet.' Ik rolde hem heen en weer. 'Hiermee kunnen we overal heen.'

'De mensen zullen me uitlachen.'

'Onzin. Niemand lacht als mensen zich met z'n vijven op een fiets in evenwicht houden, waarom zouden ze hier dan om lachen? Trouwens, ik zou het wel eens leuk vinden een paar lachende gezichten te zien.'

Alicia strompelde naar de kruiwagen, legde haar hand op de rand en voelde toen onder in de bak, waar ze zou gaan zitten. 'Smerig, hartstikke smerig,' mopperde ze, terwijl ze zich omdraaide en zich voorzichtig in zithouding in de kruiwagen liet zakken. Lucinda aaide over de kruiwagen, de zijkant, de handvatten, het wiel, en uiteindelijk haar moeder, die er als een kuikentje in zat.

Ze giechelde verrukt. 'Mag ik helpen duwen, tía Nora?'
'Tuurlijk. We duwen samen.'
'En rustig aan, jullie twee. We hoeven niet zo snel. We hoeven de trein niet te halen.'
Het wiel bleef af en toe steken en zwabberde enigszins terwijl we over de stoep verdergingen. De kruiwagen had de neiging naar rechts af te zwaaien en ik kreeg splinters in mijn handpalmen van de kapotte houten handvatten, maar het was toch een stuk makkelijker voor ons allemaal om ons op deze manier voort te bewegen. We kwamen langs de malecón, en de bries die vanaf de oceaan kwam was verrassend koel. Alicia boog haar hoofd enigszins naar achteren en liet de wind door haar haren spelen. Haar ogen waren gesloten en er lag een serene glimlach op haar lippen. Ze hield de zijkanten van de kruiwagen wat minder krampachtig vast en vervolgens liet ze haar armen hangen.
'Een fijne dag, hè, tía Nora?'
'Een prachtige dag.'
Lucinda was na een paar minuten opgehouden met me te helpen duwen. Ze liet haar handje om mijn elleboog glijden en regelde haar passen precies naar de mijne, haar gezichtje recht vooruit, als een soldaat.

Toen we bij Beba's appartementengebouw aankwamen deden mijn handen pijn, maar we waren in een uitstekende stemming. We zetten de kruiwagen veilig weg in de donkere, nauwe gang die naar haar deur leidde, zodat niemand hem vanaf de straat zou kunnen zien.
Beba schrok toen ze Alicia zag, maar ze herstelde zich snel en droeg haar bijna naar de bank bij het raam. Ze dook uit haar spaarzaam gevulde kast een paar crackers en koffie op, ondanks onze protesten. Natuurlijk wilde ze er niet van horen dat ze haar gasten geen kleinigheidje mocht voorzetten, en ze slaagde erin een bord taaie crackers te serveren, met een dun laagje aardbeienjam, en koffie met een beetje suiker, maar geen melk. Lucinda vond het lekker en het was duidelijk dat Beba met haar ingenomen was. Toen Lucinda haar knuffelde en haar gerimpelde gezicht aanraakte, tilde Beba haar op en stond erop dat ze naast haar kwam zitten. We praatten en lachten urenlang.
'Ja, ik weet nog dat ik over die jongen hoorde,' zei Beba met een sluw lachje. 'Ik heb hem persoonlijk nooit ontmoet, maar doña Regina heeft me over hem verteld tijdens die toestand. Ze zeggen

dat het een van de knapste mannen van Cuba was, of ze nu zwart of blank zijn.' Ze lachte en schudde haar hoofd zodat haar eens zo volle wangen een beetje flapperden. 'Jij,' zei ze en ze wees met haar vinger naar Alicia, 'jij was me er eentje. Toen ik hoorde wat er gebeurd was, dacht ik bij mezelf: dat meisje is of gek van liefde, of gewoon gek. En ik weet niet wat erger is.'

'Waarom waren de mensen boos op papi en mami?' vroeg Lucinda.

'Je moet begrijpen, kleintje,' zei Beba, terwijl ze Lucinda's haar streelde, 'dat de wereld toen heel anders was. Vandaag de dag gaan zwarte en blanke mensen met elkaar uit en trouwen ze of niet, en niemand zegt er wat van, of merkt het zelfs, maar toen hadden de mensen er een hoop op te zeggen.'

We, vooral Lucinda, genoten allemaal van Beba, zoals ze heen en weer zat te wiegen op haar krukje en met haar mond zo wijdopen lachte dat we alle open plekken konden zien waar vroeger haar glinsterend witte tanden hadden gezeten. Haar lach was nog altijd even stralend en haar doordringende blik nog net zo afdoend als vroeger. 'We hadden het fijn, toch?' vroeg ze, terwijl ze glimlachend uit het raam keek, voorbij het bladderende pleisterwerk. We antwoordden haar met een stille, maar collectieve zucht.

'Waarom komt u niet met ons mee?' vroeg Lucinda, terwijl ze naar het midden van de kamer sprong.

'Waar gaan jullie naartoe, kind?' Beba keek nog steeds uit het raam.

'We gaan naar de Los Estades Unidos. Zodra papi vrijkomt. We hebben het geld opgespaard, hè, mami?'

Beba maakte haar blik los van het raam en keek Alicia vragend aan. Alicia glimlachte droevig naar Beba en schudde zachtjes haar hoofd. Ze had nog niet tegen Lucinda gezegd dat haar ziekte alle plannen die ze gemaakt hadden, in de war stuurde.

'Mami?' Lucinda deed een paar stappen in de richting van Alicia. 'Mami, waarom zeg je niets? Ben je er wel?' Terwijl ze naar voren liep, struikelde ze over een stoelpoot en viel op de grond. Alicia wilde naar haar toe lopen, maar Beba was nog kras voor haar leeftijd. Ze tilde Lucinda op en veegde het stof met haar artritishanden van haar knieën, mopperend dat ze voorzichtig moest zijn omdat ze te oud en te moe was om steeds kinderen van de vloer te rapen. Hoe vaak ze dat tegen mij had gezegd, toen ik nog een kind was, wist ik niet.

'Had ik maar rechte tanden net zoals jij, dan hoefde ik geen beugel te dragen, Beba,' zei ik vaak tegen haar als ze mijn haar 's ochtends borstelde en het in de eenvoudige paardenstaart samenbond, die ik liever had dan de ingewikkelde vlecht van Marta.

'Zeg, niet zo klagen, zo vroeg op de ochtend.' Ze hield op met borstelen en keek me in de spiegel strak aan. 'Je weet toch wat ze over klagen zeggen, hè?'

'Wat dan, Beba?'

'Dat je van klagen een hard hart en weke botten krijgt. Precies het tegenovergestelde van wat het moet zijn.' Ze begon mijn haar weer te borstelen en deed dat zo krachtig dat mijn hoofd bij elke slag van de borstel naar achteren getrokken werd, maar het voelde goed, alsof ze alle slechte gedachten uit mijn hoofd borstelde. 'Probeer het eens met dankbaarheid. Daar word je sterk van,' (borstelslag) 'wijs voor je leeftijd' (borstelslag) 'en een liefhebber van het leven' (borstelslag).

Lucinda kroop weer tegen Beba aan. 'Ik wil dat u met ons meekomt,' zei ze, met haar armen om haar knieën geslagen.

'Beba is te oud om nog ergens naartoe te gaan.'

'Maar wilt u niet zien hoe het is? Winkels vol eten, wat je maar wilt, warm water en zeep de hele dag door, en er zijn zelfs mensen die meer dan drie paar schoenen hebben!'

'Dat zou ik graag nog eens zien,' zei Beba met een ernstig knikje en een weemoedig lachje dat haar gezicht verzachtte. 'Je kunt het geloven of niet, maar ik had vroeger zes paar schoenen, allemaal helderwit. De meeste had ik van doña Regina gekregen. Een goede, ruimhartige vrouw. God zegene haar.'

'Zes paar?'

'Inderdaad.'

'Maar waar heb je zo veel schoenen voor nodig?'

Beba schudde haar hoofd, ze wist niet wat ze daarop moest zeggen. 'Misschien had ik je dat twintig jaar geleden nog kunnen vertellen, maar om je de waarheid te zeggen: ik weet het niet meer.'

De volgende ochtend schrobden Lucinda en ik de kruiwagen vanbinnen en vanbuiten schoon tot je geen plekje roest of vuil meer zag. We legden er een deken en twee kussens in en piekerden hoe we schaduw konden creëren. Ik probeerde een paraplu aan de kruiwagen vast te maken, maar ik zag niet hoe we hem opengeklapt konden houden zonder dat hij het zicht van degene die duwde belemmerde. Uiteindelijk besloten we zo veel mogelijk in de schaduw te lopen.

Het probleem met het wiel bleek het ingewikkeldst. We leenden gereedschap van de buurman, Pepe, en terwijl Lucinda stond toe te kijken probeerde ik het recht te krijgen. Pepe zag uit het raam hoe we met een moersleutel op het wiel hamerden, maar mijn inspanningen leverden weinig op.

Voor ik het wist, stond Pepe naast me. Het was een kleine, magere man wiens huid de kleur van rijpe olijven had. De neusgaten in zijn adelaarsneus flapperden wild heen en weer als hij inademde, waardoor hij er gespannen en kwaad uitzag. Maar zijn zachte, amberkleurige ogen glansden en leken altijd vol tranen te staan. Hij schudde afkeurend zijn hoofd. 'Zo lukt het niet, nicht Nora.'

'Waarom niet?'

'Je moet hem uit elkaar halen, en dan weer in elkaar zetten, dat is de enige manier.'

Pepe was expert op het gebied van wielen, omdat hij vele jaren in een fietsfabriek had gewerkt. Nu werkte hij er een of twee dagen per week als hij geluk had, en de rest van de tijd bracht hij zittend op de stoep voor zijn voordeur door; hij hield iedereen in de buurt in de gaten terwijl hij zijn rantsoen sigaretten oprookte tot er amper een peuk meer over was. De vingers van zijn rechterhand zaten onder de nicotinevlekken.

'Ik weet niet hoe ik dat moet doen.' Ik ging vanuit mijn gehurkte positie met een plof op de grond zitten en strekte mijn benen, die pijn deden, voor me uit. Ik pakte de moersleutel weer op en liet hem toen geschrokken vallen. Hoe kon hij in minder dan een minuut in de zon zo heet worden?

Pepe klakte met zijn tong en maakte een gebaar met zijn hoofd, waarmee hij me duidelijk maakte dat ik uit de weg moest gaan. Hij pakte de kruiwagen met één hand op, grabbelde het gereedschap met de andere bij elkaar en zette alles op zijn eigen stoep, die duidelijk meer beschaduwd was dan de plek die ik uitgekozen had. Ik nam Lucinda bij de hand en we bleven erbij staan terwijl hij aan de gang ging.

'Wat aardig dat u ons helpt,' zei ik.

Hij bromde wat. Pepe was geen man van veel woorden, hoewel er toen hij naar Lucinda keek iets wat in de buurt van een glimlach kwam om zijn lippen speelde.

'Señor Pepe, mami zegt dat u alles kunt repareren, is dat zo?'

Hij had het wiel er al af gehaald en zette het opnieuw vast door de schroeven met snelle behendige handen aan te draaien. 'Ja, het meeste wel.'

We brachten hem een glas koud water, op smaak gemaakt met fruitpoeder, dat het water een bloedrode kleur gaf. Hij nam het zonder een woord te zeggen aan en dronk het heel snel leeg, zijn neusgaten trillend als vissenkieuwen die zuurstof innemen. Hij zette het glas neer en bromde een bedankje. Na een poosje stond hij op en rekte zijn magere rug. Hij rolde de kruiwagen naar voren en terug om hem uit te proberen en gaf hem toen aan mij. De wagen rolde gladjes en keurig recht vooruit.

'Als nieuw! Heel erg bedankt.'

Pepe haalde zijn schouders op en zijn mond vertrok zich tot de schaduw van een glimlach.

Die avond na het eten namen Lucinda en ik Alicia mee uit voor een wandeling in haar nieuwe rolstoel. De lucht was bezaaid met gouden lintwolkjes en kinderen lachten en speelden midden op straat honkbal. Maar heel af en toe reed er een auto voorbij om hun spel te onderbreken. We liepen, als altijd, in de richting van de oceaan om de donker wordende zee te zien en de eerste twinkelende lichtjes op de malecón. De geur van jasmijn hing in de lucht en mengde zich met mijn herinneringen.

Een tijdje sprak niemand en toen we stilhielden, keek ik naar beneden om te zien of Alicia weer sliep. Maar haar ogen waren wijdopen en stonden levendiger dan ik ze in dagen had gezien. Glimlachend wees ze op de bocht in de malecón. De lichtjes begonnen door de mist van de steeds dichterbij komende avond heen te dringen.

Ze nam mijn hand. 'Ik voel me nu zo gelukkig.'

'Mooi zo.'

'Toen je wegging, was ik bang dat je me zou vergeten. Ik kon jou niet vergeten omdat ik overal waar ik kwam dingen zag die me aan jou deden denken: meisjes met lange, zwarte paardenstaarten, tía's veranda, zelfs de palmbomen. Dit uitzicht hier,' zei ze, en ze hief haar tengere arm, 'doet me denken aan onze plannen om danseres bij de Copa Cabana te worden, weet je nog?'

'Volgens mij was dat jouw idee.'

'Misschien, maar je was het al heel gauw met me eens.'

Ik schikte Alicia's kussens, zodat ze rechterop kon zitten. 'Tegen jou viel niets in te brengen, nichtje. Ik heb het een paar keer geprobeerd, en het kwam er altijd op neer dat ik ruzie had met mezelf terwijl jij gewoon doorging met wat je dan ook op dat moment van plan was.'

Alicia lachte. 'Ik was vast onmogelijk… Een verwend nest.'

'Je was fantastisch… correctie: je bent fantastisch.'

Alicia zuchtte en ik hoorde het verdriet in haar adem. 'Was Tony maar hier. Ik geloof dat ik nu klaar ben om hem alles te vertellen. Ik voel me sterk genoeg.'

De zon was onder en de lichtjes van de malecón twinkelden uit alle macht, als een diamanten snoer om de hals van de mooiste vrouw ter wereld.

29

WE GINGEN DE VOLGENDE OCHTEND VROEG WEG, VOORDAT DE hitte van de dag de kans had haar nagels in het beton en de verkruimelde aarde te slaan. Alicia was moe terwijl ze in de hotsende kruiwagen zat, met de brief stevig in haar hand, alsof het een kaartje was dat ze ieder moment zou moeten laten zien.

Ze had hem mij die avond daarvoor gedicteerd, toen Lucinda sliep, in gefluisterde woorden die soms verdronken in het gezoem van de ventilator. Het was meer een verklaring dan een biecht. Hoewel Tony nu voor het eerst zou horen van haar werk in het hotel, betuigde ze alleen spijt over het feit dat ze niet gezond was gebleven. Het enige waar ze zich schuldig over voelde, was dat ze niet met hem mee kon op zijn vlucht naar de vrijheid.

... Ik heb nu, meer dan ooit, respect voor de keuzes die jij ge maakt hebt. Ik hoop dat je mij de mijne kunt vergeven en me je zult herinneren zoals ik was toen we verliefd op elkaar werden. Zo zie ik je altijd voor me: een knappe jongen die in tía Panchita's schommelstoel zit en die zo naar me lachte dat ik dacht dat mijn hart zou ophouden met kloppen. Wat een zegen om te weten dat de enige man die me dit gevoel kan geven, ook de man is die ik mijn echtgenoot noem, mijn dierbaarste schat.

Hoewel we in geen jaren in elkaars armen hebben geslapen, kan ik mijn ogen niet sluiten zonder je goedenacht te fluisteren en eraan te denken dat niets, zelfs niet de ondergang van dit prachtige eiland, onze liefde kapot kan maken. Nora is nog steeds bij ons. Ze is niet naar huis gegaan, zo-

als ik je in mijn vorige brief geschreven had. Alles gaat beter nu zij er is. Lucinda lacht meer en soms gedraagt ze zich zoals een twaalfjarige zich zou moeten gedragen, en niet als een vrouwtje van middelbare leeftijd met duizend zorgen aan haar hoofd. Wat moet ik doen, lief? Wat moet ik tegen haar zeggen? Kan ik haar zeggen dat haar papi gauw thuiskomt om voor haar te zorgen?

Ricardo keek fronsend naar de kruiwagen terwijl hij de brief die Alicia hem toestak in zijn zak stopte en de plastic tas van mij aannam.

Hij stak zijn hoofd erin zonder iets te zeggen en snoof hoorbaar, terwijl het zweet in zijn ogen droop. 'Heb je iets aan je benen?'

'Ik ben de laatste tijd erg moe, en Nora heeft deze kruiwagen gevonden zodat ik me makkelijker kan verplaatsen.'

Hij deed een stap naar achteren. 'Ben je ziek?'

Alicia lachte droogjes en probeerde haar benen uit de kruiwagen te zwaaien, maar ze slaagde er alleen maar in zich wat hoger op haar ellebogen op te duwen. 'Maak je geen zorgen, Ricardo. Wat ik ook heb, dat heb ik lang nadat jij en ik besloten... vrienden te zijn, opgelopen.'

Ricardo ontspande en nam zijn hand van zijn holster af. Hij keek nogmaals nauwlettend in de tas. 'Tony houdt van vers fruit. Ik zie hier geen vers fruit.'

'Dat kon ik deze week niet krijgen. Misschien volgende week.'

Ricardo bromde wat en wilde naar zijn wachtpost terugslenteren.

'Ik zal je goed betalen als Tony vrijkomt,' riep Alicia plotseling.

Ricardo draaide zich langzaam om en kneep zijn ogen in de hitte samen. 'Wat bedoel je?'

'Ik heb geld gespaard voor als Tony vrijkomt, zodat we hier weg kunnen.'

Hij beet op de binnenkant van zijn wang en knikte nadenkend. 'Ik laat het je weten als het bijna zover is.'

'Heb je geen brief voor me?' vroeg Alicia.

Hij draaide zich niet om toen hij antwoord gaf. 'Deze week niet.'

'Waarom niet? Is er iets met Tony? Is hij ziek?'

Ricardo stampte met zijn voeten, waardoor er een bruine stofwolk om hem heen ontstond. Het kostte hem duidelijk moeite om de heuvel op te lopen, en hij was boos omdat hij zich weer om

moest draaien. 'Hij heeft niets waar een dokter iets aan kan doen.'
'Wat wil je daarmee zeggen?'
'Kijk mens, heb jij ooit opgesloten gezeten?'
'Nee...'
'En jij?' vroeg hij, terwijl hij met een harige vinger in mijn richting wees. Ik schudde mijn hoofd.
'Een man wordt er anders door. Na een poosje kunnen ze vanbinnen sterven.'
'Mijn Tony sterft nooit vanbinnen. Zeg hem dat ik volgende week een brief verwacht.'
Ricardo draaide zich weer om en liep verder terwijl hij ons met een hand wegwuifde. 'Breng wat vers fruit mee, misschien heeft hij dan wel zin in schrijven. En een paar sigaretten kunnen ook geen kwaad.'
'Mijn Tony rookt niet.'
'Jouw Tony rookt al jaren.'

Alicia maakte zich de hele weg naar huis toe zorgen over Lucinda. We waren van plan als verrassing naar het strand te gaan en daar ook te picknicken, maar toen Lucinda hoorde dat haar papi niet geschreven had, was ze heel teleurgesteld. Pas toen we voorstelden dat we Beba mee zouden nemen, vrolijkte ze enigszins op.

Beba wilde graag mee toen we haar ophaalden, en Lucinda stond erop haar hand vast te houden tijdens de wandeling naar het openbare strand. Desalniettemin liet ze haar hoofd hangen en struikelde ze herhaaldelijk.

'Ik had zelf een brief moeten schrijven en net moeten doen alsof die van haar papi kwam,' fluisterde Alicia.

'Als ze op het strand is, voelt ze zich weer goed. Let maar op.'

Ik had gelijk. Toen Lucinda haar voeten in het zand kon graven en de schurende warmte tussen haar tenen door voelde glijden en de koele vochtigheid die eronder zat, hief ze haar hoofd in de richting van de oceaan en liep vol vertrouwen naar het geluid van de golven. Beba kon haar niet bijhouden en moest haar hand loslaten, anders was ze op haar gezicht in het zand gevallen. Lucinda liep alleen verder en Beba hielp de kruiwagen naar een schaduwrijk plekje onder een gedrongen palmboom duwen. We spreidden een deken uit en hielpen Alicia uit de kruiwagen het zand op, waar we haar installeerden.

Haar ogen waren op haar dochter gericht en glansden van liefde en angst. 'Iedereen die haar zo ziet, zou denken dat het een prachtig meisje is dat opgaat in haar dromen en wier hele leven nog voor haar ligt.'

'En daar zouden ze dan gelijk in hebben,' gaf Beba terug, terwijl ze de kussens voor Alicia opschudde en haar voeten, die altijd koud waren, bedekte.

'Ze heeft geen meisjesachtige dromen, Beba,' zei Alicia met een trilling in haar stem. 'Ze heeft volwassen zorgen. Ze maakt zich zorgen over mij en haar papi en dat ze misschien weg wordt gehaald.'

'Niemand haalt haar weg,' bracht ik haar in herinnering.

Alicia's ogen keken me dankbaar aan. 'Ik weet dat jij zult doen wat je kunt om te zorgen dat dat niet gebeurt, maar je bent hier nog maar kort. Binnenkort tast het jou ook aan, zoals het ons allemaal aantast. De macht die deze regering heeft om je keel dicht te drukken en iedere ademteug die je hebt te stelen is iets wat jij nog niet aan den lijve hebt ondervonden, en ik ben bang dat als dat gebeurt...'

'Ik laat niet toe dat ze haar meenemen,' herhaalde ik.

'En Jeremy? Hoe moet het met je man, die je iedere minuut dat je hier bij ons bent mist?'

'Hij begrijpt het.'

Alicia keek kwaad, zoals ze deed als ze dacht dat ik niet eerlijk was. 'Als ik wist dat mijn Tony ergens op me wachtte, zou ik alles doen om naar hem toe te gaan. Een man die echt van je houdt is een geluk waar je niet mee moet spelen. Stel dat hij het wachten beu wordt?'

'Als hij echt van me houdt, wordt hij het wachten niet beu.'

Alicia liet haar ogen rollen en hoestte. 'Maar nu is hij kwaad op je. Ik weet het zeker.'

Beba luisterde naar ons terwijl ze een oogje op Lucinda hield, die langs de waterrand liep en zorgvuldig met haar tenen voelde waar ze moest stappen. Beba legde een hand op Alicia's knie. 'Wees rustig, kindje. Nora kent haar man beter dan jij, en wat ze over Lucinda zegt, kun je geloven. Beba zal erop letten dat niemand Lucinda ooit ergens mee naartoe neemt waar ze niet heen wil.'

Dit stelde Alicia voldoende gerust, en ze kon rustig een dutje doen in de schaduw van de palm.

Ik deed al voor de derde keer een poging Jeremy te bereiken. De stem op het antwoordapparaat waarnaar ik luisterde was de mijne, maar ik klonk niet meer als mezelf. De vrouw die aan me vroeg mijn naam en telefoonnummer achter te laten, straalde een luchthartige onschuld uit die je had als je weinig problemen en een overvloed aan oplossingen had. De stem van de vrouw die een boodschap achterliet was treurig en rusteloos, vol van het soort zorgen dat je hart en geest zo zwaar neerdrukt dat je voetzolen er pijn van doen.

Weer werd er niet opgenomen en ik rekende snel uit hoe laat het in Santa Monica was. Elf uur 's avonds. Waar was hij? Hij was niet het type om nog laat uit te gaan. Ik overwoog mijn ouders te bellen. Ik was nu bijna een maand weg. Ze zouden vast niet meer boos zijn, en op een verstandige manier met me kunnen praten. Ik dacht hierover na met mijn hand op de hoorn in de openbare telefooncel.

Godzijdank dat er maanlicht was, dat de straat verlichtte nu de straatlantaarns allang uit waren. Het was gevaarlijk nu buiten te zijn. De misdaad nam toe, vooral in Havana, en diefstal was niet meer zo ongewoon als vroeger. Met name toeristen werd gezegd voorzichtig te zijn, maar ik troostte mezelf met de wetenschap dat ik er niet meer als een toerist uitzag. Ik had de meeste kleren die ik had weggeven en had maar één goede jurk bewaard voor als ik weer naar huis ging. Ik droeg nu een strakke korte broek, een T-shirt van Jeremy en plastic teenslippers. Dit was het uniform van de Cubaanse vrouw die zich erbij had neergelegd dat er geen reden meer was om elegant te zijn: ze wordt niet meer uitgenodigd op de feesten die ze van de malecón hoort afspatten en die ze als een andere wereld vanuit de verte ziet glitteren.

Iedereen lag lekker te slapen toen ik thuiskwam. Het was voor het eerst in een week dat we de ventilator niet aan hoefden te zetten. Ik hoorde het gedruppel van de kraan in de keuken en hield mezelf voor dat we geluk hadden dat we stromend water in huis hadden, dat er heel veel mensen in appartementen woonden waar de waterleiding na jaren verwaarlozing weggeroest was en waarvan de bewoners afhankelijk waren van openbare waterpunten op straat. Had ik echt een afwasmachine in mijn keuken, die ik zelden gebruikte omdat wij maar met z'n tweeën waren? Was het waar dat ik regelmatig twee keer per dag douchte? Sinds ik hier was, was het me gelukt me om de twee à drie dagen staande in de badkuip met koud water te wassen.

Ik sloeg het dunne laken op mijn bed terug en ging stilletjes liggen, om het zachte ritme van de slaap in de kamer niet te verstoren. Morgen zou ik vroeg opstaan en water op het gasstel koken voor een echt warm bad. En voor Alicia en Lucinda zou ik dat ook doen. Dan waren we fris, en klaar om te doen wat de dag van ons vroeg.

30

Het duurde eeuwen voor al het water kookte, en er waren drie grote ketels nodig om de kuip met koud water te veranderen in een prettig, schuimend warm bad, waarin ik mezelf met ongehoord plezier liet zakken.

'Waarom doe je dat, tía?' vroeg Lucinda. Haar gouden gezichtje stond nieuwsgierig. Haar nog wat opgezette ogen getuigden van een ononderbroken nachtrust.

'Het is heerlijk een warm bad te nemen. Als ik klaar ben, maak ik er een voor jou.'

Ze giechelde en schudde haar verwarde krullen. 'Mami zegt dat ze me vroeger, toen ik nog een baby was, in bad stopte. Maar nu niet meer.'

'Je vind het vast lekker. Slaapt je mami nog?'

'Ze is net wakker en ik heb wat te eten voor haar klaargemaakt. Wil jij wat?'

'Straks.'

Lucinda deed de deur achter zich dicht en ik bleef nog wat langer liggen weken. De afbladderende verf van de badkamer hing langs de muren in lange, schimmelige krullen, die me deden denken aan het mos dat uit de bomen langs de weg naar het huis van tía Panchita hing. Misschien zou dat een interessant tochtje voor vandaag zijn. Ik zou Berta, die de afgelopen dagen thuis was geweest, vragen naar de naam van degene die haar de auto had geleend. We konden onderweg bij een toeristenwinkel stoppen, dan kon ik eten voor een picknick halen. Ik hoopte dat Alicia zich tot het tochtje in staat voelde. Het feit dat ze ontbeet, was een goed teken.

Lucinda bleef nog langer in het bad liggen dan ik. Ze hield zich een hele tijd aan de zijkanten vast, terwijl ze voor het eerst van haar leven het zachte, zijdeachtige gevoel meemaakte van badschuim, dat ik uit de Verenigde Staten had meegenomen. Ze glimlachte verbaasd om die sensatie en haar zeegroene ogen sprankelden van leven. Ik vond het nog steeds moeilijk te geloven dat zulke prachtige ogen de wereld om haar heen niet konden zien.

'Tía, dit water is nog warmer dan de oceaan.'

'Vind je het niet heerlijk?'

Ik legde zachtjes mijn hand op haar hoofd, zodat ze wist dat ik vlakbij was. 'Hou je hoofd nu een beetje achterover, dan zal ik je haar wassen.'

Lucinda deed wat haar gezegd werd en kneep haar ogen stijf dicht. Het was een enorme onderneming haar dikke, krullende haar te wassen, en mijn knieën deden pijn tegen de tijd dat ik klaar was met uitspoelen. Ik kon me voorstellen dat Lucinda's nek ook pijn deed, maar ze klaagde niet.

Alicia voelde zich beter en ik mocht haar helpen in bad te gaan en ook haar haar wassen. Ik probeerde niet te huiveren toen ik haar gouden lokken door de afvoer weg zag spoelen. Ze had nog maar de helft van het haar van vroeger; ik draaide het in een strakke, modieuze wrong achter in haar nek, zodat het niet zo opviel.

We stonden allemaal netjes aangekleed klaar om te vertrekken toen Berta haar kamer uit kwam; haar zwarte haar zat in de war en vormde een onvoorstelbaar dikke bos. Ze knipperde met haar ogen en zette haar handen op haar brede heupen. 'Wat hebben we hier? Klaar voor de catechismus?' In zichzelf grinnikend liep ze langzaam naar de badkamer.

'Berta, we willen vandaag een auto huren. Die auto waarmee je me van het vliegveld hebt gehaald was prima. Hoe kom ik daaraan?'

Berta keek even verward. Ze dacht na terwijl ze haar nagelriemen bekeek. 'Hij is van een vent die aan het eind van de straat woont. Ik heb hem moeten betalen... je weet wel... niet met geld.'

Ik bloosde. 'Dat begrijp ik. Maar ik neem aan dat hij ook geld aanneemt?'

'Ik denk het wel. Het is het huis met de blauwe deur,' zei Berta, terwijl ze in de badkamer verdween, waar ze ongetwijfeld de rest van de ochtend zou doorbrengen.

Lucinda en Alicia wachtten terwijl ik de straat op ging, op zoek naar het huis met de blauwe deur. Ik vond het direct en toen ik aanklopte, bedacht ik dat ik Berta niet naar de naam van de eigenaar van de auto had gevraagd. Na een paar seconden werd de deur geopend door een vermoeid uitziende vrouw van midden of achter in de dertig, die een voortand miste. Ze bekeek me wantrouwig en haalde haar magere schouders op. 'Carlos is gisteravond weggegaan en hij is nog niet thuis. Hij is waarschijnlijk zo zat als een tor en ligt ergens zijn roes uit te slapen. Ik weet niet wanneer hij terugkomt.'

'Kunt u me helpen?'

De vrouw gebaarde dat ik binnen moest komen en haar moest volgen door groezelige kamers vol kapot meubilair en gereedschap, naar een plaatsje achter het huis. Zonder te kijken of ik haar volgde of niet, schopte ze een dubbele deur open, waarmee ze de glanzendblauwe Chevrolet onthulde die ons op mijn eerste dag hier van het vliegveld naar huis had gebracht. Zo te zien was hij pas nog gepoetst en het chroom glom in het ochtendlicht, waardoor het net een vrolijk gekleurde tekening in een oude zwartwitfoto leek.

'Deze auto is de hemel voor mijn man, en voor mij de hel. Wat mij betreft neemt u hem mee en rijdt u hem de oceaan in.'

'Eigenlijk wil ik hem alleen voor vandaag huren, om mee naar Guines te rijden. Ik breng hem voor de avond terug.'

'Ik vind het best.'

'Ik betaal ervoor.'

'Ik zei toch dat ik het best vind?' Ze liep het huis weer in, met mij op haar hielen, en rommelde in een la tot ze een stel sleutels vond, die ze me toewierp. 'Maar het is een stuk moeilijker om aan benzine dan om aan een auto te komen, hoor.'

Ik keek naar mijn plastic slippers, bijna identiek aan die van haar, naar mijn strakke short en hemdje. Mijn haar zat in een paardenstaart en ik droeg geen make-up. 'Hoe wist u dat ik toerist ben?' vroeg ik.

Voor het eerst glimlachte ze. Eens was ze mooi geweest, dacht ik, en ik stelde me haar voor, elegant op hoge hakken en met een bijpassende tas terwijl ze de avenues af slenterde en mannen hun hals strekten om een glimp van haar op te vangen. Carlos was ongetwijfeld een van hen geweest en hij had haar vast stevig achternagelopen.

'Ik zie het altijd of het Cubanen zijn die teruggekomen zijn,' zei ze. 'Ten eerste hebben ze geld om aan zaken als auto's of klaargemaakt eten te besteden. Een Cubaan zou me zeep aanbieden, of een zak uien, of' – ze snoof met een zure uitdrukking op haar gezicht – 'of iets anders. Maar ik zie het vooral aan uw handen. Mag ik?' Ze nam mijn hand en hield hem naast de hare. 'Ik denk niet dat ik veel ouder ben dan u, maar ziet u?' Het verschil was aangrijpend. Haar handen waren opgezwollen en gerimpeld, met dikke knokkels en nagels die bij de nagelriemen grijs en schimmelig waren. 'Dat komt van het koude water en het bleekmiddel om kleren te wassen en de afwas te doen. Als ik geen zeep meer heb, moet ik bleekwater gebruiken of helemaal niets. De enige vrouwen die niet dit soort handen hebben zijn toeristen of prostituees.'

De vrouw vertelde me dat ze Lourdes heette, en we praatten eventjes over haar twee kinderen, die weg waren naar school en maar één weekend in de maand thuiskwamen. Ze wilde over de Verenigde Staten horen, en zei dat ze vrienden had die een paar maanden geleden op een vlot gevlucht waren. 'Ik weet niet of ze het gehaald hebben.'

Ik was klaar om te gaan, zwaaide de sleuteltjes als een trofee heen en weer. Nu moest ik alleen nog maar aan benzine zien te komen. Hoe moeilijk was dat? 'Wordt Carlos niet razend als hij thuiskomt en merkt dat de auto weg is?'

Lourdes wierp haar armen in de lucht. 'Ik ben niet bang voor zijn woede. Trouwens, hij wist ook niet dat hij vanochtend op zijn werk verwacht werd. Waarom zou hij dan wel weten dat hij een auto heeft?'

Lourdes noemde mensen in de buurt die misschien benzine te koop hadden en raadde me aan daar eerst achteraan te gaan voor ik de auto meenam. Anders verspilde ik al zoekend de benzine die nog in de tank zat. Ik was het met haar eens en ging meteen op weg. Ik kwam er al snel achter dat Lourdes niet overdreven had. De eerste twee mannen die ik erom vroeg, vertelden me direct dat ze pas halverwege de volgende week benzine zouden hebben, maar dat ik, als ik van tevoren betaalde, een korting kreeg. Ik ging niet in op het aanbod, en liep verder naar de volgende. Het was al bijna middag toen ik me erbij neerlegde dat onze plannen tot volgende week zouden moeten wachten, en ik overwoog terug te gaan naar de man die me het fatsoenlijkst had geleken, en van wie ik dacht dat ik er de minste kans zou lopen opgelicht te worden als ik van tevoren betaalde. Ik kon Lourdes vragen of dat de gewoonte was.

Ik besloot eerst naar huis te gaan en Alicia en Lucinda te vertellen hoe het ervoor stond, maar tot mijn verrassing was er niemand thuis. Zelfs Berta was nergens te vinden, hoewel haar kamerdeur openstond en de radio stond te schetteren. In de keuken was de afwas nog niet gedaan, zag ik. Lucinda deed die altijd voor ze wegging, uit angst mieren aan te trekken.

Ik ging naar buiten en zag Pepe op zijn stoepje zitten, met geknepen ogen turend in de heiigheid van de zomer zonder eind, terwijl hij een sigaret rookte. Hij keek amper op toen ik naar hem toe liep, hij wist al wat ik wilde vragen.

'Ze zijn de straat uit gelopen, die kant op,' zei hij en hij maakte met zijn vrije hand een gebaar. 'Meteen nadat een man die ik nog nooit eerder heb gezien hier overal aanklopte en naar een blind meisje vroeg. Ik heb hem die kant op gewezen.' Hij wees in de tegenovergestelde richting van ons appartement. 'En toen heb ik hun gezegd dat ze maar eens een wandelingetje moesten gaan maken.'

Mijn hart sloeg over van angst. Kwamen ze Lucinda halen? Of misschien had Ricardo tegen de autoriteiten gezegd dat Alicia ziek was en kwamen ze haar halen om haar naar een concentratiekamp te brengen. Ik stikte bijna, zo droog was mijn keel. 'Zag die man er officieel uit?'

Bij deze vraag keek Pepe een beetje verward. 'Officieel? Hij had goeie schoenen en een schoon overhemd.'

Mijn ergste vrees werd aldus bevestigd en ik rende struikelend op mijn slippers de straat af in de richting die Pepe had aangegeven. Ik keek in de nauwe steegjes die vol lagen met bergen vuilnis. Ik stelde me voor hoe bang Lucinda zich moest voelen, en hoe ellendig en verwarrend dit voor Alicia moest zijn. Berta deed waarschijnlijk wat ze kon om te helpen, maar zij wist niet hoe ze met dit soort lui om moest gaan. Ze maakte het waarschijnlijk alleen maar erger door seksuele gunsten aan te bieden in ruil voor Lucinda's vrijheid. Ik was bijna hysterisch toen ik bij de malecón kwam.

Het eerst hoorde ik de stem van Lucinda. Een zachte, zoete melodie, die kwam aanzweven alsof hij uit de hemel kwam, en toen ik me omdraaide naar het geluid viel ik bijna op mijn knieën. Ze liep daar vol zelfvertrouwen, babbelend en glimlachend, met haar hand op een handvat, terwijl Berta Alicia in de kruiwagen voortduwde. Berta was de eerste die me zag, en ze keek ernstig.

Toen ik bij hen was, drukte ik Lucinda tegen me aan. 'We zijn uit het raam van Berta's kamer geklommen,' vertelde ze opgewonden. 'We moesten haar helpen vluchten voor haar man, want als hij haar vindt, dan slaat hij haar een blauw oog, net als de vorige keer.'

Ik keek naar Alicia's gezichtsuitdrukking. Ze leek opgelucht en dankbaar dat ik het kennelijk begreep, maar er sloop iets van berusting in haar houding, iets wat ik daar nooit eerder had gezien. Ik richtte mijn aandacht weer op Lucinda. 'Goed gedaan, meisje, maar ik heb Pepe net gesproken en hij vertelde me dat die man van Berta weer weg is, dus we kunnen nu weer naar huis.'

Later, toen Alicia er zeker van was dat Lucinda haar niet kon horen, fluisterde ze me iets toe waarmee ze mijn vermoedens bevestigde. 'Ik heb die man gezien. Ik weet zeker dat hij van het ministerie van Onderwijs is en dat hij haar kwam halen.'

'Maak je daar nu maar geen zorgen over,' zei ik, verschrikt dat ze er opeens zoveel slechter uitzag; haar ogen waren hol van vermoeidheid.

Toen Alicia later die middag wakker werd, was Beba er. Ze was langsgekomen om te zien hoe het ging. Beba schrok toen ze van de gebeurtenissen van die dag hoorde, maar nog meer baarde de lichamelijke achteruitgang van Alicia haar zorgen.

Ze sprak haar vriendelijk maar beslist toe. 'Als je morgen naar mijn huis komt, help ik je met de pijn.'

Ik zag dat Alicia tegen wilde werpen dat ze zich goed voelde, maar Beba hief een lange, benige vinger om haar het zwijgen op te leggen. 'Je ogen zijn vol pijn. Kom me morgen opzoeken, dan voel je je beter.'

31

LUCINDA EN IK ZATEN OP DE KLAPSTOELEN TEGEN DE MUUR. DE dunne gordijnen waren dicht en omdat de zon moeite had in de nauwe steeg Beba's raam te bereiken, was de kamer zo donker alsof het midden in de nacht was. Talloze kaarsen zorgden dat er genoeg licht was. Beba droeg een witte tulband, hoog op haar hoofd in elkaar gedraaid, de tulband die ze vóór de Revolutie gedragen had, en rond haar hals hingen snoeren rode en gele kralen, die tinkelden terwijl ze door de kleine kamer liep.

Ze had een grote, ijzeren kuip in het midden van de kamer gezet, waar Alicia nu in zat. Met neergeslagen ogen liet Beba haar handen zonder Alicia aan te raken over haar hoofd en lichaam glijden. Dit duurde een paar minuten, en toen begon ze zacht te zingen en goot geurige olie over Alicia's hoofd.

Eerst had Alicia niet willen meedoen. Toen ze wakker was, had ze gezegd dat ze zich niet goed genoeg voelde om die dag iets anders te doen dan in haar bed te liggen en uit het raam te kijken. Iedere ademhaling deed haar pijn en ze zag eruit als iemand die wachtte, en verder niets, omdat ze niets anders kon doen. Lucinda ging naast haar op bed zitten en probeerde haar over te halen iets te eten, maar Alicia wilde zelfs geen slokje water hebben. In deze ene nacht leek ze weer wat verder uit het leven weggegleden te zijn. Haar huid was geel en zat strak over haar prachtige jukbeenderen; de huid van haar schouders was dun als verbandgaas.

'Ga jij maar,' zei ze hoestend. 'Ga jij maar uit en geniet van de dag.' Ze zei niet dat Lucinda met me mee moest gaan. Het was duidelijk dat ze haar dochter bij zich wilde houden. Ze sloot haar ogen en lag heel stil. Toen deed ze ze wijd open en keek me plotseling angstig aan. 'Waarom zeg je toch dat Beba altijd gelijk heeft, Nora?'

'Tot nu toe heeft ze altijd gelijk gehad. Ze weet dingen; ze ziet dingen.'

Alicia sloot haar ogen weer. 'Dan ga ik naar haar toe. Ik ga naar haar toe om te zien of zij ervoor kan zorgen dat deze pijn verdwijnt.' Het was voor het eerst dat Alicia überhaupt toegaf dat ze pijn had.

Beba schepte keer op keer met een schitterende roze schelp warm water uit het bad op en goot dat over Alicia heen. Alicia sloot haar ogen en Beba zong diep in haar keel een lied dat van nog dieper scheen te komen, uit het diepst van haar buik, tot de muziek de kamer en alle ruimte tussen ons in opvulde. De woorden waren niet Spaans maar Afrikaans en de klanken waren rond, vloeiend en prachtig. We begonnen in het flakkerende kaarslicht heen en weer te wiegen tot we ons helemaal ontspannen voelden. Ik had mijn ogen gesloten, maar deed ze af en toe open om naar Alicia te kijken, die ineengedoken, met gebogen schouders in het bad zat en eruitzag alsof ze in slaap gevallen was, wat ze de laatste tijd steeds vaker deed. Plotseling ging ze rechtop zitten, alsof er een stroomstoot door haar ruggengraat was gegaan, maar Beba veranderde het tempo en ritme van haar gezang niet. Ze leek de verandering die wij zo opvallend vonden, niet eens op te merken.

Ik voelde Lucinda naast me huiveren en pakte haar hand vast. Hij was warm en droog, niet zweterig en vochtig als de mijne. Beba's ogen gingen op een kiertje open en ze sprenkelde een handje zoetruikende kruiden in het bad. Haar gezang nam in intensiteit toe en haar gezicht begon samen te trekken, alsof onzichtbare handen aan de losse huid van haar wangen en voorhoofd trokken. Ze haalde een slagersmes uit haar rokzak en hield het naar voren, zodat het lemmet blonk in het flakkerende kaarslicht. Toen begon ze Alicia's jurk stukje bij beetje weg te snijden, tot Alicia helemaal naakt was, met stukken natte stof die aan haar plakten, en aan de badkuip en ook aan Beba.

Zelfs in het zwakke licht was het pijnlijk om naar Alicia's uitgemergelde lichaam te kijken en ik was dankbaar dat Lucinda haar niet kon zien. Ze was niet meer dan een schim van een menselijke gedaante, een breekbare verzameling botten en huid, hier en daar gevlekt met frambooskleurige plekken. Op dat moment besefte mijn eens zo prachtige nichtje dat ze naakt was en ze sloeg haar armen voor haar eens zo prachtige borsten die haar sensuele figuur gesierd hadden. Ze keek even verlegen naar me, en zag dat mijn ogen vol tranen stonden.

'De pijn zal je verlaten, kind,' zei Beba met haar zangerige stem, haar ogen weer gesloten. 'Vraag me wat je wilt weten.'

Ik had er geen idee van wat Beba hiermee bedoelde, maar Alicia wel. 'Zie ik Tony voor ik sterf?' vroeg ze, haar stem vol moed.

'Niet zoals je hem hoopt te zien.'

'Ik hoop hem gezond te zien, en dat hij zich goed voelt.'

Beba begon heen en weer te zwaaien en toen knielde ze en legde een hand op Alicia's schouder. 'Hij voelt zich goed, en zo zul je hem zien. Goed en vrij.'

'En Lucinda? Zullen mijn Tony en Lucinda samen vrij in Amerika wonen?'

'Dat is niet voorbeschikt. Het kan niet zo zijn,' luidde het snelle antwoord van Beba. Te snel, want het was een wrede klap.

'Waarom niet, Beba? Ik heb het geld. Waarom kan het niet zo zijn?'

Beba deed haar ogen open en keek dwars door Alicia heen. 'Tony kan niet met jou en Lucinda vrij zijn.'

Alicia begon te huilen en te trillen en ik stond op om naar haar toe te gaan, maar Lucinda kneep in mijn hand en ik bleef staan.

Beba richtte haar blik op het plafond. 'Tony wacht al lange tijd op je. Bijna twee jaar. Hij ziet je nu en hij wacht tot je oversteekt en bij hem zult zijn.'

'Dat kan niet. Tony is hier en...' Alicia liet haar woorden en gedachten zweven en oplossen in het warme water dat haar omgaf. 'Tony is al dood.'

'Hij wacht op je, mijn kind,' zei Beba.

Alicia sliep diep terwijl Lucinda en ik de hele dag in Beba's appartement wachtten en zachtjes fluisterden. We waren beiden ontdaan door Beba's onthulling, maar toen ik haar vragen stelde, hield ze zich op de vlakte.

'Als ik in trance ben, dan heb ik geen greep op wat ik zeg, Nora.'

'Maar stel dat Tony niet dood is?'

Beba maakte zich geen moment druk om deze mogelijkheid. Ze blies een voor een de kaarsen uit en schudde vastberaden haar hoofd. 'Wat gebeurd is, is gebeurd,' zei ze.

Ik richtte mijn aandacht erop Alicia klaar te maken voor onze korte tocht naar huis. Met ingestopte dekens en de kussens in haar rug liepen we met z'n drieën de gang door.

'Laat haar zo lang mogelijk slapen,' zei Beba. Haar witte tulband glansde in de donkere gang. 'Voor vanavond twaalf uur wordt ze wakker, en dan is alles beter.'

Alicia werd precies om kwart voor twaalf wakker. Haar ogen gingen plotseling open en ze stonden helder, alsof ze helemaal niet geslapen had maar in een geanimeerd gesprek verwikkeld was geweest. Ze legde haar hand op Lucinda, die naast haar lag, en Lucinda werd ook wakker. Ze had niet van haar moeders zijde willen wijken sinds we terug waren en had voortdurend vragen over haar vader gesteld: of hij echt dood was en wat het hele gebeuren bij Beba betekend had. Ik had amper geweten wat ik tegen haar moest zeggen.

'Ik heb dorst,' zei Alicia. 'Mag ik wat water?'

Lucinda sprong op van het bed en liep haastig naar de keuken. Alicia wenkte me om naast haar te komen zitten. 'Ik voel me zo licht als een veertje. De pijn die zich de hele tijd strak om me heen wikkelde en het leven uit me kneep, is nu heel ver weg, als een sterretje dat naar me knipoogt, maar dat me geen kwaad kan doen.'

'Wat fijn, Alicia.'

Ik pakte haar hand beet en zij drukte de mijne met verrassend veel kracht. 'En de ogen van Tony zijn dichterbij dan de pijn. Ik weet dat hij daar is, ik kan hem zien. Ik heb net over hem gedroomd. We dansten samen op zee. We zweefden boven de palmbomen en we zagen Cuba onder ons, als een teer blad dat op de rivier voortdrijft. Het dreef naar een gigantische waterval en toen spoelde het over de rand en kwam heel diep beneden neer.' Alicia glimlachte. 'En er was niets mis mee, helemaal niets.'

'Je moet nog wat rusten, Alicia. Dat heb je nu nodig.'

Haar ogen vlogen open en ze was weer een kind, slim en verbazingwekkend, met een geest die net zo snel en wendbaar was als een kleine kolibrie die tussen de bloemen rondfladdert. 'Alles komt in orde, Nora. Maak je maar geen zorgen meer.'

De volgende ochtend ging ik vroeg op pad om Ricardo te bezoeken. Het was niet de gewone dag waarop we hem troffen en ik had er geen idee van of hij wel dienst had, maar ik besloot dat als hij er niet zou zijn, ik zelf bij het kantoortje van de gevangenis naar Tony zou informeren. Ik had niets te verliezen, en niets te verbergen.

Toen ik aankwam, zag ik niemand bij de wachtpost staan,

maar toen kwam Ricardo vanachter het gebouwtje tevoorschijn, terwijl hij zijn broek dichtritste. Ik huiverde bij de gedachte hoe vaak Alicia hem in een vergelijkbare situatie had gezien. Hij rechtte zijn rug toen hij me zag, snoof luidruchtig en aaide even snel met zijn harige hand over zijn revolver om te zien of die er nog steeds was.

'Dit is de bezoekersingang niet,' zei hij nors tegen me. 'U moet naar de andere kant.'

'Ik ben geen bezoeker. Ik ben de nicht van Alicia. U hebt me al eerder gezien.'

Ricardo keek me vanonder zijn overhangende, zweterige wenkbrauwen nauwlettend aan. Hij liet zijn tong over iets in zijn mond glijden en spuugde het toen uit, een hoop glinsterend slijm op de aarde. Hij spreidde zijn benen en hield zijn hand stevig op zijn revolver. 'Wat wil je? Dit is niet de gebruikelijke dag.'

'Ik heb reden om aan te nemen dat Tony Rodriguez dood is, al een behoorlijke tijd.'

Ricardo knipperde het zweet uit zijn ogen, maar zei niets.

'Je kunt me nu de waarheid zeggen, of ik ga naar binnen en dan kom ik er zelf wel achter, maar ik denk niet dat jij last wilt.'

Ricardo ontblootte zijn grote, gele tanden en zijn lip trilde. 'Wat voor last kun jij me bezorgen?'

Ik deed een stap naar voren. 'Ik kan ze vertellen dat je een hulpeloze weduwe geld afperst, en dat je haar dwingt je voedsel te brengen en je seksuele gunsten te verlenen.'

Ricardo's grijns verbreedde zich tot een droge lach. 'En hoe ga je dat bewijzen? Zulke dingen kan ze geen flikker schelen. Ze zullen me niks doen.'

Ik twijfelde er niet aan dat hij gelijk had, en de hulpeloosheid die ik voelde, in combinatie met de haat die ik jegens Ricardo koesterde, was bijna onverdraaglijk. Opeens bedacht ik iets, me ingefluisterd door mijn herinnering aan het gezicht van Ricardo bij ons laatste bezoek, toen Alicia gezegd had dat Berta de volgende keer misschien de spullen zou komen brengen.

Ik hief mijn hoofd op. 'Ik denk dat de autoriteiten hier het heel interessant zullen vinden om te horen dat je de ziekte hebt.'

'Waar heb je het over?' Ricardo's zwarte ogen draaiden razendsnel rond in hun kassen. 'Alicia zei dat ze het gekregen had nadat...'

Ik deed een stap naar voren en ving zijn wegkijkende ogen in een stalen blik. 'Ik heb het niet over Alicia...'

Zijn kraalogen vlogen wijd open en hij stotterde. 'Berta is gezond, net een jonge koe, en ik... ik voel me prima.'

'Hoe verklaar je dan het zweet dat van je gezicht af druipt? En die gele kleur van je oogwit?'

Ricardo's handen vielen slap langs zijn zij, terwijl hij nadacht over de kans op overlijden of gevangenschap in de sanatoria waar ze iedereen, zonder aanzien des persoons, in opborgen: of je nu jong of oud was, een misdadiger of een heilige. We wisten allebei dat iemand die ervan verdacht werd de ziekte te hebben gedwongen werd zich in zo'n moderne leprakolonie te laten opsluiten, tot hij wegkwijnde en stierf.

Hij leunde tegen zijn wachthuisje aan, een man die opeens besefte dat zijn ondergang nabij was. 'Tony Rodriguez is ongeveer twee jaar geleden gestorven. Hij is bij een vluchtpoging betrapt en ze hebben hem doodgeschoten.'

'Sturen ze de familie dan geen bericht?'

'Het is niet moeilijk om de post te onderscheppen. Ik heb een vriend betaald om me te helpen.'

Ik balde mijn handen tot vuisten toen ik dit hoorde en mijn nagels boorden zich diep in mijn handpalmen. 'Je hebt de liefde en het vertrouwen van een goede vrouw uitgebuit. Je bent nog erger dan een rioolrat.'

'Het was een goed zaakje, ik wilde niet dat er een eind aan kwam,' zei Ricardo met moeite. Hij likte zijn lippen af. 'Zij had er ook wat aan.'

'Je bent een smeerlap.'

'Ik ben een overlever,' verbeterde hij me, terwijl hij me van top tot teen opnam. 'Moet je jou daar zien staan met je plastic schoenen, alsof je een van ons bent. Je weet niet wat het is. Over een paar dagen ga jij weer terug naar je luxeleventje, maar wij blijven hier wegrotten. We doen wat we moeten doen, jij zou hetzelfde doen.'

Mijn ogen werden wazig en warm, mijn oren begonnen te suizen en te knallen door het onregelmatig bonzen van mijn hart. Ik wilde wegrennen en met mijn vuisten tot bloedens toe tegen een muur slaan. Ik wilde de pijn voelen die Alicia had geleden, en vooral wilde ik Ricardo doden.

Ik bukte me naar een van de vele stenen die op de oneffen weg lagen, maar Ricardo had zich al omgedraaid. Hij geloofde dat ook hij stervende was, dat het niet lang meer zou duren voordat ook hij rondgereden zou worden in een kruiwagen, als hij geluk had.

Ik gooide hem uit alle macht de steen achterna, maar hij kwam neer op een paar meter afstand en maakte niet eens genoeg lawaai om hem van zijn martelende gedachten af te leiden.

Dit keer lukte het me benzine te vinden, en Lourdes gaf me de sleutels nadat we samen snel een kopje heel sterke koffie hadden gedronken. 'Als het enigszins kan, moet je 's avonds niet rijden. De lichten doen het niet,' waarschuwde ze me.

De blauwe Chevrolet hobbelde de kapotte straat uit als een oude man die hoestte. De benzine was goedkoop, de banden waren versleten, maar hij zou ons daar brengen waar we naartoe moesten. Alicia was sinds de dag daarvoor weer verzwakt en het werd moeilijker voor haar de kracht op te brengen nog iets te zeggen. Meestal zat ze naar Lucinda te kijken; haar onmogelijk grote, groene ogen probeerden zo veel mogelijk in zich op te nemen. Lucinda bleef steeds dicht in de buurt, zodat haar moeder haar telkens aan kon raken. Meer dan eens zag ik haar teruglachen als Alicia naar haar glimlachte.

Toen we eenmaal op weg waren, bleef Alicia wakker maar ze vroeg niet waar we naartoe gingen. We zaten met z'n drieën op de voorbank en Alicia klemde de hand van haar dochter vast.

Het kostte ons bijna twee uur over de kustweg om er te komen, maar toen we er waren, was er ook geen twijfel mogelijk waar we waren. De koningspalmen verwelkomden ons als oude vrienden en het brede strand van fijn zand waaierde uit naar de zee. Er stond een gloednieuw hotel en het krioelde van de toeristen in kleurige badpakken, handdoeken over hun schouder of als een sarong om hun middel geslagen. Het was duidelijk dat wij geen toeristen waren.

Ik parkeerde de auto een paar blokken van onze uiteindelijke bestemming en zette Alicia in de kruiwagen. Lucinda nam haar plaats naast me in, een hand op het handvat, haar ogen strak vooruit gericht.

Ze hadden langs de rand van ons strand een indrukwekkend hek opgetrokken, met dikke, gebogen palen, die er als de omgekeerde ribbenkast van een walvis uitzagen. Voor mij zou het al heel moeilijk zijn om eroverheen te klimmen, maar met Alicia en Lucinda erbij was het onmogelijk. Onze enige hoop was onopvallend bij de ingang van het hotel te blijven wachten op een gelegenheid om ongemerkt langs de hoofdingang naar binnen te gaan. We wachtten bijna een uur op een bankje vlakbij, maar de gelegenheid deed zich niet voor. Het was waarschijnlijk nog makkelijker uit de staatsgevangenis te ontsnappen dan op ons strand te komen. Ik hield mezelf voor dat, hoeveel nieuwe hotels er ook waren, of regels dat de Cubanen niet van de stranden gebruik mochten maken, Varadero van ons was, en dat dat altijd zo zou blijven.

Ik begon het gevoel te krijgen dat de situatie hopeloos was toen ik een groep werklieden door het hek naar binnen zag gaan, beladen met bouwmaterialen. Een man vervoerde zijn bakstenen zelfs in een kruiwagen die veel op de mijne leek. De wacht vroeg niet wie ze waren en keek amper op toen ze langsliepen. Ik drukte Lucinda op het hart niet van haar moeders zijde te wijken tot ik terugkwam en rende toen terug naar de auto. Nog nooit was ik zo dankbaar geweest voor een stapel vuile was. Het was duidelijk dat Lourdes' man eindelijk naar zijn werk was geweest en dat hij, gelukkig genoeg voor ons, vergeten was zijn vuile kleren uit de auto te halen. Ik trok een ruime broek aan, onder het vet en de verf, en een groot T-shirt dat onder de oksels geel verkleurd was. Ik kon zelfs uit twee petten kiezen. Ik nam die met de grootste klep en pakte zo veel mogelijk vuile handdoeken bij elkaar.

Ik zette Lucinda naast Alicia in de kruiwagen en bedekte hen met de handdoeken, die ik net zo lang bleef schikken tot ik vond dat ze voor een stapel hout of steen konden doorgaan. Toen was het een kwestie van het juiste moment afwachten om in de rij achter de groep werklui te stappen. Mijn kans kwam snel genoeg en ik liet mijn hoofd zakken en trok mijn schouders op om er groter uit te zien. Eventjes afgeleid door een groepje schaars geklede vrouwelijke toeristen, wuifde de wacht dat we door konden lopen.

We waren bijna meteen op het zand en het werd erg lastig de kruiwagen voort te duwen, maar ik kon het risico niet lopen Lucinda vanonder de handdoeken tevoorschijn te laten komen tot ik er zeker van was dat we niet meer gezien zouden worden. Toen we een paar honderd meter van het hek waren, gaf ik Lucinda een seintje en ze kroop onder de doeken uit en was verbaasd het warme zand aan haar voeten te voelen.

'Waar zijn we, tía?'

'Dit is ons thuis, *mi cielo*. Hier zijn je mami en ik opgegroeid. Hier hebben we leren dromen en bidden.'

Langzaam liepen we naar de waterrand, waar het makkelijker zou zijn de kruiwagen voort te duwen.

'Het zand is hier zo zacht, tía. Veel zachter dan op het andere strand.'

'Dit is het beste strand van de hele wereld. Zelfs al heb ik niet alle andere stranden van de wereld gezien, toch weet ik zeker dat het zo is.'

Lucinda glimlachte en gooide haar haar in de wind. Haar springerige krullen dansten op en neer terwijl ze naar de rollende golven schopte. Haar gehoor was zo goed dat ze de schuimkop steeds precies met haar teenpunten raakte.

Alicia zei voor het eerst sinds onze aankomst iets en de helderheid en kracht van haar stem verbaasden me. 'Hebben ze onze bomen omgehakt, Nora? Ik durf niet te kijken.'

'Ze zijn nog precies als vroeger, maak je geen zorgen.'

Lucinda bleef bij het water terwijl ik Alicia voorzichtig in het zand zette, direct onder onze palmen. Achter Lucinda kon ik het platform waar Alicia en ik als kinderen naartoe waren gezwommen vredig zien dobberen en de bocht van puur wit zand spreidde zich als twee liefhebbende armen die naar de hemel reikten uit.

Na me ervan vergewist te hebben dat Lucinda veilig was en dat we niet als onbevoegden opgemerkt zouden worden, ging ik naast Alicia liggen. We keken naar de onwaarschijnlijk blauwe lucht terwijl de zon ons koesterde en door de palmen heen naar ons knipoogde.

Alicia zuchtte, ging verliggen en draaide zich naar mij toe; haar groene ogen weerspiegelden het glinsterende zand als juwelen, ingebed in haar skeletachtige gezicht. Ze was nog steeds prachtig en de tederheid in haar gezichtsuitdrukking was zo breekbaar en intens dat ik het amper kon verdragen. Ik wist dat ze met haar laatste beetje energie naar me keek en van me hield.

Haar mondhoeken beefden en plooiden zich tot een vaag glimlachje. 'Weet je, Nora, als je regelrecht de zon in kijkt, zonder te knipperen, dan kun je God zien.' Alicia deed haar ogen wijd open naar de zon en kneep ze toen dicht. Ze draaide zich weer naar me toe, met glinsterende ogen.

'Wat heb je aan Hem gevraagd?' vroeg ik.

Ze glimlachte en sloot haar ogen. Haar ademhaling werd oppervlakkig en snel en haar woorden ontsnapten als vlinders. 'Als jij bij me bent, ben ik niet bang.'

Ik hield haar dicht tegen me aan. 'Ik ben bij je, Alicia. Hier.'

Boven ons zwaaiden de koningspalmen heen en weer; hun schaduwen dreven net zo snel over ons als de tijd die met zo'n wrede onverschilligheid voorbijgegaan was aan ons eiland en ons leven. We zijn weer kleine meisjes, die die middag willen gaan zwemmen, tintelend van opwinding in het warme heldere water. We leren weer rolschaatsen over de scheuren in de stoep, zonder te vallen en onze knieën te schaven, omdat littekens niet horen op de benen van een jongedame. We drukken onze handen tegen onze borst, bang en nieuwsgierig naar die pijnlijke kleine heuveltjes die iedere dag een beetje groeien. We kijken naar filmsterren op de tv en zien hoe ze kussen, hun monden amper open. We zullen binnenkort ontdekken dat seks heel wat meer is dan kussen, en kussen heel wat meer dan seks. We zijn volwassen vrouwen die tussen de hemel en aarde in het zand liggen, gestrand in onze poging onze ondoorgrondelijke vriendschap en die liefde die uit het leven de eeuwigheid in glipt te begrijpen.

Ik schuif dichter naar haar toe om in haar oor te fluisteren. 'Ik ben blij dat we hier samen zijn, Alicia. Het is precies zoals ik het me herinner.'

Wimpers trillen boven ogen die verschieten tot een stil, somber groen, en ik weet niet zeker of ze me gehoord heeft. 'Zorg voor mijn Lucinda,' fluistert ze terug. 'Beloof me...'

'Dat beloof ik.'

Haar ogen gaan dicht en ik voel dat ik nu stil moet zijn, maar ik wil haar vertellen hoeveel ik van haar hou, en over alles in mijn hart en alles wat ze voor mij betekent. Als ik begin te spreken, laat ze mijn hand los en wendt haar gezicht naar de zon. Ik zie dat ze zich overgeeft en dat de vredigheid van de warmte om ons heen haar verlicht. Ze heeft er nog nooit zo mooi uitgezien als op dit ogenblik en ik besef dat ze naar het gezicht van God kijkt en dat Hij haar dit keer met Zich mee naar huis neemt.

32

ALICIA WERD BEGRAVEN OP EEN KLEIN KERKHOF IN EEN VAN DE buitenwijken van Havana. Behalve Beba, Lucinda en ik waren er alleen maar een paar buren om haar graf bijeengekomen. Berta had zich verontschuldigd omdat haar werk het haar onmogelijk maakte bij de eenvoudige begrafenis aanwezig te zijn en omdat ze er sowieso niet in geloofde. 'Ik heb afscheid genomen toen ze nog leefde. Dat moet genoeg zijn.'

De sombere stemming stond in schril contrast met de schitterende tropische hemel. Toen ze nog gezond was, zou Alicia volgehouden hebben dat een dag als deze niet verspild mocht worden, en ze zou een tochtje naar het strand georganiseerd hebben, of naar buiten of waar dan ook naartoe, waar ze de schoonheid om zich heen kon opzuigen. Ik had alleen maar de kracht om op het muurtje van de malecón te zitten en over de zee uit te kijken. Ik had me nog nooit zo verloren gevoeld, zo niet in staat om te beslissen wat ik nu verder moest doen. Alicia was weg en deze niet te veranderen realiteit beving me als een trage bevriezing, zodat zelfs de warmte van de zon me niet meer kon bereiken.

Beba was een rots van kracht en medeleven. Na de begrafenis kwam ze iedere dag naar ons huis om naar Lucinda te kijken. We waren allebei bezorgd om Lucinda's gezondheid. Ze had na de dood van Alicia drie dagen lang geen woord gezegd. Ze at amper en ze sliep rusteloos, werd plotseling wakker en riep dan om haar moeder. Ik ging dan naar haar toe en bracht haar zachtjes in herinnering dat haar mami er niet meer was. Ze ging dan weer zonder iets te zeggen liggen, had geen troost meer nodig, in ieder geval niet van mij.

In huis begon ze tegen meubels aan te botsen en een paar keer viel ze, een keer stootte ze zich zo hard dat ze een enorme buil op haar voorhoofd had. Beba hield er het grootste deel van de dag een stuk ijs tegenaan. Ze was de enige die Lucinda in haar nabijheid duldde. Als ik dichterbij probeerde te komen deinsde ze achteruit en wendde zich van me af. Zo was ze al sinds ze gehoord had dat ik van plan was Cuba zonder haar te verlaten.

Ik was naar de Amerikaanse ambassade gegaan om naar Lucinda's visum te informeren, ik de hoop dat ik haar met me mee zou kunnen nemen. Ik kreeg een vrouw van middelbare leeftijd te spreken, met hangwangen en donkergeel gekleurde tanden van te veel koffie en roken, een zeker bewijs dat het iemand was die al een hele tijd een vaste betrekking had.

'Wanneer vertrekt u?' vroeg de beambte, terwijl ze door een stapel papieren bladerde die eruitzagen alsof ze al vanaf de Revolutie op haar bureau lagen te vergelen.

'Over vijf dagen.'

Ze hield op met bladeren en staarde me ongelovig aan. 'Vijf dagen? Dan kunt u beter om een wonder bidden.'

Ik probeerde uit te leggen dat ik Lucinda's naaste nog in leven zijnde familie was en dat ik haar dolgraag wilde adopteren, maar de beambte was niet onder de indruk en wuifde me weg met een vaak geoefend tonggeklak.

Ik belde Jeremy voor de derde dag op rij in de hoop dat hij me kon helpen een oplossing te vinden voor iets wat een onmogelijke situatie aan het worden was, en hij bleef rustig en redelijk tegenover mijn groeiende hysterie. 'Lucinda komt bij ons wonen als ze haar visum krijgt. Het gebeurt nu nog niet, wat jij zou willen, maar het gaat gebeuren. We kunnen zelfs die neef van je, die advocaat, inschakelen om te helpen.'

'Maar dat kan een jaar duren, misschien langer. Hoe moet het dan met die belofte die ik Alicia gedaan heb?'

'Je hebt beloofd dat je voor haar zult zorgen, en dat doe je. Je hebt het met Beba geregeld.'

'Dat is niet hetzelfde.'

Jeremy's zucht ging in het geruis van de verbinding verloren. 'Denk jij dat Alicia wilde dat wij gescheiden bleven zodat jij voor haar dochter kunt zorgen?'

'Ik weet dat ze dat niet wilde.'

'Vertrouw je Beba de zorg voor Lucinda toe?'

Ik lachte, ondanks mijn verwarring. 'Beba kan het beter dan ik, of dan wie ook.'

'Nou dan. Beba zorgt voor Lucinda zolang de aanvraag van haar visum nog loopt. En jij komt naar huis, naar mij, omdat...' Hij zweeg even. '... Omdat ik van je hou en je hier nodig heb.'

'Ik hou ook van jou, Jeremy.'

'Beloof me dat je naar huis komt.'

'Ik beloof het.'

'Beloof me dat je de volgende week naar huis komt en dat je dit vliegtuig niet zonder jou laat vertrekken.'

'Ik beloof het, lief.'

Het leek allemaal zo logisch en redelijk nadat ik met Jeremy had gepraat. Ik probeerde het aan Lucinda uit te leggen terwijl ze op de bank zat waar Alicia haar laatste dagen had doorgebracht. Ze hief amper haar hoofd om te laten merken dat ze me hoorde en haar haar, dat niemand voor haar mocht kammen of wassen, hing als woekerende klimop omlaag. Ze hield haar handen in haar schoot, stijf gevouwen zodat haar nagels oplichtten als heldere halvemaantjes. Tranen drupten op haar polsen terwijl ze knikte dat ze het begreep, maar ze liet zich niet knuffelen.

'Ik ben met de formulieren begonnen om je naar ons toe te halen. Je komt zo snel mogelijk bij ons,' zei ik.

Ze knikte en stak zoekend een hand uit naar Beba, die de kamer uit was gegaan. 'Waar is Beba?'

Beba kwam meteen om haar te troosten.

Zelfs al geloofde ik dat wat Jeremy gezegd had logisch en verstandig was, toch waren er korte ogenblikken dat ik kwaad op hem was, en ik voelde een onprettig gevoel van afstand in mijn hart opkomen, hetzelfde dat ik ten opzichte van mijn ouders had gevoeld toen ik het besluit had genomen tegen hun wensen in te gaan. En Lucinda kreeg ook al een hekel aan me. Ik voelde het in de lucht hangen, dik en zwaar, als ik bij haar in de buurt kwam. Ik herinnerde haar alleen maar aan het pijnlijke verlies van allebei haar ouders. Het beste wat ik doen kon was afstand houden en ons allebei meer verdriet besparen. Nooit in mijn leven had ik me zo alleen gevoeld.

Op de dag dat ik aankondigde wanneer ik zou vertrekken, sprak Beba me onomwonden toe. Ze had Lucinda eindelijk overgehaald in bad te gaan en die zat nu te weken in mijn naar limoen geurende schuim. 'Je doet wat je moet doen, dus je hoeft er niet kapot aan te gaan, Norita. Jij bent ook maar een mens, en je kunt niet op twee plaatsen tegelijk zijn.'

'Kon ik maar hier blijven en gaan, Beba. Dat zou ik het allerliefst willen. Nu haat Lucinda me.'

'Dat lieve kind is niet tot haat in staat. Ze doet wat ze moet doen om zich staande te houden, net zoals jij. Het is te veel verdriet voor één persoon.'

Beba had gelijk, als altijd, en ik probeerde haar woorden vast te houden toen Lucinda aan me vroeg of ze die nacht met Beba mee naar huis mocht. Ik was zo blij dat ze iets tegen me zei dat ik niet in staat was op de vraag te antwoorden, of te begrijpen dat het weer een afwijzing van haar was. En daarna bleef ze bij Beba.

Ik sliep liever op de bank, die nog steeds naar de bodylotion en het parfum rook dat ik Alicia op de dag dat ik aankwam had gegeven. Het leek een leven geleden, verschillende levens. Eén nacht kwam ze voor in mijn droom, haar haren stroomden op de wind als gouden wolken die in de lucht zweefden. Ze was zo mooi en levendig als ik me haar herinnerde van voor ik uit Cuba wegging, en ze danste met Tony boven de palmbomen die net hun voeten raakten. Ze lachten terwijl ze op me neerkeken, en ik was kwaad dat ze zo zorgeloos waren, terwijl ik met de problemen opgezadeld zat.

Een dag voordat ik zou vertrekken, werd er aangeklopt. Mijn grote koffer lag in de kleine zitkamer op de vloer, waardoor het lastig was de deur helemaal open te krijgen, maar toen dat eindelijk gelukt was, stond ik oog in oog met een kleine man met een zwartgerande bril. Die verbeterde zijn zicht kennelijk niet erg, want hij bleef met samengeknepen ogen over mijn schouder loeren om te zien wat of wie er in de kamer was. Ondertussen merkte ik op dat hij een schoon overhemd aanhad en goede schoenen droeg.

'Er is gemeld dat hier een kind is. Ene…' Hij keek aandachtig in zijn aantekenboekje. '… Ene Lucinda Rodriguez.'

Ik deed een stap naar voren zodat hij niet meer de kamer in kon kijken. 'Zijn er problemen?'

Hij raadpleegde nog steeds zijn aantekeningen. 'Hier staat dat het kind onlangs wees is geworden. De staat is verplicht en gerechtigd op haar opvoeding en verzorging toe te zien…'

Ik deed de deur iets verder open, zodat ik voor de drempel kon gaan staan. 'Ik ben de tante van Lucinda, en ik zorg uitstekend voor haar.'

Hij keek even naar de koffer op de vloer. 'Maar u gaat weg.'

'Er zal goed voor het kind gezorgd worden.'

'Mag ik vragen door wie?'

'Een goede vriendin van de familie.'

De man krabbelde iets in zijn aantekenboekje en schudde zijn hoofd. 'Ik zal dit aan mijn meerderen rapporteren. Maar ik moet u wel zeggen dat het niet de gewoonte is dat weeskinderen bij niet-familieleden blijven wonen. Onze rapporten geven aan dat het kind blind is en geen onderwijs genoten heeft.'

'Ik kan u ervan verzekeren dat ze uitstekend onderwezen is, ook al is ze niet op een staatsschool geweest.'

De grijns van de man veranderde in een mager glimlachje. 'Wij hebben scholen voor gehandicapte kinderen.'

'Natuurlijk.'

'Waar is het kind nu?'

'Ze is helaas niet hier op het moment.'

De man schreef nog wat op, scheurde een blaadje papier uit het boekje en gaf het aan mij. 'Haar verblijfplaats moet bij dit kantoor gemeld worden. Als ik binnen een paar dagen niets van u hoor, kom ik terug.'

Beba luisterde ernstig terwijl ze de suiker voor de koffie afmat. 'Heb je gezegd dat ze hier was?'

'Natuurlijk niet.'

'Goed.' Ze gaf me mijn koffie en het kopje stond te rinkelen op het schoteltje. 'Nu kan ze niet meer terug naar huis. We moeten binnenblijven, vooral overdag.'

Ik liet Beba het papiertje dat de man me gegeven had zien, en zij kneep het direct samen tot een propje en gooide het in de vuilnisbak. 'Ik heb nooit leren lezen.'

Daarna gaf ik Beba het doosje met geld dat Alicia in de muur bewaard had. Toen ze zag hoeveel er was, legde ze een hand op haar borst en zeeg neer op haar kruk.

'Goeie god, kind, loop je daar op straat mee rond? Ze snijden je hier je keel af voor tien dollar.'

Lucinda had liggen slapen op een bed op de vloer dat Beba voor haar gemaakt had. Omdat ze bewoog fluisterde ik: 'Alicia spaarde dit geld op voor als Tony vrij zou komen, zodat ze met z'n drieën naar de Verenigde Staten konden komen. Gebruik het voor wat je nodig hebt om voor Lucinda te zorgen, en ik stuur je iedere maand nog wat. Voor jou en Lucinda.'

'Je hoeft me niet te betalen om voor dat kind te zorgen.'

'Dat weet ik.'

Ik zei Beba dat ik later nog terug zou komen om afscheid te nemen, omdat ik de volgende ochtend heel vroeg vertrok. Toen ik

287

Beba bij de deur omhelsde, zag ik het kleine gezichtje van Lucinda weerspiegeld in de gebarsten spiegel die naast haar tegen de muur stond. Haar ogen waren wijdopen, en haar gezicht stond strak van de inspanning die het haar kostte het geluid van haar huilen te smoren.

Berta kwam die middag naar me toe om gedag te zeggen omdat ze die avond alweer naar haar werk moest. Ik wilde haar bedanken dat ze Alicia met Ricardo had geholpen, maar ik wist niet precies hoe ik dat onderwerp moest aansnijden.

Ik bood haar mijn schouder als steuntje aan toen ze haar lichtroze hoge hakken uittrok. 'Ik weet dat je Alicia met Ricardo hebt geholpen.'

'Hoe ben je daarachter gekomen?'

'Ik zag het aan Ricardo's gezicht toen Alicia zei dat jij de volgende keer de spullen zou komen brengen.'

Berta giechelde en liet zich op de bank zakken. 'Als het niet voor Alicia was, had ik nooit een man die zo lelijk was bij me in de buurt laten komen, hoeveel geld hij ook had gehad.' Ze trok haar aangezette wenkbrauwen op. 'Nou ja, misschien...'

'Ik denk dat je moet weten... dat ik hem een leugentje heb verteld. Ik was zo kwaad om wat hij Alicia had aangedaan. Ik heb hem verteld... dat hij ziek was, omdat jij ook ziek bent. Alicia had namelijk al gezegd dat ze pas ziek is geworden nadat zij en hij... En ik moest iets doen om het hem betaald te zetten...'

Berta zat even stil na te denken, en toen keek ze me aan en zei: 'Alicia zei altijd al dat je slim was, maar dit is gewoon briljant. Voorzover ik Ricardo ken, schijt die de volgende tien jaar bagger.' Ze barstte in lachen uit. 'En die klootzak verdient het.'

'Maar misschien kom jij erdoor in moeilijkheden...'

'Het is een rotzak, maar hij is niet stom. Die zegt niets.' Berta dacht nog even na. 'Trouwens, misschien is het wel waar. Alicia paste veel beter op zichzelf dan ik ooit gedaan heb.' Ze schudde de paar seconden twijfel die ze zichzelf had toegestaan van zich af en kwam overeind om me stevig te omhelzen, waarbij ik bijna verdronk in haar bos haar, dat stijf stond van de lak en de lotionnetjes, maar zich daar niet door had laten temmen.

Ik had het haar al drie keer eerder gezegd, maar voor de zekerheid zei ik nogmaals dat wie er ook aanklopte, ze hun moest vertellen dat Lucinda verhuisd was, en dat ze niet wist waarnaartoe. Iedere keer had Berta geknikt, maar ik maakte me zorgen. Ze was ruimhartig, maar ze was niet ongevoelig voor omkoping, en ze was al lang geleden ten prooi gevallen aan de ziekte die door wanhoop veroorzaakt wordt.

Ik besloot een omweg naar Beba's huis te maken, langs de malecón. Het was koeler geworden en het volmaakte turkoois van de deinende oceaan stak af tegen de kobaltblauwe lucht. Dit was het Cuba waar ik van gedroomd had. Eén ogenblik benijdde ik Alicia dat ze haar hele leven te midden van zo veel schoonheid doorgebracht had. Ze was meer deel van Cuba dan ik ooit nog kon zijn, en de zoete melodie van het eiland ging bij me weg, glipte weg, net zo zeker als het getij.

Morgen om deze tijd zou ik terug zijn in Santa Monica. Ik zou wakker worden, een warme douche nemen, terwijl de Amerikaanse koffie al door mijn koffiezetapparaat druppelde. Ik zou in mijn keurige Honda stappen en over gladde wegen, omgeven door gladgemaaide gazonnetjes, naar mijn werk rijden. Ik zou op mijn gereserveerde plekje parkeren, precies achtenhalf uur werken, en dan zou ik naar huis rijden en iets bij de Chinees bestellen, omdat ik te moe was om te koken. En Jeremy zou als altijd thuiskomen en in mijn armen in slaap vallen.

Lucinda zat stijfjes op haar stoel toen ik binnenkwam. Beba had speciaal moeite gedaan om haar haren in pijpenkrullen te kammen en ze had haar in een van de jurken die ik voor haar gekocht had gestoken. Het was de gele, met fijn borduurwerk op de kraag, en ze zag eruit als een van die verzamelpoppen die je hoog op een plank zet omdat ze te mooi zijn om mee te spelen.

Ik praatte een beetje met Beba terwijl ik Lucinda bij het raam in de gaten hield. Ze draaide langzaam haar hoofd om bij het geluid van mijn stem. Haar ogen waren zacht en straalden een prachtig licht uit. Ze had er sinds Alicia's dood niet zo open uitgezien en mijn keel kneep samen van hoop en emotie. Zonder er verder over na te denken, liep ik naar haar toe en knielde voor haar zodat ik op ooghoogte met haar was. Onmiddellijk vlogen haar handen omhoog naar mijn gezicht en ze glimlachte.

'Tía Nora,' fluisterde ze, en ik omhelsde haar zo stevig dat dat porseleinen poppetje gebroken zou zijn, maar zij omhelsde mij net zo stevig. 'Het spijt me zo, tía Nora. Het spijt me zo dat ik zo kwaad op je ben geweest.'

'Nee, *mi cielo*, je hoeft je nergens voor te verontschuldigen. Toe, niet doen...'

'Maar dat wil ik wel. Want het spijt me echt en mami heeft gezegd dat het moest.'

'Mami?' Ik keek naar Beba, die haar schouders ophaalde terwijl ze haar ogen toekneep en het papier bekeek waarop ik mijn adres en telefoonnummer in Amerika geschreven had. Toen pas zag ik de ijzeren badkuip in de hoek van de kamer en werd ik een vage geur van zwavel gewaar.

'Beba heeft me vandaag een bad gegeven, zoals mami, om de pijn weg te halen, en het heeft gewerkt, tía Nora, het heeft gewerkt. Ik voel me niet meer boos of verdrietig, omdat ik weet dat papi en mami samen gelukkig in de hemel zijn en ik weet dat jij terug zult komen om me te halen. Vergeet je me niet?'

'Natuurlijk vergeet ik je niet, lieverdje. Hoe zou ik jou ooit kunnen vergeten?'

Ik hield haar in mijn armen en Beba keek op ons neer. Voor het eerst in mijn leven voelde ik me onzeker onder die ogen die zo veel leken te weten en te zien, maar ik besloot haar niet te vragen wat ze voelde, of wat er precies met Lucinda gebeurd was. Ik wilde het moment voor geen van ons drieën met twijfels bederven.

Beba drukte haar prachtige donkere handen tegen mijn gezicht en ik ademde de geur in van koffie en citroenen en gezouten crackers en een diepe, eeuwige wijsheid. Toen kuste ik haar op beide wangen en nam afscheid.

Ik probeerde te slapen, omdat ik wist dat ik vroeg op moest om mijn vlucht te halen, die om acht uur 's ochtends van het vliegveld José Marti zou vertrekken. Ik keek uit het raam naar wat gedurende de vele maanden van haar ziekte Alicia's uitzicht was geweest, terwijl ze ervan droomde weer met Tony samen te zijn en terwijl ze bad voor Lucinda, toen ze eenmaal had geaccepteerd dat ze nooit zou kunnen zien. Ik kon een appartementengebouw zien dat eens elegant was geweest, en in het avondlicht leek het bijna in zijn oude glorie hersteld te zijn, met zijn smeedijzeren balustrades die de balkonnetjes sierden als krullende wimpers, zwaar van de mascara en glitters.

Ik zag een sigarettenpuntje oplichten op een van die balkonnetjes en kon net de gestalte van een jonge vrouw onderscheiden, die achterovergeleund in een stoel zat, haar benen over elkaar geslagen, en naar de nachtlucht opkeek. Zelfs in het zwakke licht kon ik nog zien dat ze heel mooi was. Haar slanke ledematen vingen het licht van de maan in smalle banen en haar haar was overspoeld met een gouden licht; ze begon te gloeien alsof er een toneellicht op haar gericht was dat geleidelijk aan sterker werd. Ik knipperde met mijn oogleden. Ik was moe en moest slapen, maar ik kon mijn blik niet van deze jonge vrouw losrukken. Ik probeerde te zien wat ze deed, maar terwijl het licht helderder werd, zag ik dat ze helemaal niet rookte. In haar hand hield ze een kaars en ze bewoog hem omhoog en in de rondte, om mijn aandacht te trekken. Ze gebaarde naar me, wenkte me. Was er iets mis? Zat ze daar vast?

Ik bleef in mijn bed, keek naar de jonge vrouw, gehypnotiseerd door die rondgaande beweging van de kaars en de manier waarop haar haar uit haar gezicht weggolfde, alsof er een bries om haar heen waaide. Maar het was een windstille avond. Het gordijn voor het open raam bewoog niet.

Ik kwam tot de conclusie dat ze dacht dat ik Alicia was en dat ze probeerde haar iets duidelijk te maken. Ik moest naar buiten om haar te vertellen dat Alicia gestorven was. Alle buren wisten dat. Waarom zij niet?

Ik stapte uit bed en trok nog een shirt aan over mijn short en T-shirt. Het meisje zat op tweehoog aan de andere kant van de straat. Ik kon gemakkelijk naar haar roepen om te vragen of alles in orde was. Ik deed de deur open en ging de straat op. Ze was er nog steeds, stak haar armen naar me uit alsof ze in moeilijkheden was.

'Ik kom eraan,' riep ik naar boven en toen rende ik naar de hoofdingang van het gebouw. Hij zat niet alleen op slot, maar was dichtgetimmerd met planken die zo te zien al jaren aan het wegrotten waren. Toen schoot me te binnen dat het gebouw onbewoonbaar was verklaard en dat er al heel lang geen mensen meer woonden. Het meisje was er kennelijk binnen geraakt en wist nu niet meer hoe ze eruit moest komen. Ik wilde weer naar haar roepen, maar toen ik opkeek, was ze er niet meer.

Ik probeerde de hoofdingang maar besloot dat ze onmogelijk daardoor naar binnen of naar buiten kon zijn gegaan. Ik liep een paar keer om het gebouw heen, maar alle ramen en deuren waren dichtgespijkerd met oude planken, net als de voordeur.

Onthutst over haar verdwijning was ik net begonnen nogmaals om het gebouw te lopen, toen ik vanuit mijn ooghoek iets zag glanzen. Boven op de paal van het hek stond de witte votiefkaars waarmee het meisje op het balkon gezwaaid had: het tere vlammetje flakkerde nog in het duister. Ik liep ernaartoe om hem te bekijken en pakte hem uiteindelijk op. Hoe, vroeg ik me af, was ze zonder dat ik het gemerkt had naar buiten gekomen? De ramen en deuren zaten van buitenaf dichtgespijkerd. Ze moest van tweehoog naar beneden gesprongen zijn.

Ik keek nog eenmaal de straat af voor ik weer naar bed ging. Het was al laat en ik probeerde de gedachte aan het mysterieuze meisje uit mijn hoofd te zetten en me te richten op Jeremy, die in minder dan vierentwintig uur in Los Angeles op me zou staan te wachten. Zou het nog zijn als vroeger, na bijna twee maanden van scheiding? Ik was duizelig van verwachting en toch voelde ik me tegelijkertijd terneergeslagen in het besef dat dit mijn laatste nacht in Cuba was, mijn laatste nacht thuis.

33

Ik was de volgende morgen om zes uur al op het vliegveld, omdat ik wist dat het er een enorme chaos zou zijn. Ik droeg één lege koffer: ik had de enige jurk die nog over was van de kleren die ik meegebracht had aan. Ik had besloten mijn andere koffer voor de deur van Berta's slaapkamer achter te laten, als geschenk.

Ik had me zo gehaast om naar het vliegveld te komen dat ik geen tijd meer had gehad om aan de gebeurtenissen van de vorige avond te denken. En een stukje van mij wilde er helemaal niet over nadenken. Het was tijd om verder te gaan met mijn eigen leven. Ik was de vrouw van een fantastische man die van me hield en op me wachtte. Ik zou nu moeten denken aan hoe graag ik met hem wilde vrijen, in plaats van te piekeren over wat er met het meisje op het balkon gebeurd was. Ik had de kaars veilig in mijn tas opgeborgen, en nu stak ik mijn hand er even in om me ervan te vergewissen dat hij er nog steeds zat. Had ik maar tijd gehad om met Beba te praten. Ik wist zeker dat zij een verklaring zou hebben, iets met 'de lokroep van je dromen' of 'de kracht van onbekende geesten'. Hoe vergezocht ook, ik verlangde ernaar om iets te horen wat betekenis gaf aan de aanhoudende twijfel die me voor het inslapen had geplaagd.

Ik stond bijna vooraan in de rij en stond op het punt mijn paspoort te overhandigen om het voor de derde of vierde keer te laten controleren. Ik sloot mijn ogen en dwong mezelf me Jeremy voor te stellen, zo gelukkig dat ik gauw weer bij hem zou zijn en dat alles weer goed was. We zouden Lucinda's papieren regelen, natuurlijk. Binnen de kortste keren zou ze bij ons zijn. Beba was uitstekend in staat ervoor te zorgen dat haar niets zou overkomen. Ze was handiger en kon zich beter staande houden in het leven na de Revolutie dan ik ooit zou kunnen. En Lucinda haatte me niet. Ze wist dat ik haar zou komen halen, Alicia had haar dat zelf verteld.

Mijn hoofd bonsde, mijn maag protesteerde en mijn voeten wilden niet doorlopen in de rij. Het zweet brak me uit, op mijn voorhoofd en over mijn hele lichaam, en droop langs mijn rug en langs de achterkant van mijn benen. Ik dacht dat ik flauw zou vallen.

De jongeman die op mijn paspoort wachtte, klonk bezorgd. 'Scheelt er iets aan, mevrouw?'

'Ik... ik weet het niet.'

'Komt u maar hier, dan kunt u tegen de balie leunen,' bood hij aan, alsof hij het gewend was om te gaan met mensen die flauwvielen.

Ik deed wat hij gezegd had, maar voelde me niet beter. Mijn hoofd tolde en een ver gezoem trilde in mijn oren, alsof er twee grote schelpen aan vastgeplakt waren. Ik kon helemaal niets horen.

De jongeman stak zijn hand uit naar mijn paspoort, maar ik hield het tegen mijn borst geklemd alsof ik mijn hart wilde kalmeren. 'Ik kan niet weg.'

Hij verstond me niet. Hij keek op het vertrekschema, een hand afwachtend open. De passagiers die al door mochten liepen met voorzichtige stapjes naar de open deur en naar het vliegtuig dat op ons stond te wachten. 'Er is een toilet aan boord, mevrouw.'

Ik wankelde achteruit en trapte op de tenen van degene die achter me stond. 'Ik kan niet weg,' zei ik weer, en toen liet ik me op de dichtstbijzijnde stoel neervallen. Hoe had ik kunnen vergeten hoe Alicia eruit had gezien toen ze vrouw was geworden en verliefd was? Ik tastte in mijn tas naar de kaars. Ze had door de jaren heen talloze kaarsen aangestoken om haar hoop levend te houden terwijl de wereld om haar heen ineenstortte. En nu wilde ze dat ik bleef en dat ik er zelf voor zou zorgen dat Lucinda vrij bleef. Ik wist dat net zo zeker als dat ik wist dat Jeremy wilde dat ik terugging naar hem en naar ons prachtige leven in Californië.

Ik haalde diep adem en probeerde greep op mezelf te krijgen en me erop te richten dat ik dat vliegtuig in moest. Misschien kwam het door Beba, met haar Santeria en haar rituelen. Maar het enige waar ik aan kon denken was mijn belofte aan Alicia dat ik haar kind niet in de steek zou laten. Ik had het haar beloofd toen ze in mijn armen stierf.

Het lukte me op te staan en naar het raam te lopen dat onder de afdrukken van zweterige handen en de doodgeslagen vliegen zat, om naar het vliegtuig te kijken dat in de hitte stond te blakeren terwijl de onderhoudsmonteurs nog van alles nakeken. Ik had genoeg tijd om nog van gedachten te veranderen als ik dat wilde, en daar herinnerde het paspoort dat ik nog steeds in mijn hand hield mij aan. Mijn vingers raakten steeds bezweter, waardoor het uit mijn handen gleed en op de vloer terechtkwam. Ik deed geen moeite het op te rapen tot het vliegtuig de startbaan af gedenderd was en opsteeg van de Cubaanse bodem.

Lucinda omhelsde me lachend van blijdschap. 'Tía Nora, wat ben je snel terug. Ik had niet gedacht dat je zo snel weer terug zou zijn, maar ik ben blij dat je er bent.' Haar handen fladderden over mijn gezicht.

Beba was helemaal niet verbaasd toen ze me daar zag staan in mijn laatste goede jurk, een rechte van oranje linnen met bijpassende sandalen. Ze stond in de deuropening met haar armen over elkaar, lachte en schudde haar hoofd. Ze begon direct koffie te zetten en pakte twee kopjes met stukjes uit de rand. Terwijl we onze koffie dronken, vertelde ik wat er die avond daarvoor gebeurd was en liet ik haar de kaars zien die ik gevonden had.

Lucinda nam hem van me over en drukte hem tegen haar wang, er al van overtuigd dat haar moeder hem had achtergelaten. Maar Beba, die als een eekhoorntje met haar ene voortand op haar cracker zat te knabbelen, leek onaangedaan. Ik verwachtte een bovennatuurlijke verklaring die me de ware toedracht zou mededelen, iets wat me zou helpen mijn beslissing om niet naar Jeremy terug te gaan, zoals ik had beloofd, te rechtvaardigen.

'Het maakt niet uit wat je gisteravond gezien hebt, of het een geest uit de hemel of de hel was of alleen je verhitte verbeelding,' zei ze uiteindelijk. 'Waar het om gaat is dat je gedaan hebt wat je vond dat goed was.'

Dat wilde ik niet horen. Ik wilde iets substantiëlers – verzekeringen dat ik het juiste had gedaan. Ik bleef haar vragen over Jeremy, hoe zij dacht dat hij het op zou nemen dat ik niet in dat vliegtuig zat. Ik bleef doorgaan zoals ik gedaan had toen ik nog een klein meisje was, dat erop aandrong dat ze me nog een verhaaltje zou vertellen voor het licht werd uitgeknipt.

'Mijn hemel, kind. Ik kan je niet geven wat ik niet heb. Het enige wat ik je kan zeggen is dat de tijd en de gebeurtenissen je zullen laten weten of je het juiste gedaan hebt.'

De tijd en de gebeurtenissen, zoals Beba zei, lieten snel genoeg van zich horen. Ik bracht de nacht in Beba's flatje door en de volgende ochtend werden we heel vroeg gewekt doordat er op de deur werd geklopt. Het klonk nogal stevig, kennelijk gebruikte degene aan de andere kant een of ander voorwerp. En het was niet één persoon, want we hoorden gepraat. Beba, die altijd geheel gekleed sliep, compleet met een zakdoek om haar hoofd, trok haar sandalen aan en liep naar de deur, met een dwingende blik in mijn richting die zei: 'Dit regel ik wel. Hou je gedeisd.'

Ik trok het laken over mijn hoofd en dat van Lucinda. Degene aan de deur zou voorbij Beba moeten en de kamer in moeten gaan om te zien dat zij niet alleen was. Ik hoefde Lucinda niet te zeggen dat ze stil moest zijn. We hielden elkaar stevig vast en haalden amper adem.

Beba kuchte en deed open. Ik kon me precies voorstellen hoe ze die indringers in zich opnam. Ze had een blik die je het bloed in de aderen kon doen stollen. Ik was daar zelf regelmatig het slachtoffer van geweest of had van de bescherming die hij bood geprofiteerd. Ik was nog nooit zo dankbaar geweest als op dat moment dat Beba aan mijn kant stond.

'We zoeken een kind,' zei de man, en ik herkende de stem als die van de bebrilde man van het ministerie van Onderwijs. 'Haar naam is Lucinda Rodriguez, en we hebben gehoord dat ze inmiddels hier woont.'

'Wat wilt u van haar?'

Nu sprak er een andere stem, die van een vrouw, geforceerd en hoog alsof haar stembanden in een zeer strakke knoop waren gebonden. 'Bent u familie?'

'Ja, inderdaad,' zei Beba zonder aarzelen.

'Eigenaardig. Wij hebben gehoord dat het kind geen familie meer heeft.'

'Dat hebt u dan verkeerd gehoord.'

Er viel een stilte. Ze keken elkaar nu net zo lang aan tot iemand de ogen zou neerslaan, ik wist het zeker. Maar ze zouden niet tegen Beba op kunnen. Hun botten veranderden waarschijnlijk nu al in pudding. Ik moest de eigenaardige aandrang om te giechelen onderdrukken, en ik hield Lucinda wat steviger vast.

'Hoe heet u?' vroeg de man.

'Beba.'

'En uw achternaam?'

'Beba, meer niet.'

Weer stilte en het geschuifel van voeten. Niet die van Beba. 'Uw gebrek aan medewerking zal het kind geen goed doen, dat kan ik u verzekeren,' zei de vrouw uit de hoogte. 'Tenzij u documenten hebt die bewijzen dat u de voogdij over dit kind hebt, wordt ze voor haar eigen welzijn in een staatsweeshuis geplaatst. Is dat duidelijk?'

'O, reuze duidelijk. Je kunt het heel mooi zeggen.'

Nu sprak de man. 'We komen terug... Beba.'

Beba sloot de deur achter hen en liep naar het raam. Toen ze zich ervan verzekerd had dat ze inderdaad weg waren, haalde ze het laken van ons af en stond daar met haar handen op haar heupen en een grappige glimlach op haar gezicht. Ik wist dat ze bang was, maar dat ze niet wilde dat Lucinda het zou merken; voor een vrouw die zo eerlijk was als Beba was dat erg moeilijk.

'Ik denk dat nu het ogenblik is aangebroken,' zei Beba tegen Lucinda en mij terwijl ze ons ontbijt klaarmaakte. 'Het ogenblik om dat geld te pakken en uit te zoeken hoe jullie hier weg kunnen komen.'

'Je bedoelt dat we niet op het visum moeten wachten?'

'Met dat geld hoef je op niemand of niets te wachten.'

Het was een optie die ik nooit in overweging had genomen. Ik had me altijd voorgesteld dat we legaal zouden vertrekken, met mijn Amerikaanse paspoort en een geldig visum voor Lucinda, en ik had niet aan de mogelijkheid van een ontsnappingsvlucht gedacht. Ik herinnerde me nog wat Alicia me had geschreven, over dat ze een plaats op een bananenboot had kunnen krijgen, een paar jaar geleden. Misschien konden we nu iets dergelijks regelen. Plotseling wilde ik naar de dichtstbijzijnde telefooncel rennen om Jeremy te bellen, om hem te zeggen dat alles in orde was en dat hij het niet moest opgeven met me. Ik zou gauw thuis zijn.

Lucinda vertelde ons dat Pepe, de buurman, erom bekendstond dat hij in dit soort zaken kon helpen, dus zei ik tegen haar en Beba dat ik hem op ging zoeken. Ik trof hem een paar uur later op zijn stoepje aan, terwijl hij een vuistgroot kluwen touw zat te ontwarren. Hij vertelde dat zijn vrouw het op de kop had kunnen tikken omdat het helemaal in de knoop zat, en het was erg lastig om aan touw te komen. Hij leek niet bepaald enthousiast dat hij het nu had, maar hij vond het kennelijk prettig iets te doen te hebben wat hem weinig zorg gaf.

Toen ik hem vertelde wat Lucinda en ik nodig hadden, hielden zijn lange vingers die bewogen als spinnenpoten even stil en hij keek recht voor zich uit. Met bijna opeengeklemde lippen vroeg hij: 'Hoeveel geld heb je?'

Toen ik het hem vertelde, begonnen zijn vingers weer te bewegen en hij knikte bedaard. 'Daarmee kan ik wel iets voor jullie regelen. Over een paar weken komt er een schip binnen en...'

'Zo veel tijd heb ik niet. Ik heb iets voor morgen of uiterlijk overmorgen nodig.'

Hij fronste zijn voorhoofd. 'Er komen en gaan iedere dag schepen, maar de mensen die over een paar weken komen, ken ik. Ik weet dat ze eerlijk zijn. Over anderen kan ik niet zeker zijn.'

'Ik moet het er maar op wagen. Die ambtenaren kunnen ieder moment terugkomen, en als ze Lucinda vinden, zien we haar nooit meer.'

Pepe knikte. Ik haalde de envelop met geld uit de zak van mijn short en gaf hem aan hem, maar hij wilde hem niet aannemen, zei dat hij maar vijftig dollar of zo nodig had als borg. De rest kon ik zelf betalen. We spraken af elkaar later die avond nog te treffen.

Ik vertelde Lucinda en Beba dat Pepe misschien iets zou kunnen regelen zodat we de volgende dag weg zouden kunnen, en dat we dat vanavond zouden horen.

'Hoe moeten we onze laatste dag in Cuba doorbrengen?' vroeg ik Lucinda.

Ze zat op de bank te lezen, zoals ze het grootste deel van de ochtend had gedaan. 'Ik denk dat we niet naar buiten moeten gaan, tía Nora. Voor het geval ze me zien. Ik denk dat we hier moeten blijven wachten,' zei ze na een korte stilte.

'Wil je de hele dag hier blijven?'

Ze knikte, haar vingers begonnen weer over haar boek te bewegen.

Beba zat naast me bij het raam, haar armen voor haar borst gevouwen. De gedachte kwam in me op dat we misschien wel genoeg geld hadden om Beba mee te nemen. Misschien had ik nog tijd om dat aan Pepe te vragen? Ik opperde deze mogelijkheid, en Beba grijnsde bij het vooruitzicht.

'Kun jij je Beba in zo'n grote, chique stad voorstellen?'

'Heel goed, Beba.'

Ze schudde haar hoofd en perste haar lippen op elkaar alsof ze in een zure citroen had gebeten. 'Voor mij is het te laat, Norita. Misschien was ik tien of vijftien jaar geleden nog wel gegaan, maar nu niet. Ik ga hier sterven, in het land waar ik thuishoor.'

'Maar wil je niet weer in vrijheid leven?'

'Misschien denk ik wel anders over vrijheid dan jij. Er bestaat een vrijheid die ik met het verstrijken van de tijd gevonden heb. Die krijg je als je erachter komt dat je weinig nodig hebt om gelukkig te zijn.' Beba lachte haar diepe, gouden lach die de kamer vulde. 'Ik voel me vrij als ik de hele dag in de rij heb gestaan met mijn bonnenboekje om uiteindelijk te horen te krijgen dat het brood is uitverkocht. Ik voel me vrij als ik aan de waterrand zit en bid en de goede God vraag me te voeden met de wind en de zee en de lucht.' Beba knoopte haar zakdoek opnieuw en stopte er een paar losse krullen onder. 'Dat is mijn vrijheid, Norita, en ik hoef nergens naartoe te vluchten om haar te krijgen.'

Toen ik die avond bij Pepes huis kwam was er niemand, dus ging ik op zijn gewone plekje op de stoep zitten. De brics woei door de smalle straat en als ik een beetje naar links leunde kon ik een deel van een pleintje zien, waar kinderen speelden in een oude fontein die al lang droogstond. Ik kende dit pleintje nog van voor de Revolutie als we op zondag naar de kerk reden. Er stonden toen witte en gele rozen langs de rand en de fontein spoot altijd; het zachte water maakte een melodieus geluid. Kinderen mochten er muntjes in werpen, voor een wens. En meestal volgde daar dan, tenminste in mijn geval, de traktatie van een kokosijsje op. Geen wonder dat Pepe van dit plekje hield. Een ogenblik lang was het mogelijk van de dagen te dromen dat Cuba nog jong en zorgeloos was.

Hij kwam eraan met zijn lange, zijwaartse pas. Je kon onmogelijk van zijn gezicht aflezen of zijn zoektocht geslaagd was of niet. Pepe zag er altijd hetzelfde uit. Hij knikte nauwelijks merkbaar toen hij me zag, en toen ik opstond om hem te begroeten, gaf hij me een opgevouwen vel wit papier.

'Hij vertrekt morgenochtend zeven uur. Je moet vanavond nog naar de man toe, en hem vooruit betalen.'

'Hoeveel?'

'Tweeduizend. De rest wanneer je aankomt. Het schip gaat naar Jamaica. Daar ga je van boord. Het is makkelijk een vlucht van Kingston naar Miami te krijgen.'

Ik kon het niet helpen. Ik greep Pepe beet en omhelsde hem. Hij onderging het zonder een woord te zeggen, hoewel zijn gewoonlijk onaangedane gezichtsuitdrukking door een zonderling glimlachje verstoord werd.

'Ik wil je betalen voor je hulp, Pepe, toe.' Ik tastte in mijn zak naar het pakje bankbiljetten dat ik de hele dag dik en plakkerig tegen mijn dij had gevoeld.

Pepe hief langzaam zijn handen om me tegen te houden. Voor hem was dat het equivalent van een emotionele orkaan, en ik bleef doodstil staan. 'Betaal me nog niet, nicht Vlinder. Als het allemaal lukt, kun je me wat geld uit Amerika sturen, of een slof sigaretten. Ik weet dat je dat niet zult vergeten.'

34

LUCINDA EN IK PAKTEN ONZE SCHAARSE BEZITTINGEN IN HET boodschappennet dat we voor onze picknicklunch gebruikt hadden wanneer we naar het strand gingen. We namen alleen de paar T-shirts die ik weken eerder gekocht had mee, en een paar shorts. De rest van het net werd gevuld met crackers en vers fruit.

Beba haalde nog een tas met fruit tevoorschijn en zette hem naast ons uitpuilende net. 'Echt Beba, vóór de lunch zitten we al in Jamaica. Hoeveel bananen kun je in vijf uur op?'

Beba zette haar handen op haar heupen en schudde veelbetekenend haar hoofd. 'Jullie eten ze misschien niet, maar een schip vol mannen is er zo mee klaar. Beter dat ze hun gedachten bij mango's en bananen houden. Jullie zullen alle afleidingsmanoeuvres waarover jullie beschikken, nodig hebben.' Ze maakte een snel gebaar met haar hoofd in de richting van Lucinda, die lag te slapen op de bank. Haar gouden krullen vingen het licht van de lamp op en haar dikke wimpers lagen bijna roerloos op haar roze gekleurde wangen. Haar lange ledematen begonnen vrouwelijke vormen aan te nemen en ze leek op Alicia toen die op haar allermooist was, alleen zou Lucinda langer worden en haar gezicht, hoewel net zo lief van uitdrukking, was exotischer van tint en vorm. Er was geen twijfel mogelijk dat ze een bijzonder mooie vrouw zou worden. Ik zette de gedachte aan mogelijke problemen uit mijn hoofd. Ik had andere dingen om me zorgen over te maken.

Het was precies zoals Pepe gezegd had. Een lange, magere man met een baard en een rood shirt aan zat aan het einde van pier 17 in het havendistrict van de stad te vissen. Ik moest hem mijn plastic boodschappentas geven, gevuld met voedsel, het maakte niet uit wat zolang er maar een koffieblikje in zat met de helft van het geld. De andere helft zou in Jamaica overhandigd worden.

Ik liep naar de man en hield hem de zak voor, maar met een vluchtig knikje gaf hij aan dat ik hem bij zijn voeten moest zetten. Ik deed dat en was even bang dat de tas in zee zou vallen, maar ik zette hem een eind van de rand stevig neer voor ik naar achteren stapte.

'Blijf, dan praten we even,' zei hij zonder me aan te kijken. 'Het komt vreemd over als je zonder een woord te zeggen wegloopt.'

Op wie kwam dat vreemd over? Werden we in de gaten gehouden? 'Natuurlijk,' mompelde ik.

'Ik begrijp dat er een blind meisje meekomt?'

'Mijn nichtje.'

'Het kan lastig zijn uit het bootje op het grote schip te klimmen. Denk je dat het haar lukt?'

'Daar zorg ik voor.'

Hij keek naar het water en haalde de lijn binnen. 'Ik had 'm bijna.' Hij haalde de lijn een eindje binnen en draaide zich een beetje om om me aan te kijken, hoewel hij nog steeds mijn ogen meed. 'Ik verwacht jullie hier morgenochtend om vijf uur en geen minuut later, anders missen we de boot. We hebben twee uur nodig om naar het schip toe te roeien en ik weet niet of de zee ruw zal zijn.'

Tot op dit moment had ik daar helemaal niet over nagedacht. Ik moest dit doen om thuis te komen en ervoor te zorgen dat Lucinda niet onder de voogdij van de staat zou vallen. Ik moest dit doen om Jeremy zo snel mogelijk weer te zien en mijn huwelijk te redden. 'Wordt het gevaarlijk?'

'Alleen als ze ons betrappen en ons verhaal niet geloven.'

'Ons verhaal?'

'We zijn een dagje uit vissen. Jij bent mijn vrouw, het meisje is onze dochter. Het is haar verjaardag en we willen vis vangen voor een feestje en ze is nog nooit eerder wezen vissen. Als er een boot op ons afkomt, gooi je direct alles wat je hebt in de oceaan. En stop iets zwaars in je tas, zodat hij niet blijft drijven.'

Ik keek naar de lange, Europese neus van de man en zijn glanzend bruine haar. Zijn huid was donkergekleurd door de zon, maar het was duidelijk dat hij geen druppel Afrikaans bloed had.

'Mijn nichtje kan nooit voor jouw of mijn dochter doorgaan, vooral niet die van ons samen. Haar vader was een mulat en ze lijkt heel veel op hem. We moeten iets anders verzinnen.'

'Goed, daar hebben we het dan morgen wel over. Vijf uur precies.'

'Mag ik weten hoe je heet?'

De man kon een glimlach niet bedwingen ondanks zijn inspanningen ernstig en zakelijk te blijven. Hij keek me voor het eerst recht in de ogen. 'Mijn naam is José Gomez. En de jouwe?'

Ik moest even nadenken. 'Maria Gomez, natuurlijk,' antwoordde ik.

Hij knikte goedkeurend en richtte zijn aandacht zonder verder nog iets te zeggen weer op zijn hengel.

Lucinda wilde tot in de kleinste bijzonderheden horen van mijn gesprek met de man op de kade die ons zou helpen ontsnappen, en ik vertelde haar wat ik wist, wat niet veel was. Ze luisterde alsof we een uitstapje zouden gaan maken. Ze was sinds de dood van haar moeder niet meer zo levendig geweest.

'Ik ben nog nooit op een boot geweest,' zei ze, terwijl ze van pure vreugde de rand van haar stoel vastklemde. 'Het mocht nooit van mami omdat ik niet goed kan zwemmen. Maar nu moet het wel, hè, tía? Nu heb ik geen keus.'

De vraag overviel me. Natuurlijk had ze een keus. Ze kon hier blijven en naar de staatsschool gaan. Ze was heus niet het enige blinde kind op het eiland. Misschien was de school niet zo erg als Alicia gezegd had. Zou zij gewild hebben dat ik Lucinda's leven op deze manier in de waagschaal stelde, in plaats van haar naar de staatsschool voor blinden te laten gaan? Want ik stelde haar leven in de waagschaal, toch?

Beba luisterde rustig naar ons gesprek, haar gezicht uitdrukkingsloos terwijl ze iets onder haar nagels vandaan peuterde. Ik wilde met haar praten zonder dat Lucinda erbij was. Ze was de laatste tijd niet erg scheutig met haar antwoorden, maar deze keer zou ik haar er niet zo makkelijk mee laten wegkomen. Waarom was ze opeens zo zuinig met haar mening? Vroeger verkondigde ze hem aan wie er maar in de buurt was, zonder zich zorgen te maken over wat haar woorden misschien zouden aanrichten.

Ik zei haar dat ik haar hulp nodig had om nog wat eten voor de zeelui te halen, en we lieten Lucinda rustend op haar bed achter. Ik nam Beba bij haar arm en we liepen de straat uit, naar de zoete bries van de oceaan. De malecón was nog een paar blokken weg, maar de fluisterende zeemist leek extra mooi vandaag, al was het maar om onze stemmen te dempen.

'Wat vind je, Beba? Maak ik een verschrikkelijke fout? Is het het risico waard?'

Ik had haar al met vragen bestookt voor we halverwege de straat waren. Ik fluisterde ze in haar oor en merkte dat ik er moeite mee had tegelijkertijd adem te halen en te lopen.

Beba gaf me geen antwoord, maar legde een dwingende hand op mijn schouder en duwde me neer op de rand van de fontein op de plaza. Samen keken we naar het netwerk van straatjes, dit labyrint van ineenstortende gebouwen met roestige hekken en het wasgoed dat van de balkonnetjes hing te druipen. Kinderen renden de openstaande deuren in en uit, blootsvoets en gelukkig omdat ze kinderen waren. Ze letten niet op de sombere gezichten van hun ouders, die te moe waren om te genieten van het spel van hun kinderen en te veel in beslag werden genomen door hun honger om op te merken dat sommige peuters te dicht bij de trap kwamen, of de straat op dwaalden.

Tienermeisjes liepen met elkaar, zwaaiden met hun soepele heupen alle kanten op, liepen zo dat hun jonge borsten op- en neersprongen onder hun stretchtopjes of dunne T-shirts. Zowel jonge als oude mannen riepen ze nonchalant na en maakten vulgaire opmerkingen over de lichaamsdelen die ze het aantrekkelijkst vonden, alsof de borsten van het ene meisje of het achterwerk van een ander hun respectievelijke lichamen konden verlaten om naar de roepende mannen toe te gaan.

Voor onze ogen speelde zich een klein drama af. Een meisje, niet ouder dan vijftien, liet zich overhalen meer dan een paar blikken uit te wisselen met een aanzienlijk oudere man. Een paar seconden later liepen ze weg, het meisje achter hem aan als een jong hondje dat aan een korte riem meegesleurd werd.

Beba wendde zich tot mij. 'Ze speelt waarschijnlijk sinds haar twaalfde al de hoer, langer misschien nog.' Ze maakte een wuivend handgebaar in de richting van het groepje meisjes dat achter was gebleven. 'Zij zijn precies hetzelfde. En toevallig weet ik dat ze allemaal hun middelbareschooldiploma op zak hebben. Daar heeft de regering wel voor gezorgd.'

'Je wilt zeggen dat Lucinda eens een van hen kan zijn?'

'Ik zeg dat honger maakt dat je dingen gaat doen die je vroeger niet voor mogelijk had gehouden. Lieve god, ik heb nooit geweten dat een lelijk gezicht en een dikke buik zo'n zegen kunnen zijn.'

'Dus jij vindt dat ik een noodzakelijk risico met Lucinda neem? Bedoel je dat, Beba?'

Beba leek een beetje geïrriteerd omdat ze weer onder druk werd gezet. Toen nam ze mijn hand in de hare en sprak ze net zo duidelijk als ze vroeger gesproken had: 'Het gaat niet om de beslissing, het gaat om het gevoel waarmee je hem neemt. Blijf je besluit trouw, dan zal het jou trouw blijven.'

Lucinda stond al aangekleed klaar toen ik mijn ogen opendeed voor het heiige ochtendlicht. Beba was bezig koffie te zetten en brood te roosteren: onze laatste maaltijd in Cuba. We zeiden amper wat onder het eten en ik keek regelmatig even op het lawaaiig tikkende plastic wekkertje dat op Beba's tv stond.

'Over een paar minuten moeten we weg,' zei ik.

'Wil je dat ik met jullie meeloop?' vroeg Beba.

'Dat lijkt me geen goed idee, want de man verwacht alleen Lucinda en mij. Ik weet niet of het verschil maakt...'

Beba stak haar hand op om me te laten weten dat ze het begreep. Ze bracht de ontbijtbordjes naar de kleine gootsteen, maar ze spoelde ze niet direct af, zoals ze gewoonlijk deed. Ze kwam meteen weer bij ons, om geen minuut te missen. We stonden op van tafel en Lucinda stak haar armen naar Beba uit en toen ze haar te pakken had begroef ze haar gezicht tegen haar boezem en huilde.

'Ging je maar met ons mee,' zei ze, terwijl Beba over haar haren streek en haar op haar rug klopte.

'Maak jij je nou maar geen zorgen over mij. Ik blijf gewoon hier, waar ik altijd geweest ben. Op een dag zien we elkaar weer. Die man heeft niet het eeuwige leven.'

Bij de deur omhelsde ik Beba lang en stevig. 'Jij blijft toch proberen Jeremy voor me te bellen?'

'Ik zal zo vaak naar die telefooncel gaan dat de mensen nog zullen denken dat ik een spion ben. En als ik hem te pakken krijg, dan zal ik het hem allemaal vertellen.'

Ik kuste haar op haar wang. 'Doe dat maar.'

Na twintig minuten in stevige pas doorgelopen te hebben, waren we halverwege de malecón. Lucinda struikelde af en toe, maar ik vertraagde mijn pas niet. We konden het risico niet lopen dat we te laat kwamen en ik had mijn horloge al een tijd geleden weggegeven. Lucinda klaagde niet. Eigenlijk zei ze helemaal niets. Ze wist dat we ons erop moesten richten niet verdacht te lijken. Misschien zagen we er al verdacht uit, omdat we zo vastberaden liepen. Het was misschien beter om onze pas wat te vertragen en naar de schepen op de oceaan te kijken, als toeristen. Maar wat deden toeristen hier bij de dageraad? Natuurlijk zagen we eruit alsof we probeerden te vluchten. Wat anders had een vrouw hier met haar kind op dit tijdstip te zoeken? De enige mensen die nu op straat waren, waren zwervers die op de stoeprand zaten en jonge prostituees die zich naar huis voortsleepten, met vermoeide gezichten en hun hooggehakte schoenen in de hand.

Ik wees naar de schepen en vertelde Lucinda dat ons schip daar ook ergens lag. Ik wilde zo graag op zo'n onwaarschijnlijke toerist lijken dat ik vergat dat Lucinda onmogelijk kon zien waarnaar ik wees.

'Tía Nora?' Lucinda klonk enigszins buiten adem. 'Ik voel me zo verdrietig vanbinnen. Zo heb ik me nog nooit gevoeld, zelfs niet toen mami stierf.'

Ik vertraagde mijn pas weer enigszins en deed mijn best mijn zenuwen even opzij te zetten. Ik herinnerde me de eerste keer dat ik afscheid had genomen van mijn vaderland, jaren geleden. Hoewel ik niet precies had begrepen wat ze bedoelde, hadden de woorden van Beba toen alle verschil voor mij gemaakt en ik wist dat ik Lucinda nu moest helpen.

'Het verdriet omdat je je vaderland moet verlaten, is iets wat je nergens mee kunt vergelijken,' zei ik langzaam. 'Het komt in golven die je omvergooien als je denkt dat je stevige grond onder de voeten hebt. Alles is prima, en dan ineens hoor je de klanken van een liedje, of de geur van uien die in olijfolie gebakken worden en dan breekt je hart zomaar weer in duizenden stukjes. Je zult je ziel willen verkopen om weer thuis te kunnen zijn, of gewoon om ergens te horen, waar dan ook. En dan moet je je vasthouden aan wie je bent. Geef je echte hart nooit weg, hoe kapot en bloedend het ook is, want als je dat doet, raak je iets kwijt wat je misschien nooit meer kunt terug vinden. Je kunt beter je schaduwhart weggeven, dan weet je altijd wie je bent.'

'Wat is m'n schaduwhart, tía Nora?'

'Het is het hart binnen in je dat geen pijn kan worden gedaan – niet door verbroken beloftes, niet door het verdriet van een te groot verlangen. Het blijft gewoon kloppen, wat er ook gebeurt, omdat je schaduwhart vele levens heeft. Maar je echte hart heeft maar één kostbaar leven en dat moet je altijd voor jezelf houden.'

De zachte gloed van de dageraad werd aan de horizon sterker, waardoor mijn beide harten onregelmatig klopten. We hadden geen seconde te verliezen en ik versnelde mijn pas weer. 'We zullen hier nog wel weer over praten, maar voorlopig moet je niet vergeten wat ik je gezegd heb.'

'Ik zal het niet vergeten,' zei Lucinda, die moest rennen om me bij te houden. 'Mami zei dat ik het beste geheugen had van de mensen die ze kende en dat ik daarom rijk ben, omdat herinneringen als edelstenen zijn die nooit gestolen kunnen worden.'

We kwamen zenuwachtig en buiten adem bij de kade aan, maar de man in het rode shirt was nergens te bekennen. Ik was er zeker van dat we op de goede plek waren en ik draaide me een paar keer verward en paniekerig om. Mijn god, waar was hij?

'Ik hoor iets in het water,' fluisterde Lucinda.

Ik keek over de rand van de kade en zag José Gomez in een klein, verveloos bootje zitten dat op het teruglopende tij op en neer dobberde. Hij keek bezorgd en gebaarde ons snel aan boord te komen. We gingen voorzichtig het trappetje af en Lucinda ging zonder nodeloos gedoe in de boot zitten. José nam de tijd niet zich aan haar voor te stellen. Hij maakte haastig de boot los van de meertros en begon met sterke halen van armen en benen weg te roeien van de pier. Lucinda en ik kropen aan de andere kant van de boot bij elkaar, ons net met etenswaren tussen ons in.

De zon was aan zijn glanzende klim langs de hemel begonnen en veranderde het water in roze en grijze linten licht. Alles was stil, behalve het ritmische geplas van de riemen in het water. De boot ging wonderbaarlijk snel vooruit.

Toen hij vond dat we ver genoeg van de kade af waren, liet hij de riemen op zijn dijen rusten en begon ons tussen diepe ademhalingen door aanwijzingen te geven. 'Wij zijn man en vrouw, José en Maria Gomez. Zij is ons nichtje, en we nemen haar mee uit vissen om haar verjaardag te vieren.'

'Maar ik ben pas in juni jarig. En hoe zit het dan met tío Heremi?'

'Nee, liefje, dat zeggen we als iemand ons vragen gaat stellen.'

José duwde de vishengel die aan zijn voeten lag naar me toe en begon weer te roeien. 'Ga maar vissen.'

Ik had nog nooit in mijn leven gevist, maar ik keek wel uit om om aanwijzingen te vragen. Ik pakte de hengel, maakte de lijn bovenaan los en liet hem in het water vallen. Ik keek achterom naar de kust en staarde naar de malecón. Ook die was roze en trilde in het ochtendlicht. De skyline stak scherp af tegen de lucht en de ramen van de huizen blonken door de weerspiegeling van het bleke licht. Een paar vroege vogels liepen langs de kust en een paar vissers voeren dichter bij de kust de zee op, hun vishengels al uitgeworpen. Toen zag ik haar staan, aan het uiteinde van de pier. Ze hield één hand boven haar ogen tegen de ochtendzon, die boven de horizon uit piepte. Het licht ving het stralende wit van haar tulband. Het was Beba, en ze zwaaide uitzinnig naar ons. Misschien was ze van gedachten veranderd en wilde ze toch met ons mee.

'Je moet omkeren,' zei ik tegen José, terwijl ik overeind kwam, waardoor de boot schudde. Lucinda slaakte een kreetje.

'Wat doe je? Ga zitten, voor we omslaan.'

'Het is Beba.'

'Is Beba er?' vroeg Lucinda.

'Wie is Beba verdomme? Waar heb je het over?' José hield op met zijn dolle geroei en keek naar de pier. 'Het kost minstens een uur om daarnaar terug te roeien, het is tegen het tij in. Dan missen we het schip.'

De golven waren hoger geworden en we zagen Beba alleen nog maar als we erbovenop zaten. Ze zwaaide nog steeds. Toen zwaaide ze niet meer. En toen was ze weg.

José was drijfnat van het zweet en zijn T-shirt plakte aan zijn lijf. Hij bekeek Lucinda even nieuwsgierig. Ze hield zich aan de zijkant van de boot vast, haar ogen naar de lucht opgeslagen. Hij tastte onder zijn bankje en gooide me een haveloos zwemvest toe. 'Dat heb ik voor het meisje gekocht.'

Ik deed Lucinda snel het vest aan en maakte de gespjes stevig dicht.

'Wat is dit, tía?'

'Een speciaal vest, dat op het water blijft drijven, dus als we erin vallen, blijf je drijven als de beste zwemmer van de wereld.'

Lucinda glimlachte terwijl ze haar handen langs het ruwe oranje plastic en de gespen liet glijden. Toen betrok haar gezicht. 'En jij en meneer Gomez dan?'

'Wij kunnen goed zwemmen, liefje. Over ons hoef je je geen zorgen te maken.'

José begon weer te roeien, terwijl hij af en toe over zijn schouder keek om te zien hoe ver we al waren. Hij vertelde ons dat we naar het verste schip met de rode streep langs de zijkant moesten. Het lag verder uit de kust afgemeerd omdat het zo ontzettend groot was. De golven werden steeds hoger en spatten over de zijkant van onze boot. José roeide nog harder, maar het leek of we langzamer vooruitkwamen en soms helemaal niet.

'Je hebt hier een verschrikkelijke stroming,' schreeuwde José over het gebulder van de wind en de zee heen. 'Net werkte hij met ons mee, maar nu trekt hij ons terug.' Hij was uitgeput van het roeien en hij vertrok zijn gezicht van inspanning.

'Kan ik helpen?' schreeuwde ik, maar hij hoorde me niet. Hij bleef uit alle macht roeien. Op een gegeven moment werden de golven zo hoog dat een van de riemen helemaal uit het water kwam en José hem bijna kwijtraakte omdat er geen weerstand meer was. Lucinda hield me stevig vast. Ik kon me alleen maar voorstellen hoe beangstigend dit voor haar moest zijn. Het enige wat zij hoorde was een herrie als van de donder. Water spatte over de zijkanten van de boot, zodat we al snel doornat waren. Lucinda's voetjes in de plastic sandalen glipten weg toen ze zich schrap wilde zetten tegen de schokkende bewegingen van onze kleine boot. Het zicht op het grote, witte schip met zijn rode band langs de zijkant troostte me. Als we daar eenmaal op waren, waren we veilig. Pepe had me verzekerd dat dat soort schepen nooit doorzocht werden omdat de douane omgekocht werd om een andere kant uit te kijken. 'Daar gaat veel van het geld voor de overtocht in zitten,' had hij gezegd.

'Ons schip is vlakbij, liefje,' zei ik tegen Lucinda, die met haar hoofdje tegen mijn borst knikte.

Toen een nieuwe golf ons het zicht op het witte schip geheel benomen had, zei José dat we tegen de golven in moesten leunen. We volgden zijn aanwijzingen op en de boot lag opeens een stuk stabieler. José roeide nu met hernieuwde energie. Ik keek achter ons. De malecón was nog steeds zichtbaar in de ochtendzon, die zichzelf nu geheel had onthuld in een wolkeloze hemel. We waren te ver weg om mensen op de kade te zien en ik had er geen idee van of Beba ons nog in de gaten hield. Ik voelde me veiliger bij de gedachte dat ze dat wel deed, en ik zei tegen Lucinda dat Beba voor ons bad en ervoor zorgde dat ons niets zou overkomen.

We waren nu al ruim een uur op het water, en het schip was nu zo dichtbij dat ik de kleine patrijspoorten net boven de geschilderde rode streep kon zien. Misschien zouden wij achter een van die patrijspoorten verblijven tijdens onze vijf uur durende overtocht naar Jamaica. We zouden daar tussen een lading bananen of ruwe suiker verborgen worden. Plotseling bedacht ik dat ik niet wist of José ook zou vluchten. Gisteravond had ik gedacht dat hij een deel van het geld nam en ons in ruil daarvoor naar het schip bracht, maar hij leek in meer dan geld geïnteresseerd. Hij leek een bezeten man.

'Kom je met ons mee?' vroeg ik in een kort ogenblik dat hij zijn armen even liet rusten.

'Natuurlijk,' zei hij. 'Wat er ook gebeurt, ik verdwijn.'

Ik vroeg niet wat hij daarmee bedoelde, want zijn armen en benen bewogen weer op en neer met wonderbaarlijke concentratie en we schoten behoorlijk op. Ik was blij dat hij met ons meeging. We konden ons blijven voordoen als man en vrouw, wat mij ongewenste aandacht van de bemanning zou besparen. Ik zou dit voor we aan boord gingen tegen José zeggen. De golven waren wat rustiger geworden en hij roeide makkelijker, maar ik zou hem nu niet lastigvallen met vragen, zelfs al spookte er één dreigend door mijn hoofd: hoe moesten we in godsnaam aan boord komen?

Toen we dichterbij kwamen, leek het schip nog enormer dan eerst; ons bootje was daarnaast amper zichtbaar. Er was in ieder geval geen deur of luik in de boeg waardoor we naar binnen konden komen, en de patrijspoorten bevonden zich meters boven het wateroppervlak. De enige mogelijkheid was dat we aan een touw of zo omhooggetrokken zouden worden. Ik huiverde bij de gedachte, niet voor mezelf, maar voor Lucinda, die al zo bang was.

'Er moet hier iemand naar ons op de uitkijk staan,' zei José, terwijl hij opkeek naar de reus die boven ons uittorende.

'Zouden ze ons kunnen zien, denk je?' vroeg ik.

Mijn vraag werd beantwoord met een dun touw dat over de rand van het schip werd geworpen. Zo te zien nog te dun om het gewicht van een hondje te kunnen houden. Maar toen het dichterbij kwam, zagen we dat het touw in feite behoorlijk stevig was. Het probleem was het te pakken te krijgen zonder dat we met onze boot de zijkant van het schip raakten. De golven waren weliswaar kalmer, maar ze hadden nog genoeg kracht om ons als we niet uitkeken tegen het schip aan te slaan, en het was duidelijk dat ons gammele bootje weinig meer kon hebben. Als het rustig water was geweest had een van ons gemakkelijk naar het touw toe kunnen zwemmen en het naar het bootje kunnen brengen, maar ik had nog nooit in zulk water gezwommen en ik wilde niet dat José ons alleen liet.

Hoewel we niets hadden gezegd sinds het touw omlaag werd gelaten, was ik er zeker van dat José dezelfde zorgen had als ik en daarom aarzelde. Hij hield de druipende roeispanen boven het water terwijl we op en neer dobberden en met elke golf nu eens dichterbij en dan weer verder van het schip af werden gedreven.

'Ik kan de golven tegen een metalen schip horen, tía. Het is heel dichtbij.'

'Het ligt naast ons, lieverd. Ze zullen ons zo snel ze kunnen omhooghijsen.'

José roeide nog iets dichterbij. We waren maar een meter of zo van het touw vandaan, en steeds als de golven ons te dichtbij dreigden te duwen, stak José een roeispaan uit om ons op een veilige, hoewel niet erg vaste afstand te houden. Hij gebaarde naar me dat ik het touw moest pakken terwijl hij de roeispaan uithield. Lucinda zou als eerste gaan. Ik greep het touw, bond het stevig om haar middel en zei haar het zo stevig mogelijk vast te houden. Ze knikte en knipperde het water dat van de golven omhoogspatte uit haar ogen.

'Ze gaan je een heel eind omhoogtrekken, maar ik zit vlak onder je.'

Lucinda pakte het touw met beide handen vast en wachtte. José trok twee keer hard aan het touw en het werd omhooggetrokken, eerst langzaam tot Lucinda's voeten boven de boot bungelden. Haar plastic slippers vielen uit, eentje in de boot, de andere in zee, en die dreef weg voor ik de kans kreeg hem te pakken. Ik was bang dat Lucinda hiervan zou schrikken, daardoor zou bewegen en dat zo het touw los zou gaan, maar ze hield zich doodstil. Haar handen grepen het touw vast en ze drukte haar gezichtje ertegenaan. Ze zwaaide boven onze hoofden heen en weer en ze ging stukje bij beetje omhoog, steeds hoger, bijna tot de patrijspoorten. We strekten onze halzen terwijl we haar nakeken, maar José bleef waakzaam met zijn roeiriem, hoewel ik af en toe dacht dat hij wel uit de boot geworpen kon worden, zo veel kracht moest hij weerstaan.

Lucinda was nu bij de patrijspoorten, te ver weg om mijn stem te horen. Ik kon me voorstellen hoe bang ze moest zijn en begon te trillen en te bidden.

'Ze zijn ermee gestopt,' zei José.

Lucinda hing nog te bungelen, maar ze ging niet meer omhoog. Toen begon ze langzaam omlaag te zakken, en toen weer naar boven, voor ze hortend stil hing. Het touw was rond haar middel omhooggeschoven en zat nu verborgen onder het zwemvest. Plotseling begon ze heel snel naar beneden te zakken. Het touw werd een wilde, trillende slang en ik besefte dat ze in een vrije val zat. Ik zat als verlamd en zag haar voeten wild heen en weer zwaaien terwijl ze het uitgilde en toen verdween ze zo'n vijftig meter van de boot in de golven.

Ik dook in het water en zwom naar de plek waar ik Lucinda terecht had zien komen. De golven sloegen over me heen en ik kon amper adem krijgen, met zo veel kracht duwde het water me neer en dan weer op. Ik zag Lucinda's hoofd op en neer bewegen achter de kam van de volgende golf, haar ogen dicht, haar kin op haar reddingsvest, maar ik kon het ritme niet te pakken krijgen waarmee ik naar haar toe zou kunnen zwemmen. Het bekende zware gevoel, waarvan ik wist dat het door mijn eigen angst veroorzaakt werd, bekroop mijn ledematen, waardoor het bijna onmogelijk was boven water te blijven, laat staan te zwemmen. 'Angst drijft niet,' had abuelo ons tijdens de zwemlessen altijd gezegd. 'Angst zinkt direct naar de bodem. Maar moed,' zei hij, met glanzende ogen, 'die drijft niet alleen, die vliegt.'

Plotseling zwom abuelo naast me, en moedigde me aan. 'Ik ben trots op je, Norita,' zei hij. 'Je bent er zonder na te denken in gesprongen en nu zul je weten wat ik altijd al geweten heb.' Ik voelde zijn kracht door mijn spieren stromen, en ik werd zo gestroomlijnd als een dolfijn; mijn benen pompten als zuigers, en mijn longen vulden zich met pure zuurstof. Ik zwom voor mijn Lucinda, met meer overtuiging dan ik ooit iets in mijn leven gedaan had, en toen ik bij haar was, trok ik haar aan het bandje van haar zwemvest naar me toe. Ze ademde, godzijdank ademde ze, en ik hield haar tegen me aan terwijl José de boot zo dicht bij ons roeide dat we erin konden klimmen. Hij trok eerst Lucinda aan boord, en toen volgde ik en ik zakte op de bodem van de boot in elkaar.

Uitputting overmande me en alles werd zo donker en stil als een droomloze slaap, maar niet voor ik abuelo had horen fluisteren: 'Je bent een uitstekende zwemster, Norita.'

35

José zat tegen de achtergrond van een volmaakt blauwe lucht te vissen. Vlak onder hem zag ik een paar kleine, blote voetjes, waarvan de tenen bewogen als krabbetjes die uit hun schalen piepten. Ik wilde me snel omdraaien en voelde een barstende hoofdpijn. Ik leunde op een elleboog en draaide wat langzamer.

Lucinda lag naast me en ze ademde. Ik zag haar borstkas op- en neergaan, en dat kwam niet door de boot, want de boot bewoog amper. Het was heel stil. We waren allebei helemaal droog en Lucinda's pijpenkrullen waaierden als vuurwerk van haar prachtige gezichtje af.

Ik legde mijn hand zachtjes op haar wang. Haar ogen gingen snel heen en weer alsof ze droomde, en toen glimlachte ze. 'Ik kan het licht zien, tía Norita, en het is zo prachtig.'

José hoorde ons praten en draaide zich maar half om om naar ons te kijken, maar hij zei niets. Hij ving twee vissen vlak achter elkaar en gooide ze op het stukje bodem tussen ons in. Ze flapperden even terwijl hun leven in de hete zon snel verdampte. Kennelijk was hij ervan overtuigd dat hij er niet meer zou vangen want hij haalde de ingewanden uit de vis en het vel eraf en gaf ons allebei een paar moten rauwe vis. De rest sneed hij in smalle reepjes, die hij op de smalle houten bank legde om te drogen. Hij deed dit allemaal zonder iets te zeggen of ons aan te kijken.

Ik spoorde Lucinda aan het warme, witte stukje vis in haar mond te steken en het snel te kauwen voor ze het doorslikte. Het was een smakeloze massa harde dril die door mijn keel gleed, en ik besefte toen pas hoe dorstig ik was en dat mijn schouders pijn deden toen ik me hoger op mijn ellebogen opdrukte om over de rand van de boot te kijken. Ik wist niet precies wat ik verwachtte te zien. Misschien de skyline van Havana als een roestige kroon op de Caribische zee, een paar andere vissersboten, Beba die op de pier op ons stond te wachten met haar handen op haar heupen omdat ze nog wel iets anders te doen had en ze al lang genoeg wachtte. Het was een schok om de grote, blauwe oceaan te zien die zich aan alle kanten om ons heen uitstrekte. Ik draaide me om naar waar ik dacht dat Cuba zou zijn, de scheurende pijn in mijn schouders negerend, maar er was niets behalve de dunne lijn van de horizon, strak en ver, die ons omringde als een enorme spookachtige cirkel.

'Waar zijn we?' De lucht was zo vochtig dat je er bijna van kon drinken.

José kauwde op zijn vis terwijl hij zorgvuldig de vislijn oprolde. 'Op weg naar de vrijheid... Maria.' Hij glimlachte, waarbij hij kleine, regelmatige tanden liet zien, tanden die duidelijk altijd goed verzorgd waren. 'Mijn moeder heette Maria. Welke moeder niet?' Hij grinnikte.

'Vrijheid,' mompelde Lucinda, terwijl ze gehoorzaam kauwde en slikte.

José vertelde ons dat er waarschijnlijk regeringsbeambten op het schip aanwezig waren geweest. Het touw was doorgesneden en toen was Lucinda in het water gevallen. Hij had een oogje op ons in het water gehouden en tegelijk gekeken of er een nieuw touw kwam, maar dat was niet gebeurd.

'Als ik niet zo moe van het roeien was geweest, was ik eerder bij jullie geweest,' zei hij voor hij zijn mond weer vol rauwe vis propte. 'Jullie waren allebei zo moe, ik heb jullie maar laten slapen.'

'Waarom ben je niet naar de kust teruggeroeid?' vroeg ik.

'Ik zei je toch dat ik ervandoor ging, wat er ook gebeurde? Vandaag was mijn laatste dag op dat eiland.'

'En hoe moet het dan met water, met het eten?'

'Ik heb water en citrusvruchten bij me. Met wat jij hebt meegenomen, denk ik dat we genoeg hebben voor twee, drie dagen, als we zuinig zijn.'

Ik voelde een schok van angst door me heen gaan toen ik aan de verhalen dacht die ik gehoord had over Cubanen die heel wat meer dagen in het kanaal hadden doorgebracht vanwege veranderlijke stromingen en storm. Velen waren verdronken of gestorven aan uitdroging voor ze de vrijheid bereikten. Ik zei dat tegen José, die een behoedzame blik op Lucinda wierp. 'Dat zal ons niet overkomen. Ik ben niet zo ver gekomen om het alsnog te verliezen.'

José gaf me een plastic bekertje, voor eenderde gevuld met water. Dit was mijn en Lucinda's rantsoen voor die ochtend. We zouden om twaalf uur nog een bekertje krijgen en 's avonds weer een. Ik zag dat José voor zichzelf precies evenveel inschonk.

'Blijf in de schaduw,' zei hij; nu pas viel me het geïmproviseerde scherm op dat hij boven onze hoofden had gemaakt, uit een oude deken die over de helft van de boot was gespannen en opgehouden werd door de roeispanen.

'Hebben we die niet nodig om mee te sturen of zo?'

'De stroming neemt ons wel mee. Nu moeten jullie slapen.'

'En jij dan?'

José leunde achterover op zijn bankje en strekte zijn benen tussen Lucinda en mij. Hij duwde zijn breedgerande strohoed over zijn gezicht en sloeg zijn armen over elkaar. Hij mompelde nog iets onder zijn hoed, en toen viel hij in slaap.

'Ik heb gewonnen,' zegt Alicia. We houden een wedstrijdje wie de allermooiste schelp kan vinden. Abuelo verzint altijd dit soort spelletjes als hij wil slapen of nietsdoen en geen zin heeft om constant aan onze verlangens om met hem in het water te spelen toe te geven. Alicia houdt haar vondst omhoog, een handgrote schelp die van onder tot boven in tere roze- en geeltinten gemarmerd is. Hij is inderdaad volmaakt.

Ik kijk naar mijn eigen steeds groter wordende hoopje schelpen. Er zitten een paar interessante bij, zelfs een blauwe oesterschelp, die ik nog nooit eerder gezien heb, maar langs de rand zijn er een aantal stukjes uit. Het zal moeilijk zijn een schelp te vinden die tegen die van Alicia op kan. Ze staat nu over me heen gebogen, ik kan haar roze tenen in het zand zien wriemelen, ze graven zich in tegen de zachte stroming die langs de waterrand aan haar trekt. Ze houdt de schelp bij mijn gezicht zodat ik hem beter kan bekijken. Hij is werkelijk spectaculair. Wat vanuit de verte geel lijkt, zijn in werkelijkheid fijne gouden draadjes, en het oppervlak is glad gepolijst, zoals de porseleinen kopjes die te pronk staan in mami's eetkamer. Dit is niet zomaar een schelp, dit is een kunstwerk.

'Jij mag hem hebben,' zegt ze, en ze laat hem in het zand vallen voor ik de kans heb de val te breken. Met ingehouden adem pak ik hem op. Gelukkig is hij niet beschadigd.

'Dit is de mooiste schelp van de wereld. Je moet hem zelf houden.'

'Ik wil dat hij van jou is, Nora. Ik wil dat je hem iedere nacht onder je kussen legt en aan mij denkt.'

'Als ik dat doe, gaat hij kapot.'

'Natuurlijk gaat-ie niet kapot, gekkie.' Ze graait hem uit mijn hand en danst langs de kust, gooit hem omhoog, draait zich om en vangt hem tegelijkertijd. Ik ren achter haar aan, ik probeer de schelp te vangen als hij nog in de lucht is, maar hij ontgaat me. Alicia is veel sneller en ze kan veel hoger springen en iedere keer als ze de schelp vangt lacht ze als een windorgeltje. Soms vangt ze hem met maar één vinger, en dan moet ze nog harder lachen. Ze springt het water in en gooit hem steeds hoger, zo hoog dat hij met zijn gemarmerde puntje de zon raakt en nog glanzender dan daarvoor naar de aarde terugkeert.

Ik ben helemaal van streek. Ze heeft nu lang genoeg met mijn schelp gesprongen en gespeeld, en ik weet dat het slechts een kwestie van tijd is voor ze hem breekt. Ik doe mijn uiterste best, ik spring uit alle macht en vang de schelp midden in de lucht met mijn beide handen. Ik hou hem tegen mijn hart, maar als ik weer op het zand sta, besef ik dat ik hem kapotgemaakt heb. Ik kijk naar de stukken, scherfjes goud en roze gekleurde schoonheid, die op zee drijven. Ik kijk op om tegen mijn nichtje te zeggen dat het me spijt, maar ze is weg, zelfs haar voetstappen zijn van het zand verdwenen.

Ik werd dit keer wakker bij een wonderbaarlijk panorama van sterren, een koepel met twinkelende lichtjes tegen een nachtblauwe hemel, en bij een bekend geluid in de stilte van de nacht. José roeide dit keer anders, liet iedere slag gemakkelijk glijden met de zachte welsprekendheid van een danser. Het tere licht van de sterren viel op zijn gezicht en gestalte. Het leek alsof zijn contouren met een fijn regenboogkleurig laagje poeder afgetekend waren. Lucinda was al wakker en zat rechtop naast me. Haar hand lag op mijn arm en daar had hij waarschijnlijk al uren gelegen, omdat ik het niet merkte tot ik zelf rechtop ging zitten en de koude, lege plek voelde waar hij geweest was. Ze stak nu haar hand naar me uit en ik nam hem snel in de mijne.

Zonder een woord te zeggen gaf ze me een sinaasappel en ik zag de stukken sinaasappelschil in een keurig hoopje naast haar liggen. Ik had honger en dorst, en het warme, zoete sap explodeerde in mijn mond tot kleine speldenprikjes zure pijn. Ik keek naar José terwijl ik at. Hij leek ontspannen en tevreden met de vorderingen die we maakten. 'We hadden geen beter weer kunnen treffen,' zei hij. 'En je kunt beter 's nachts roeien. Dan zweet ik niet zo veel. Trouwens, ik hoef ons alleen maar terug te roeien naar de stroming die ons naar de vaargeul brengt. Daar komen een hoop vrachtschepen langs en ongetwijfeld zal één ons opmerken.'

José vertelde dat hij de getijden al maanden bestudeerd had, voor het geval dat hij het eiland op eigen kracht zou moeten verlaten. Als we in de goede stroming bleven, zaten we zonder veel problemen op het juiste spoor naar de vrijheid. Als we te ver afdreven, zouden we tot in de oneindigheid door blijven drijven en in geen weken gevonden worden, als we al gevonden werden. Wat er dan nog van ons over was. Natuurlijk zat José hier helemaal niet mee. Hij sprak zonder met zijn ogen te knipperen over de mogelijkheid van honger en dorst om te komen. Het was een mogelijkheid die hij net zo koel geanalyseerd had als de getijden.

Hij trok de riemen binnenboord en ik voelde hoe het getij ons als een onzichtbare hand onder zee voortduwde. Het water was glad als een spiegel en weerspiegelde zelfs de sterren, waardoor het leek of ons bootje in een enorm uitspansel van sterren onder en boven ons voortdreef.

'Tía Nora?'

'Ja, Lucinda?'

'Meneer Gomez heeft mijn papi in de gevangenis gekend.'

José knikte. 'Meteen toen ik haar zag op de pier kwam ze me al bekend voor. Ze heeft precies dezelfde ogen als haar vader. Maar het muntje viel pas toen ze haar moeders naam noemde. Bijna drie jaar lang had Tony het alleen maar over Alicia. Ik heb me afgevraagd of één vrouw dat allemaal kon zijn... zo mooi en slim en sterk. Ik denk dat ik zelf ook verliefd op haar ben geworden.'

'Ja, dat was ze allemaal,' zei ik. Ik zat recht overeind, me verbazend over het toeval. 'En je bent in goed gezelschap. We waren allemaal dol op haar.'

Ik wilde dolgraag zijn verhaal horen en terwijl José verder roeide, vertelde hij me wat hij net begonnen was aan Lucinda te vertellen. Hij was journalist, had uitgebreid rondgereisd in Europa en Zuid-Amerika en was een loyaal revolutionair geweest, die gloedvolle artikelen had geschreven die Castro's positie als socialist in de wereld steunden. Deze artikelen hadden hem in de hoogste regeringskringen gebracht. Zijn laatste, meest prestigieuze baan was geweest om als televisieverslaggever regelmatig een vraaggesprek met Castro voor de tv te houden. Hij wist welke vragen hij moest stellen zodat de leider goedgeïnformeerd en evenwichtig over zou komen, en toch stelde hij ze met de doordringende onverschilligheid van een meedogenloze journalist op zoek naar de waarheid. 'Hoe dichter ik bij de kern terechtkwam, hoe meer ik merkte wat een flagrante verschillen er waren tussen hun manier van leven en die van gewone burgers. Na een vermoeiende dag van eindeloze toespraken over de noodzaak zich opofferingen te getroosten en over de eer van een lege maag, trok de elite die de macht had zich terug in een koninklijk leven. Hun huizen zijn weelderig en ze eten en drinken geïmporteerd voedsel en allerlei wijnen. Ze zitten ontspannen aan uitgebreide maaltijden die uren duren en spreken dan over nationale en internationale zaken, terwijl hun maîtresses hun nog eens opscheppen.

Natuurlijk, ik heb zelf ook aan die prachtige maaltijden gezeten en ik heb meegelachen en mijn wijze, objectieve mening gegeven als dat kon. Eventjes heb ik mezelf zelfs wijsgemaakt dat ik de wanhoop die mannen en vrouwen ertoe drijft hun lichaam op straat te verkopen voorbij was. Maar het is voor iedereen hetzelfde. Sommige mensen verkopen hun lichaam, andere hun ziel.

Algauw werd het me duidelijk dat mijn plekje bij de kern niet anders was dan de plek van iedere Cubaan die aanschuift bij een schamel kommetje rijst en bonen, met een stukje vlees als hij geluk heeft. De belofte van een boterham is genoeg om hen over te halen om met vlaggen te zwaaien alsof hun leven ervan afhangt. Mijn moeder gaat als het maar enigszins mogelijk is naar een communistische bijeenkomst, niet omdat ze vindt dat de regering het goed of verkeerd doet, want daar denkt ze niet meer aan, maar omdat ze genoeg heeft van rijst en bonen en geen bezwaar heeft tegen een stukje vlees en vers brood voor de verandering. En ik verkocht mijn geest en zielenleven niet voor een boterham, maar voor een zevengangendiner, met een sigaar na afloop.'

José vouwde zijn gespierde armen over elkaar en schudde langzaam zijn hoofd. 'Ik begon een hekel aan mezelf te krijgen. Iedere keer dat ik glimlachte en knikte had ik het gevoel alsof ik mijn eigen gal inslikte. Ik ging niet meer in op uitnodigingen voor etentjes en leerde schrijvers kennen die niet bang waren voor de waarheid. Ze gebruikten hun geschriften om mensen iets te leren en om een vuurtje aan te steken bij diegenen die gekluisterd worden door de dagelijkse uitdaging te overleven. We hadden het gevoel dat we Castro's schoothondjes waren geworden, vastgeketend aan het hek en gevoed met de kruimels van de tafel van de baas.

Samen wilden we piesen en poepen over al die gewreven vloeren en chique kleden van Castro's nieuwe hotels, die als paddestoelen langs de stranden uit de grond schoten. We wilden blaffen en huilen als de wolven toen hij mensen beledigde met zijn monotone, inhoudsloze, absolute, zelfzuchtige machtsvertoon. We deden dat door stukken te schrijven, kort en zakelijk. Zoals ik eerder de mensen met mijn geschrijf misleid had, zo wilde ik ze nu de waarheid vertellen.

Ze pakten een paar van ons 's nachts thuis op, en anderen brutaal overdag. Tony zat in de cel naast de mijne. Het was een verbazend sterke man, een natuurlijk leider, en daarom wist ik dat ze hem nooit vrij zouden laten. Hij praatte met me toen ik besloten had me van het leven te beroven voor Castro dat deed. Maar Tony sprak over God, en over wat we zouden doen als we uit de gevangenis kwamen en hoe we onszelf sterk moesten houden. Ik plaagde hem vaak als hij zo sprak en vroeg hem wat voor revolutionair hij was, dat hij in God geloofde. Tony zei dat hij zelfs in de begindagen alleen maar in zijn hoofd revolutionair was. Daaronder was hij altijd een braaf katholiek jongetje gebleven.' José huiverde in de warme lucht en keek uit over de open oceaan om ons heen. 'Ik heb mijn leven aan hem te danken.'

Lucinda's stemmetje klonk uit het hoekje van de boot. 'En miste papi ons, meneer Gomez?'

'Hij heeft me iedere dag verteld hoeveel hij jou en je moeder miste. Vanaf de eerste dag in de gevangenis was hij van plan te ontsnappen. Niemand wist het, behalve ik, en hij heeft me overgehaald met hem mee te gaan. Ons plan was te wachten tot we ergens bij een gebied met dichte begroeiing tewerk zouden worden gesteld, waar we konden ontsnappen en in het oerwoud onderduiken. De wachten waren slechtgeorganiseerd en lui, en als ze het eerste uur onze afwezigheid niet zouden opmerken, hadden we een goede kans. Het duurde bijna een jaar voor de volmaakte gelegenheid zich aandiende. We moesten een weg in Matanzas repareren, en Tony zei dat hij het gebied goed kende. De groep mannen die tewerk werd gesteld was groot, we waren met ruim honderd man, en de weg grensde aan het oerwoud.

We hadden geen tijd om er lang over na te denken. Toen ze onze kettingen losmaakten zodat we van de achterkant van de vrachtwagen omlaag konden klauteren zonder over elkaar heen te vallen, nam ik mijn plekje in de rij in en gebaarde Tony me dat ik eerst moest gaan. Ik deed een stap naar achteren, een greppel langs de weg in. De wacht die bij onze afdeling was ingedeeld, was de luiste van allemaal. Ik wist zeker dat ik de bomen kon halen zonder dat hij me zou zien, maar ik had geen geluk. Hij zag me wel en hief zijn geweer om te schieten, toen Tony op hem sprong. Ik rende zo snel ik kon het oerwoud in. Ik heb uren doorgerend. Toen heb ik me drie dagen in een holle boom verstopt en gebeden zoals ik nog nooit gebeden heb. Toen ben ik naar Havana gelift en heb vrienden opgezocht, die me in huis genomen hebben. Daar heb ik twee jaar ondergedoken gezeten.'

'Wat is er met papi gebeurd?'

'Agressie jegens een wacht wordt gestraft met een snelle executie.' José zweeg en keek even naar zijn publiek voor hij zachter verderging. 'Ik twijfel er niet aan dat je papi zijn dood eervol tegemoet is getreden, en dat zijn laatste gedachten bij jou en je mami waren.'

Lucinda knikte en sprak met haar lieve kinderstem vanuit een diep weten dat bij een veel ouder en wijzer iemand paste. 'Mami zei altijd dat papi een manier zou vinden om voor ons te zorgen. En nu bent u hier om voor tía Nora en mij te zorgen, omdat papi er zelf niet kan zijn.'

'Reken maar dat ik voor jullie zal zorgen. En jullie zullen in vrijheid leven, net zoals je papi dat wilde,' zei José duidelijk ontroerd.

Alsof hij op dit voornemen wilde klinken, schonk José voor ons drieën een gelijk rantsoen water in. Ik nam een voorzichtig slokje, alsof het de duurste champagne was. Ik voelde me euforisch. Kwam het door het met sterren bezaaide uitspansel boven ons? Was het de suiker in de sinaasappel die nog op mijn tong danste? Ik twijfelde er niet aan dat we de vrijheid met weinig problemen zouden bereiken. We waren nu kilometers buiten de kust van Cuba. Beba zou Jeremy gebeld hebben en hij verwachtte ons nu thuis. Hij zou zich afvragen waarom ik niet zelf gebeld had, maar binnen een paar dagen zou ik hem vanuit Miami bellen om hem te zeggen dat we veilig waren en veel van hem hielden.

Lucinda zat te dommelen, haar hoofd rustte op haar arm. Het was een beetje fris en ik trok de deken die ons overdag tegen de zon beschermd had over haar schouders. Zou Jeremy eraan gedacht hebben haar kamer in te richten? Wat heerlijk zou het zijn veilig in zijn armen te liggen in de wetenschap dat Lucinda gezond en wel in haar eigen kamertje lag. Het moest een gele kamer worden, de kleur van de zon. Ik zou meteen een goede school voor haar zoeken en de hele familie zou meteen dol op haar zijn, zoals iedereen dat altijd was. Natuurlijk zouden we haar zo snel mogelijk adopteren.

José had geen slaap en zijn ogen glansden terwijl ze het water om ons heen afzochten. Hij keek uit naar grote schepen en tankers, die geluidloos maar met grote snelheid door het water konden glijden. De schepen die ons overdag konden redden, zouden 's nachts onze ondergang kunnen zijn.

'Hoe heet je eigenlijk echt?' vroeg ik hem na een lange stilte.

'Manuel Alarcon. En jij?'

'Nora Garcia-McLaughlin.'

'Ah, je bent dus met een Amerikaan getrouwd.'

Ik knikte en glimlachte bij de gedachte aan Jeremy, tío Heremi, zoals Lucinda hem noemde. 'Het is een goede man, ik hou heel veel van hem.'

'Dus hij staat op je te wachten?'

'Ja.' Ik dacht aan Jeremy's aanstekelijke lach en zijn vriendelijke zachtbruine ogen. Zelfs nu we al die jaren getrouwd waren, kon ik niet aan hem denken zonder dat een warme gloed zich over mijn hele lichaam verspreidde.

José stelde geen verdere vragen. Hij was een praktische, doelgerichte man en hij keek beheerst de oceaan af, terwijl hij een stuk vislijn om zijn vinger oprolde en weer losrolde.

'Ben jij getrouwd?' vroeg ik.

'Nee,' antwoordde hij, zonder zijn blik van de zee af te wenden.

'Waarom niet?'

Hij drukte zijn lippen op elkaar, het eerste teken van zorg dat ik op zijn gezicht gezien had. 'Misschien vind ik op een dag de tijd en energie om een vrouw te zoeken.'

'Moet ze Cubaanse zijn?'

'Daar heb ik nog niet over nagedacht.' En het leek niet of hij daar nu over na wilde denken. 'Ik heb me altijd een Cubaanse vrouw voorgesteld, maar nu zou ik tevreden zijn met een Amerikaanse vrouw.'

We praatten een tijdje; tenminste, ik praatte vooral. Ik vertelde hem over Alicia, hoe we samen opgegroeid waren en de belofte die ik haar gedaan had voor ze stierf. We keken hoe de sterren langzaam door de nacht draaiden en ik vertelde hem over hoe moeilijk het was om uit Cuba weg te gaan, en hoe moeilijk ik het de eerste tijd in de Verenigde Staten en met de Amerikaanse levenswijze had gehad. Hij was het met me eens dat de romantiek van Cuba moeilijk te weerstaan was, maar dat hij voor alle Cubanen gestorven was, zelfs voor degenen die in hun vaderland waren gebleven. Nu hadden we alleen nog herinneringen en verhalen om de romantiek levend te houden, en dat moest genoeg zijn.

We praatten, met lange stiltes ertussen, tot het vage, tere licht van de ochtend aan de horizon begon op te gloeien. 'Die kant moeten we op,' zei Manuel. 'Naar de opgaande zon. We gaan goed.'

Hij zette de roeispanen weer op met de deken eroverheen gespreid, terwijl ik in de opkomende zon wegdommelde met Lucinda naast me. Hoe kon ik me zo ontspannen en positief over mijn leven voelen nu we midden op de oceaan zaten, met maar voor een paar dagen water aan boord en maar een klein beetje meer eten? Was ik gek aan het worden? En toen besefte ik dat het waarschijnlijk de opluchting was dat we ontsnapt waren, en het weten dat wat er ook zou gebeuren, niemand ons achternazat of me Lucinda probeerde af te nemen. Misschien was de dood net zo dichtbij als de krakende planken onder ons, maar we waren vrij en dat was een prachtig gevoel.

Ik zei dit tegen Manuel, en hij hield even op met roeien en ging voorzichtig rechtop in de boot staan, om hem niet te laten schommelen. Hij hield zijn handen als een kommetje voor zijn mond, en schreeuwde in de frisse ochtendlucht: 'Op een dag zal Cuba vrij zijn en teruggegeven worden aan de mensen die er het meest van houden, en Castro's leugens zullen hem als een strop om zijn nek verstikken.'

Ik ging naast hem staan: 'En als we hem in de grond begraven hebben, dansen we op zijn graf.'

Lucinda werd wakker en schreeuwde onverwacht nog harder dan wij: 'Het is een grote klootzak.'

We lachten zo hard dat de boot begon te schommelen en we bijna de roeispanen kwijtraakten. Toen keken we naar de zwijgende, golvende ze, die zich niets aantrok van onze verklaringen.

'Ik denk dat je gelijk hebt,' zei Manuel. 'Wat er ook gebeurt, we zijn vrij.'

36

HET LUKTE MANUEL DE VOLGENDE TWEE DAGEN NOG EEN PAAR
vissen te vangen en het vlees droogde snel in de hete zon, dus hadden we genoeg te eten; maar we hadden nog maar drie sinaasappelen en ons drinkwater raakte op. We besloten het rantsoen tot
een kwart bekertje terug te brengen, drie keer per dag. Als er weer
een dag voorbij zou gaan zonder schip, zouden we nog maar twee
keer per dag drinken. Niet dat we geen schepen gezien hadden; dat
hadden we wel, maar ze waren te ver weg om ons kleine bootje op
te merken, dat door de schittering van de zon op het water waarschijnlijk gewoon een stuk wrakhout leek. Als ze naar ons op zoek
waren geweest was het misschien anders geweest, maar dat waren
ze niet en we werden schor van het schreeuwen naar die metalen
reuzen en moe van het zwaaien met onze armen als ze langvoeren.
   We maakten een vlag van de deken en een van de roeispanen
toen er weer een schip in zicht kwam, maar toen we ermee begonnen te zwaaien, raakte de deken los en viel in zee. Het grootste
deel van de tijd dat het schip in zicht was, besteedden we eraan
hem weer uit het water op te vissen. Dit was niet alleen een vlag,
dit was ons dek 's nachts en ons zonnescherm overdag. Het was
moeilijk voorstelbaar dat we zonder die deken zouden kunnen
overleven. Maar Manuel gaf de moed niet op. Ongetwijfeld zou er
gauw weer een schip langskomen, en deze keer zouden we onze
vlag beter vastmaken, zodat het niet nog eens zou gebeuren.
   Op de derde dag zagen we niet eens één schip en werden we alle
drie bevangen door een somber voorgevoel. Manuel zei het niet,
maar ik wist dat hij bang was dat we de vaargeul waar de meeste
schepen doorheen gingen, gemist hadden. We begonnen ons zor-

gen te maken dat we uit de koers lagen en dat we doelloos ronddreven. De meest verschrikkelijke gevolgen doken voor ons geestesoog op en we spraken de volgende anderhalve dag nauwelijks met elkaar. Het enige wat tussen ons werd uitgewisseld waren stukjes gedroogde vis en armzalige beetjes water. Manuel had het rantsoen nog verder teruggebracht, zodat we amper onze lippen konden bevochtigen. Ik merkte dat hij bij de laatste ronde zelf niet nam, en hij had grote verbrande plekken op zijn armen en nek omdat er geen ruimte voor hem onder de deken was.

Zonder er verder over na te denken, deed ik mijn shirt uit zodat hij het rond zijn nek en gezicht kon wikkelen. Ik was alle gêne die ik normaal gevoeld zou hebben voorbij. Ik maakte me alleen nog maar zorgen over ons overleven.

Het enige wat niet tegenzat, was het weer. De zee bleef kalm, overdag en 's nachts. Incidentele golven tilden ons bootje rustig op voor ze ons weer lieten zakken, als een moeder die haar baby zachtjes in zijn wiegje legt om te slapen. Op een dag, toen de zee kalmer was dan ik hem ooit had meegemaakt en het enige wat bewoog het zweet was dat van mijn lichaam af gutste, deed ik mijn short uit en liet me in het water glijden. De oceaan was koel en stil en wonderbaarlijk mooi. Ik lachte en voelde me verfrist toen Manuel me hielp terug te klimmen in de boot, maar hij was kwaad, bang zelfs.

'Je had niet in het water moeten gaan. Er zitten hier overal haaien.'

'Ik heb geen haai gezien.'

'Ze zien jou wel.'

Ik vulde een lege fles en spoelde Lucinda's haar en haar hele lijf ermee af. Ze sloot haar ogen en glimlachte. Ze was opgehouden te vragen naar de Verenigde Staten en tío Heremi, maar nu vroeg ze of het waar was dat iedereen in Amerika heet water voor een bad had. Ik zei haar dat iedereen dat had, en dat de meeste mensen iedere dag douchten, soms zelfs vaker, als ze daar zin in hadden.

Manuel roeide niet meer, niet overdag en 's nachts ook niet, en we lieten ons meedrijven op de getijden. Meestal gaf hij geen antwoord als we hem een vraag stelden, tenzij één woord genoeg was.

'Wil je een stukje vis?'

'Nee.'

'Denk je dat we nog steeds in de goede stroming zitten?'

'Ja.'

'Zal ik wat water over je heen gieten om je af te koelen?'

'Nee.'

'Doen je schouders pijn?'

'Nee.'

'Zal het nog lang duren?'

'Nee.'

Ik begon onwillekeurig tegen Lucinda te fluisteren, omdat ik de indruk had dat het Manuel begon te ergeren als we op gewone toon spraken. Soms vertrok zijn gezicht in zijn slaap van pijn. Soms lachte hij hardop. Hij bleef water weigeren en zei dat hij geen dorst meer had. Het viel hem niet uit zijn hoofd te praten. Die avond deed ik twee rantsoenen (de twee die hij niet had willen drinken) in het bekertje, dat al helemaal bruin en gevlekt was. Hij sliep met zijn mond open en snurkte zo hard als een beer. Heel langzaam goot ik een dun straaltje water beetje voor beetje naar binnen, zodat hij onmogelijk kon stikken. Zijn mond was heet en droog en hij absorbeerde het water direct. Toen nam ik de laatste sinaasappel en verdeelde hem tussen Lucinda en mezelf, waarbij ik het meeste aan Lucinda gaf, die hem zonder iets te zeggen opat. Zij wist net zo goed als ik dat behalve een gedroogde vis dit het laatste eten was dat we hadden. We wisten allebei dat Manuel waarschijnlijk niet meer zou vissen. De afgelopen twee dagen was hij radicaal van een nuchter, zelfverzekerd man in een prikkelbaar, somber jongetje veranderd. En er sloop iets droogs in zijn ogen, waardoor hij een beetje op een hagedis leek; ik nam aan dat ik er ook zo uitzag. Niettemin wilde ik dat ik beter had opgelet hoe hij die eerste dag gevist had. Wat had hij als aas gebruikt? Hoe had hij de haak vastgemaakt? In de stemming waarin hij nu was, gaf hij geen antwoord op dat soort vragen.

Ik nam de hengel die naast zijn slapende lichaam lag en bekeek hem nauwkeurig. Het enige wat we als aas hadden, was ons laatste beetje eten. Zou een stuk gedroogde vis iets aantrekken? Ik overlegde fluisterend met Lucinda en zij was het met me eens dat het de moeite van het proberen waard was. Ik nam een vrij groot stuk van de gedroogde vis uit de tas achter het bankje en schoof het aan het haakje. Langzaam en voorzichtig liet ik het in het water zakken, zoals ik Manuel de eerste dag had zien doen. Ik wachtte met mijn rug tegen de andere kant van de boot.

Manuel werd wakker toen ik al een uur of zo zat te vissen. Hij keek me met glazige ogen aan, alsof hij er niet zeker van was of hij droomde of niet. Het leek alsof hij enigszins was opgeknapt van het water dat ik in zijn mond had gegoten. Dat, en de koele avondlucht. Lucinda kon horen dat hij wakker was; ik merkte dat aan de manier waarop ze ging verliggen met haar gezicht naar hem toe. Zijn stem klonk hees. 'Wat heb je als aas gebruikt?'

'Een stukje gedroogde vis, dat is het enige wat we nog hebben.'

'Het spijt me. Ik heb de kracht niet meer om je te helpen.' Hij ging op zijn rug liggen, zijn ogen wijdopen naar de donker wordende lucht. 'Ik ben bang dat ik tekortschiet, Nora. Voor jou en Lucinda.'

Ik bewoog de hengel heen en weer en op en neer, zoals ik hem had zien doen. Het aas moest eruitzien alsof het leefde. Ons gedroogde stukje vis moest er als een opgewekt visje uitzien dat blij was dat het leefde in die grote tropische oceaan, anders zou een grotere vis er nooit op af gaan.

'Ik weet dat Tony het me zou vergeven, omdat hij zo'n soort man was,' ging Manuel verder met eentonige stem. Ik begreep dat het hem niet kon schelen of iemand hem antwoordde of niet, dat hij zichzelf gewoon moest horen praten, maar ik wilde niet dat Lucinda zijn fatalistische woorden hoorde. Ze hield het grootste deel van de dag haar hoofd op haar knieën en sprak amper meer. Maar nu was haar hoofd opgericht en luisterde ze gespannen, net nu ik wilde dat ze sliep.

'Zo moet je niet praten, Manuel. Het is nog niet gedaan,' zei ik.

'Dat zei Tony ook altijd. Hij praatte me altijd uit dit soort buien waarin ik de hoop verloren had. Iets aan de manier waarop hij sprak, maakte dat ik luisterde. Ik zei vaak tegen hem dat hij een prima priester kon worden als hij vrijkwam.'

'Tony zou willen dat je sterk was en de moed niet opgaf. Als je het niet voor jezelf kunt opbrengen, doe het dan voor zijn dochter. Ze heeft je nodig, Manuel. Wij allebei hebben je nodig.'

'Dat weet ik, maar Tony had hier moeten zijn, niet ik. Die wetenschap kan ik met me mee mijn graf in dragen.'

Ik gaf een ruk aan de hengel. 'Lucinda kan je horen.'

'Ze mag de waarheid best weten,' ging hij eentonig verder. 'Ik heb altijd gehoord dat als iemand sterft, hij eerst een soort voorgevoel krijgt, het gevoel dat de dood komt. Als dat waar is, dan...'

'Hou op, hoor je!' Ik sloeg hard met de hengel tegen de zijkant van de boot, waarmee ik een scherp, hard geluid maakte, dat in de vochtige lucht niet ver zou dragen. We hadden net zo goed in een cel met geïsoleerde muren kunnen zitten. Manuel zweeg en draaide zich langzaam op zijn zij. Ik was bang dat ik hem kwaad had gemaakt, en ik wist niet waartoe hij in een woedeaanval in staat zou zijn. Wat als hij gek werd? Zou ik de kracht en de wilskracht hebben hem overboord te gooien als hij een bedreiging voor Lucinda's en mijn eigen veiligheid werd?

Hij sloeg zijn enkels over elkaar en rolde zich op in de foetushouding onder het bankje. Ik zag hem in het maanlicht naar ons kijken en ving de glinstering van een van zijn oogballen op. Het oog ging dicht toen ik keek en ging weer open toen ik me weer op het vissen richtte. Ik kon net doen alsof ik niet gemerkt had dat hij naar me keek en hopen dat hij ermee op zou houden, maar ik kon de aandrang niet weerstaan me nog eens om te draaien om te kijken, omdat hij me aan een rat deed denken die onder de kast zat te wachten op het goede ogenblik om iets te ondernemen, wat dat ook zijn mocht.

'Er is iets in het water, tía.' Lucinda's stem maakte me aan het schrikken en bijna liet ik de hengel in het water vallen. 'Ik hoor het, het zwemt om ons heen.'

Ik trok de hengel in en ging rechtop zitten om om me heen te kijken. Het water was nog rustig en kabbelde in zachte golfjes voort, maar ik zag niets: alleen een streepje maanlicht, dat bijna door het wolkendek in de lucht weggewist werd.

Lucinda zat ook rechtop, haar gezichtsuitdrukking verlevendigd, bijna trillend van concentratie. 'Daar heb je het weer.'

'Ik hoor niets, schatje. Misschien verbeeld je je het maar.' Maar net toen ik dit zei, hoorde ik een zachte slag tegen de onderkant van de boot, snel gevolgd door een andere.

'Ze zitten overal,' zei Lucinda, terwijl ze haar hoofd van de ene naar de andere kant draaide, alsof ze met een soort radar was uitgerust. Ik keek nogmaals in het water, en dit keer zag ik ze. Het waren gedaantes in het water die omhoog- en omlaagkwamen in de schaduw. Het kon van alles zijn, wat ik maar wilde: de skyline van Miami, een groot vliegtuig, of een klein pleziervlicgtuigje, dichtbij genoeg om met mijn hengel aan te raken.

Manuel kwam onder het bankje uit geschoven en ging midden in de boot zitten. 'Het zijn haaien,' zei hij nuchter.

Plotseling kon ik de donkere omtrekken van de messcherpe vinnen in de zee op en neer zien gaan, ons omcirkelend, onder ons door glijdend in een wonderlijke formatie. Ik kon ze nu uitstekend zien. Als ik nog iets beter keek, zou ik in hun zwarte, kille ogen kunnen kijken, ogen die op zoek waren naar eten. Weer klonken er wat harde tikken onder de boot. De haaien waren sterk en doelgericht.

'Waarom zijn het er zo veel?'

Manuel zat nu rechtop en had zijn armen om zijn knieën geslagen, zoals Lucinda het grootste deel van de dag gezeten had. 'Ze zijn op jacht.' Weer klonken er kloppende geluiden, snel achter elkaar nu. Het klonk alsof er een heel grote man met zijn blote vuisten tegen de onderkant van onze boot bonkte. De boot zou dat niet lang meer kunnen verdragen.

'Waarom raken ze de boot steeds, tía?'

'Dat weet ik niet. Ze houden er vast snel mee op.'

'Omdat ze denken dat wij eten zijn en ze zullen pas ophouden als ze ervan overtuigd zijn dat we dat niet zijn... of tot we het wel zijn,' zei Manuel.

'We moeten iets doen, toe, Manuel,' zei ik smekend.

Op dat moment ramde een van de grotere haaien de zijkant van de boot, duwde hem naar een verzameling rugvinnen die een meter of zo van ons af waren. Ze hadden hun strategie om te doden, en hun lichamen vlak onder het oppervlak van het water waren als een stel gladde onderzeeërs die om ons heen hingen. Ik vroeg me af of deze haaien al wisten hoe mensenvlees smaakte. Hoeveel vlotten zouden er door dit soort haaien omgekieperd zijn?

Uit de blik waarmee Manuel om zich heen keek sprak niets anders dan nieuwsgierigheid. 'We kunnen niets doen, alleen maar hopen dat er een smakelijker hapje langskomt. Maar ik denk niet dat dat erin zit.'

Ik pakte de riemen waarmee bijna drie dagen niet geroeid was. Ik had er nog nooit wat mee gedaan en ik wist niet precies wat ik moest doen, maar ik ging in de houding zitten die Manuel eerder had ingenomen en zei tegen Lucinda dat ze een eindje verderop moest gaan zitten. De riemen waren zwaar en moeilijk te hanteren, maar langzaam begon ik te roeien. Aan beide kanten van de boot bleven de haaien hameren. Manuel zat er gelaten bij, zonder een spier te vertrekken, zelfs niet toen er bij een bijzonder harde klap een stuk hout van de boord af splinterde. Lucinda schreeuwde het uit en dat zou ik ook gedaan hebben, als ik niet al mijn energie in het roeien had gestoken. De riemen raakten af en toe de ruggen van de haaien, ruggen zo stevig als staal. De haaien probeerden ernaar te happen, denkend dat iemand zo stom was om z'n armen of benen buiten boord te laten hangen.

'Zet dat maar uit je hoofd, je kunt niet snel genoeg roeien,' zei Manuel. 'Ze jagen niet op iets anders, ze hebben het op ons gemunt.'

De boot zou versplinteren. Er zou niets van overblijven. Ik wist dat het slechts een kwestie van tijd was. Ik trok de riemen in en stond op om om me heen te kijken. Lucinda hield zich aan mijn benen vast en snikte, jammerend om haar moeder. De slagen van de haaien kwamen nu sneller en heel gestaag. Het was alsof ze zich als een goedgeoefend regiment soldaten formeerden om de boot kapot te maken. Ik nam een van de riemen en begon naar de haaien te slaan als ik hun vinnen de boot zag naderen. Ik wist nog dat ik ergens gelezen had dat haaien bijzonder gevoelig op hun neus zijn, dus daar richtte ik op. Met het beetje kracht dat ik nog bezat bracht ik de riem steeds maar weer op hun ruggen neer terwijl ik keihard schreeuwde naar God en alle heiligen of ze ons wilden helpen. Ik schreeuwde bloedstollende kreten de nacht in om me de kracht te geven de vijand weg te jagen, de vijand, de boze geesten en de dood zelf. Dood door verdrinking of uitdroging kon ik me nog voorstellen als dat moest, maar lieve God, ik wilde niet opgegeten worden door haaien, alles liever dan dat. Terwijl ik gilde, mepte ik ze op hun staarten, hun ruggen en hun neuzen. Ik sloeg met een steeds sneller wordend ritme, alsof ik bezeten was van de geest van het oerwoud, de zwarte geest die ons allen overwint.

En toen kwam de zee aan alle kanten om ons heen omhoog; we werden overspoeld met bloed, water en speeksel van de hongerige haaien. En daarna was het plotseling helemaal stil. Op het klotsende geluid van de zee en het zachte gefluister van de bries na. Ik speurde met mijn roeiriem nog opgeheven de horizon af, en liet hem toen langzaam zakken. Alle haaien waren weg. Nergens een vin te bekennen.

Ik keek in de boot. Lucinda zat in elkaar gedoken en hield mijn benen nog steeds vast. Manuel was weer onder zijn bankje gekropen. Ik verspilde geen tijd en nam de riemen weer op, roeide tot er vuur in mijn rug en armen brandde, tot de pijn in mijn spieren de angst voor een afgrijselijke dood overwon.

Ik zakte op de bodem van de boot in elkaar en draaide me om om te zien of Manuel me nog als een kleine rat in de gaten hield. Ik wilde dat dat zo was, zodat ik hem trots aan kon kijken en zeggen: 'Zei ik het niet? Waarom heb je niet geholpen onze levens te redden?' Hij was er niet. Ik draaide mijn hoofd de andere kant op, maar Manuel was niet in de boot. Manuel was weg.

Ik pakte Lucinda bij haar schouders en schudde haar heen en weer. 'Waar is Manuel, Lucinda. Mijn god, waar is hij?'

In mijn waanzinnige drang om weg te komen had ik niet gemerkt dat Lucinda huilde en zo hard aan haar pijpenkrullen trok dat ze plukken haar in haar gebalde vuisten hield.

'Hij fluisterde in mijn oor dat vrijheid voor de levenden is,' zei ze tussen haar snikken door. 'En toen ging hij weg en was alles stil.'

37

Ik begon te begrijpen dat tijd in verschillende situaties heel verschillend gemeten wordt. In de gewone wereld zou het offer van Manuel weken-, maandenlang in onze geest gegrift hebben gestaan en zouden we ons daarna pas weer kunnen richten op het gewone leven. Aan boord waren we al binnen een uur met ons volgende overlevingsplan bezig.

Tegen de tijd dat de zon op was, was het alsof de dood van Manuel een paar jaar geleden gebeurd was, niet een paar uur. Een uur overleven stond gelijk aan maanden in het echte leven, en we moesten ervoor zorgen dat iedere seconde benut werd, anders waren we verloren. We hadden geen water of eten en tegen de middag plakten onze monden terwijl we dicht tegen elkaar onder de deken zaten, omdat we niet langer de moeite namen hem als een tent over de roeispanen heen te spreiden.

In het delirium dat door de hitte veroorzaakt werd, gingen mijn gedachten steeds naar Jeremy. Hij zat aan de keukentafel Amerikaanse koffie te drinken. Of was het etenstijd? Hij kookte niet vaak. Misschien had mami zijn lievelingseten klaargemaakt, kipstoofpot, en het in lagen plastic verpakt omdat ze niet op Tupperware alleen vertrouwde. Hij ligt te slapen in ons bed en tast in zijn slaap naar mij. Maar voor hetzelfde geld slaapt hij nu met iemand anders, omdat hij niet meer gelooft dat ik ooit nog terugkom. Hij denkt dat mijn Cubaanse leven me helemaal opgeslokt heeft.

Niemand weet dat we hier zijn. Voor hetzelfde geld drijven we al op de Atlantische Oceaan. Maar dan zou het water donker en ruw zijn, terwijl het water hier op zijn diepste punt koninklijk blauw blijft, en soms verkleurt naar gekrulde banen turkoois.

Lucinda, jouw ogen hebben de kleur van de zee. Als je ze opendoet en je naar mij toe draait, is het alsof je ogen enorme ronde ramen naar zee zijn. Ik zou je dit moeten zeggen, maar ik krijg mijn mond niet meer open, hij is zo droog. Heb ik je verteld dat Jeremy me 's ochtends koffie brengt? Hij weet dat ik er graag een beetje suiker en melk in heb, en hij weet wat mijn lievelingskopje is. Hij zal jou 's ochtends waarschijnlijk ook koffie brengen. Zou je dat lekker vinden? Je geeft geen antwoord, maar dat is omdat je je krachten spaart, net als ik.

Vind je het niet gek dat we niet slapen maar ook niet wakker zijn? We slapen en zijn tegelijkertijd wakker. Maar ik weet het wanneer ik meer slaap dan wakker ben, want dan heb ik even geen dorst meer. Ik droom dat ik in drinkwater zwem. Ik schenk frisdrank over ijsklontjes die in het glas knappen en ruisen als *maracas*. Er komt een stroom water uit mijn mond. Hij is zo krachtig dat ik hem niet kan tegenhouden. Hij duwt mijn tanden naar buiten en het doet pijn in mijn keel als ik hem probeer in te slikken. Dit is erger dan de constante dorst, die ik begrijp en waar ik tegen kan vechten met mijn geest. Ik kan dit niet meer verdragen. Ik hoop dat jij dit niet voelt. Mijn god, wat hoop ik dat.

Donkere wolken verzamelen zich bij zonsondergang. Er is weer een dag voorbij, als een universum van vergeten tijd. De golven worden dieper en hoger in de schaduw, en een grijzig duister omringt ons als we onder de deken uit kruipen. Ik voel een regendruppel op mijn neus en dan nog een. Kleine druppeltjes hangen aan Lucinda's dikke wimpers, waardoor ze verwonderd knippert. De regenbui komt in één keer. Ik schep het water op met de schoenen van Manuel en zeg Lucinda dat ze van de bodem van de boot moet drinken. Ik doe dat ook. Godzijdank hebben we onze lege waterflessen nog, ik kan er een tot de helft vol laten lopen voor de regen ophoudt, voor Lucinda het water dat ze zo gulzig opgeslokt heeft weer uitbraakt. Ik braak ook. We hebben water gedronken dat vol zat met het vuil van onze lichamen. We zijn al het water dat we gedronken hebben weer kwijt, misschien nog meer, maar het is in onze huid binnengedrongen en heeft het laagje zout weggespoeld. Onze deken is nat en wij ook, maar we slapen die nacht heel diep. We drinken af en toe een beetje zoet water uit de fles en kijken naar de sterren die boven ons ronddraaien.

Lucinda, heb ik je wel eens verteld over toen je moeder en ik wilden weglopen? Ze wilde me redden van dat ik non moest worden. Dat is de laatste keer dat ik net zulke prachtige sterren als deze heb gezien. We wisten zeker dat het veel leuker zou zijn om nachtclub-danseressen te worden. Dat was je moeders idee. Eigenlijk waren de meeste ideeën van haar, maar ze betrok mij er altijd bij. Ze was heel dapper en ik wilde altijd dat ik meer op haar leek. Ze was het mooiste en slimste meisje dat ik ooit gekend heb. Als ze de straat af liep, keek iedereen naar haar, iedereen prees haar. Ze liep met haar ogen naar voren gericht, haar rug recht, niet trots, niet beschaamd, gewoon gelukkig met wat ze was en waar ze was.

Lucinda, luister naar me. Als Jeremy me niet meer wil, vind je het dan goed om alleen met mij te wonen? Er is namelijk een kans, een grote kans, dat hij me niet meer wil, snap je? Ja, hij houdt van me, hij begrijpt alleen niet dat ik langer moest blijven. Ik kon jou niet in de steek laten en nu sterven we hier misschien wel samen. Ik ben niet bang om te sterven, Lucinda. Je mami is zo rustig in mijn armen ingeslapen, die middag op het strand. Ze haalde diep adem, een klein beetje bevend, en toen stierf ze net zo mooi als ze geleefd had. Ik mis haar zo.

Neem mijn hand, Lucinda. Ik wil dat je die vasthoudt. Het is de kaars die je mami voor mij heeft achtergelaten. Ik heb hem mee-genomen in de tas met sinaasappelen. Ik heb lucifers, en als ze niet nat zijn, kunnen we hem vannacht aansteken. Ik wist dat jij hem ook wilde zien. Ik zet hem gewoon hier op het bankje en dan kun-nen we er allebei naar kijken. Is hij niet prachtig? Ik wist wel dat je hem mooi zou vinden. Nu kunnen we gaan slapen en ons veilig voelen. Het licht zal ons tegen het kwaad beschermen.

Iets duwt er tegen mijn gezicht, en wrijft in mijn ogen en trekt me naar achteren en naar voren. Ik steek mijn handen uit naar Lucin-da, maar ze ligt niet langer naast me. Ik probeer overeind te ko-men, maar vele handen drukken me neer op iets ruws, als schuur-papier dat naar plastic en bleekmiddel ruikt. Mannen praten om me heen, zachte, gedempte woorden die binnenkomen en weer wegzweven. Ik moet Lucinda zoeken. Ze is misschien in het water gevallen en ze is blind en ze kan niet zwemmen. Begrijpen jullie niet wat ik zeg? Ik moet Lucinda zoeken!

'Met Lucinda is het in orde. Ze is uitgedroogd, maar ze ligt be-nedendeks vredig te slapen.' Ik kan mijn ogen amper opendoen, maar ik ken Jeremy's stem, en dat zijn zijn zachtbruine ogen die op me neerkijken. 'En met jou is het ook in orde, liefste. Goddank.'

Ik wil iets tegen je zeggen, ik wil iets tegen je zeggen, Jeremy, maar ik kan de woorden niet vormen.

Hij laat zijn bevende vingers langs mijn voorhoofd glijden en ik kijk wat beter in ogen die opgezwollen zijn en moe, van het huilen en van gebrek aan slaap. Die van mij willen dicht, maar ik ben bang dat hij er als ik ze dan weer opendoe niet meer is. Hij fluistert in mijn oor. 'Beba heeft me de ochtend dat jullie vertrokken, opgebeld. Ze zei dat het jullie niet gelukt was op het schip te komen en dat ik jullie op zee moest gaan zoeken. We zoeken al een week en we vonden jullie vanmorgen, vlak voor de zon opkwam. We wilden net teruggaan, toen we rook zagen. De boot stond onder jullie in brand. We hadden jullie nooit gevonden als die rook er niet was geweest.'

Jeremy neemt me in zijn armen en hij huilt en kust mijn gezicht steeds weer. 'Het enige wat er nog toe doet is dat we naar huis gaan, lief. Jij en ik en Lucinda. We gaan naar huis.'

38

HET IS ZOALS HET ALTIJD GEWEEST IS. DE ZEE IS TURKOOIS-
blauw en gaat over in een lucht die nog blauwer is. Alicia en ik
vragen ons af of we het rustige water zullen verstoren door erin te
zwemmen of dat we moeten blijven waar we zijn, naast elkaar op
het zand, onze ogen halfdicht tegen de zon. Een van ons zal de stilte weldra doorbreken met een gedachte. Gewoonlijk is dat Alicia,
dus ik wacht tot ze diep ademhaalt en wat tegen me zegt, en ondertussen hoor ik de fluisterende zee en de wind die mijn naam
roept...
   'Ze heeft haar ogen even opengedaan. Ik weet het zeker.' Mami's
stem weerklonk zo helder in mijn hoofd dat zelfs als ik ze net niet
open had, ze nu meteen open zouden gaan om naar haar te kijken.
Ze viel bijna over het hekje langs mijn bed, keek met opgezwollen
ogen naar me, een zakdoekje tussen haar vingers geklemd. Papi zat
naast haar, deed zijn best haar te kalmeren, maar ook zijn stem was
een beetje beverig; ze zagen er allebei een beetje anders uit dan ik ze
me herinnerde. Mijn ogen probeerden zich voorbij een zachte mist
van pijn te focussen: ze waren allebei afgevallen en hun gezichten
waren mager van slaapgebrek. Ik kon me voorstellen hoe verschrikkelijk ik er in hun ogen uit moest zien.
   De angst in hun ogen flakkerde weer op toen ik een poging
deed iets te zeggen. Ik voelde een enorm rotsblok op mijn mid-
denrif drukken, dat de adem uit mijn longen kneep, maar ik slaagde er toch in piepend iets te vragen.
   'Waar is Jeremy?'
   Mami maakte zich los uit papi's armen en dook over het bed
heen voor hij haar tegen kon houden. 'Hij is hier, Nora. O, mijn

god, mijn kindje, mijn lieve Nora!' En toen viel ze neer in een stoel en begon te snikken, zoals ze ongetwijfeld al dagen had gedaan.

Papi leunde naar voren en probeerde zijn emoties te beteugelen, maar zijn hand trilde op mijn arm en hij drukte er zo hard op dat hij daarmee zijn eigen stille wanhoop verried. 'Het is goed met Jeremy, het gaat goed met Lucinda en het gaat goed met jou.'

Ik probeerde papi's hand te pakken, maar ik voelde opeens dat ik een vreemd, ongemakkelijk ding in mijn neus had. Ik wilde het weghalen, maar papi hield me zachtjes tegen. 'Die buisjes zitten daar om je te helpen ademhalen, maar ze zullen ze er gauw genoeg weer uit halen, wacht maar af.'

Ik knikte en liet hem mijn hand weer naast mijn lichaam leggen. 'Waar ben ik?'

Mami had haar zelfbeheersing herwonnen en trok haar stoel bij zodat ze vrijwel op ooghoogte met mij zat. Ze liet haar hand door de spijlen van het bed glippen en kneep me zachtjes in mijn schouder. 'We zijn in het ziekenhuis in Miami. Lucinda is hier ook, op de kinderafdeling. Jeremy is nu bij haar, maar ik weet zeker dat hij gauw weer terugkomt. Hij is twee dagen niet van je zijde geweken.'

'Zo gauw we hoorden dat jullie gevonden waren,' ging papi verder, 'hebben we het eerste het beste vliegtuig genomen. We zijn gisteren geland en we blijven zo lang jij ons nodig hebt, Norita.'

Tranen drupten langs mijn wangen. Ik voelde me weer een kind, teer en kwetsbaar als iemand die op een verschrikkelijke leugen betrapt is. Maar ik moest de vraag stellen en van die brandende benauwdheid af komen die aan me geknaagd had sinds ik tegen hun wens in naar Cuba gegaan was. 'Zijn jullie nog boos op me?'

Mami zei het eerst iets, wat ik al verwacht had, en de spanning in haar stem was tastbaar en dik op haar tong. 'Je hebt iets heel doms gedaan, Nora. Voor een kind dat nooit geneigd was tot domme dingen, is dat totaal onbegrijpelijk en ik kan alleen maar zeggen...' Haar ogen begonnen boos te schitteren en papi legde kalmerend een hand op haar rug als om haar aan iets te herinneren waar ze het eerder over gehad hadden.

'Nora is geen kind meer,' zei hij zachtzinnig.

Mami snoof, maar kalmeerde aanzienlijk. 'Nee, ze is geen kind meer.' Ze liet zuchtend haar woede varen en keek met zo veel hoop en liefde naar me dat ik alleen maar naar haar terug kon lachen, mijn gezicht stijf van wat als het eerste glimlachje voelde waar ik in weken toe in staat was geweest.

's Avonds, toen we alleen waren, klom Jeremy bij me in bed, voorzichtig voor de buisjes en slangen die aan mijn gezicht en armen bevestigd waren. Hij legde zijn hoofd op mijn schouder en ging zo lekker mogelijk liggen.

Ik sloot mijn ogen en probeerde me voor te stellen dat het gezoem van de apparatuur om me heen de fluisterende branding was, of de wind in de palmen, maar ik kon geen beeld oproepen dat me kon kalmeren. En de angst die ik gevoeld had voor we gered werden kwam in golven terug, alsof we nog steeds op zee voor ons leven vochten.

'Ik heb opwindend nieuws,' zei Jeremy zachtjes in mijn oor. 'De artsen geloven dat er hoop is voor Lucinda, dat ze een deel van haar gezichtsvermogen terug kan krijgen. Het is niet zeker en ik heb nog niets tegen haar gezegd, maar ze zijn al aan het informeren bij het academisch ziekenhuis van Los Angeles.'

Mijn hart begon heftig te kloppen toen ik dit hoorde en ik wilde alle slangen losrukken en naar haar toe gaan. 'Wanneer mag ik haar zien? Ik moet naar haar toe, Jeremy.'

'Morgen. Ik beloof je dat dat het eerste is wat ik morgen zal regelen. Het gaat heel goed met haar, lief. Het is een ontzettend sterk kind en als ze jou ziet, wordt ze nog sterker.'

Zijn ademhaling werd diep en ontspannen, en ik dacht dat hij in slaap was gevallen tot hij wat zei. 'Ga nooit meer bij me weg, Nora. Ga nooit meer weg.'

Toen we terug waren in Californië, kwam mami iedere dag langs met Cubaanse ovenschotels en allerlei toetjes om ons van onze beproevingen te helpen herstellen. Lucinda had haar auto al op de hoek van de straat gehoord voor Jeremy en ik haar op de oprit zagen. Ze deed al open voor mami had aangebeld en liep achter haar aan naar de keuken, verrukt en vol ontzag voor de heerlijke dingen die uit die bruine papieren zakken en lagen aluminiumfolie en plastic kwamen. Zelfs door de lagen verpakking heen, die het NASA-ruimteprogramma nog in de schaduw stelden, kon Lucinda precies de heerlijke geuren van *ropa viega*, *carne con papas* en *arroz con pollo* onderscheiden.

Mami zette me mijn maaltijd op een blad in bed voor, omdat ik te zwak was om aan tafel te zitten, en Lucinda kwam erbij zitten. Mami bleef staan en wachtte gespannen met haar armen over elkaar tot we onze eerste hap genomen hadden.

'Heerlijk, abuela Regina,' verklaarde Lucinda, en mami straalde van tevredenheid, zowel om het complimentje als om het feit dat Lucinda haar abuela noemde.

Ik wist nog hoe afstandelijk mami in Miami tegen Lucinda gedaan had. Dat had ik ook wel verwacht. Mami was altijd koppig trouw gebleven aan haar traditionele normen en waarden, en aangaande hartsaangelegenheden en dingen die het gezin aangingen, accepteerde ze een nederlaag niet gemakkelijk. Ze had te lang openlijk bezwaren gehad tegen het huwelijk van Alicia en Tony om Lucinda direct te accepteren, vooral omdat iedereen erbij was. Ik denk ook dat ze haar er de schuld van gaf dat ze mij in gevaar had gebracht. In feite was Lucinda die eerste dagen voor mami de belichaming geweest van alles wat er sinds de Revolutie mis was met Cuba.

De dag voordat Lucinda en ik uit het ziekenhuis ontslagen zouden worden, was de familie in mijn kamer bij elkaar. Lucinda zat naast me, zoals ze dat het liefst deed, en luisterde naar het gebabbel van nieuwe stemmen die zich mengden met bekende. Mami was bijzonder levendig bij het vooruitzicht terug te gaan naar Californië. Papi had het er zelfs over om een feest te organiseren om mijn thuiskomst te vieren. De gedachte daaraan veroorzaakte tranen van vreugde, die voor de derde of vierde keer die dag over mami's wangen stroomden.

Lucinda, die maar een klein eindje van haar af zat, stak haar hand uit en raakte mami's wang voorzichtig met het puntje van haar vinger aan. 'U huilt, señora Regina.'

Mami knikte maar zei niets.

Lucinda dacht even na. Haar ogen glansden toen ze zich omdraaide en haar gezicht helemaal naar haar nieuwe familielid toe wendde. 'Mami zei altijd dat je zo veel mag huilen als je wilt, als je tranen maar op iemand vallen van wie je houdt.'

Mami's gezicht verwrong in haar poging haar verdriet weg te slikken en in haar strijd tegen de reflex die ze al die jaren gekoesterd had om Lucinda openlijk af te wijzen. Voor hetzelfde geld had ze tegen Lucinda gezegd dat ze haar gedachten voor zich kon houden, maar opeens nam ze haar in haar armen en huilde openlijk, waarmee ze Lucinda's krullenbol natmaakte met een wolkbreuk aan tranen. Ze hield haar een hele tijd vast, en sindsdien stond ze erop dat Lucinda haar abuela Regina noemde. Nu tolereerde ze geen enkele kritiek van wie dan ook in de richting van haar Lucinda. Toen papi opmerkte hoe naïef Lucinda voor haar leeftijd was, stak mami haar kin en vinger naar voren en kreeg hij de wind van voren.

'José, hoe is het mogelijk dat je twee meisjes hebt grootgebracht en nog steeds niets van kinderen begrijpt? Dat kind is in ieder opzicht voorlijk, en het zou me niets verbazen als ze erachter komen dat ze een genie is als ze naar een goede school gaat. Let op mijn woorden.'

Mami keek me zorgelijk aan en zag hoe ik het eten dat ze zo toegewijd had klaargemaakt over mijn bord heen en weer schoof. Zij en ik en iedereen wist dat ik in geen weken gegeten had. De waarheid was dat ik geen enkele eetlust had, en Cubaans eten smaakte me al helemaal niet. De rijke kruiden en sausen en uien en pepers die ik vroeger zo heerlijk had gevonden, maakten nu dat mijn maag zich omdraaide van afkeer. Meestal lag ik te slapen, en klaagde over een zwaar gevoel in mijn borst en maag dat ik overgehouden had aan mijn verblijf in het ziekenhuis.

Mami sprak op gedempte toon met Jeremy toen hij op een middag uit zijn werk thuiskwam, en Jeremy kwam daarna naast me op de bank zitten. Ik had me sinds het middageten amper bewogen en was alleen geïnteresseerd in de manier waarop het zonlicht door de bomen scheen, waardoor een wild, kantachtig patroon op de muur tegenover me verscheen. Ik had daar voor mijn gevoel al uren naar liggen kijken.

'Je wordt niet beter als je niet eet, Nora.'

'Weet ik.'

'Je bent helemaal niet aangekomen en de dokter zei dat dat moest. In feite ben je nog magerder geworden en...'

'Ik zei toch dat ik het wist!' Ik verhief zelden mijn stem tegen Jeremy, en de pijn en verwarring in zijn ogen maakten me even aan het schrikken, maar toen hij de kamer uit ging had ik de energie niet er iets aan te doen of over te zeggen. Ik werd weer lamgeslagen door de schaduwen van de binnenkruipende duisternis en het prachtige patroon dat in de hoeken van de kamer speelde.

Een psychiater die Jeremy van de universiteit kende, kwam me kort daarna opzoeken. Het was een aardige man met een dubbele kin en een bril met een zwaar montuur, die erop stond dat ik hem Peter in plaats van dokter Mills noemde. Dit was een van die privileges die je had als je de vrouw van een academicus was, dacht ik en ik beantwoordde zijn vragen zo goed mogelijk. Ja, ik had heel weinig energie en er waren maar weinig dingen die ik kon bedenken waarvoor ik mijn bed uit wilde komen en me aankleden. Nee, ik sliep goed. Eigenlijk was slapen wat ik het liefste deed, omdat ik alleen dan bevrijd was van dat bittere gevoel van leegte dat als een afzichtelijke worm aan me knaagde. Nee, ik had geen trek, en de aanblik en geur van voedsel, vooral Cubaans voedsel, maakten me misselijk. Nee, ik had er niet aan gedacht zelfmoord te plegen, maar ik had de laatste tijd veel over de dood nagedacht, en hoe vredig die leek.

Peter had naar me zitten luisteren, had geknikt en leek het allemaal te begrijpen. Hij was tenslotte psychiater en hij had wel vreemdere dingen van zijn patiënten gehoord.

'Het is m'n hart,' opperde ik.

'Je hart? Wat mankeert er aan je hart?' vroeg hij oprecht nieuwsgierig.

'Ik heb het gevoel dat ik het weg heb gegeven, of dat ik het verloren ben, en nu probeer ik te leven met een...' Ik keek even naar hem om te zien of hij me nog volgde, en tot mijn bemoediging zag ik dat zijn gezichtsuitdrukking nog even oplettend en vriendelijk was als daarvoor. 'Ik leef met een schaduwhart, in plaats van met een echt hart.' Tranen biggelden in stille stromen over mijn wangen.

'Ik begrijp het. Een schaduwhart,' zei hij, nog steeds knikkend.

'Beba zou wel weten wat we moeten doen, maar zij is ver weg in Cuba en ik kan haar zelfs geen brief schrijven omdat ze niet kan lezen.'

'Beba?'

'Ons dienstmeisje in Cuba. Ze weet zo veel dingen, dingen die gewone mensen niet weten.'

'Ik snap het,' zei hij en hij dacht even na. 'Dat schaduwhart waar je het over had, vertel me daar eens wat meer over.'

'Ik weet niet goed hoe ik het moet beschrijven. Het is het stukje van jezelf dat je weg kunt geven zonder dat je kwijtraakt wie je bent, maar op de een of andere manier heb ik het verkeerd gedaan en heb ik het echte stukje weggegeven, en daarom voel ik niets meer, zelfs geen honger, en kan het me niet schelen of ik beter word. Ik geef zelfs niets meer om Jeremy en Lucinda.' Ik bedekte mijn gezicht, beschaamd door zo'n verschrikkelijke onthulling van iets wat ik tot op dat moment niet eens aan mezelf had durven toegeven.

Hij gunde me tijd om tot mezelf te komen. 'Ik begrijp dat dit heel moeilijk voor je is, Nora. Ik denk dat het voorlopig het beste is dat je zo veel mogelijk rust. Zou dat lukken?'

Ik knikte gehoorzaam en Peter ging weg nadat hij me verzekerd had dat hij niets over hoe ik me voelde tegen Jeremy of mijn moeder zou zeggen. Ik wist dat dat ze alleen nog maar meer zorgen zou geven. Maar hij zei dat hij met Jeremy zou moeten praten over zijn aanbeveling eens goed uit te rusten.

Peter was nog geen vijf minuten weg of Jeremy kwam de kamer binnen om bij me te zitten. De laatste tijd zat hij vaak lang naast me zonder iets te zeggen als hij dacht dat ik geen zin had om te praten, maar ik wist dat hij nu degene was die moest praten. De lijntjes rond zijn ogen waren dieper geworden en zijn mond was strak van de zorgen. Hij kon zijn emoties amper de baas.

'Peter denkt dat je een tijdje naar een ziekenhuis moet.'

'Een ziekenhuis? Bedoel je een psychiatrisch ziekenhuis?'

'Hij denkt dat je heel veel hebt meegemaakt, veel meer dan de meeste mensen aankunnen, en dat speciale zorg je zou kunnen helpen.'

'Vind jij ook dat ik moet gaan?'

Jeremy liet zijn hoofd zakken en tranen vielen op zijn handen, dikke druppels verdriet. 'Ik weet niet wat ik vind, Nora.' Hij keek naar me met ogen die altijd zo vol vertrouwen en rust waren geweest, mijn eeuwige wijkplaats. Nu waren ze hulpeloos en smekend. 'Ik wil je niet verliezen.' Hij slikte een snik in. 'Ik heb gedacht dat ik je kwijt was en toen...' Hij pakte mijn handen beet. 'Ik wil gewoon dat je weer beter wordt. Ik wil mijn Nora terug.'

'Geef me tot na de kerst,' zei ik smekend. 'Als ik dan niet beter ben, dan ga ik naar het ziekenhuis, wat jij en Peter maar willen. Ik beloof het.'

Kerst was over minder dan een maand.

De droom waarop ik wachtte kwam in een van die zeldzame nachten waarin de temperatuur van Zuid-Californië tot onder het vriespunt zakte. Ik was weer een kind. Alicia en ik houden elkaars hand vast bij de waterrand en kijken naar het tij dat op de kust danst. We lachen terwijl onze voeten langs het zachte zand schieten en we de kronkelende linten zand tussen onze tenen voelen. Alicia spoort me aan de branding in te gaan, lachend en plagend op die speelse, goedmoedige manier van haar. Haar vingers sluiten als een bankschroef om de mijne en ik kan me niet losrukken als ze me meetrekt naar het diepere water, tot we als kwallen rondzweven en herinneringen ademen door onze kieuwen. Ik kijk in de diepten van de oceaan en zie Tony's zachte groene ogen, die glinsteren omdat hij zijn geliefde ziet; Manuels verbrande schouders krom in de boot terwijl hij zit te vissen; tío Carlos die op de veranda gitaar zit te spelen; tía Panchita's eigenaardige lachje, dat door een waas van sigarenrook heen breekt; en abuelo, die aan de waterrand staat na een lange zwempartij.

Alicia's vingers laten me los en de branding tilt me terug naar de kust, terwijl ik kijk hoe ze verdwijnen en zich terugtrekken in vredige vergetelheid.

Ik werd de ochtend van kerstavond wakker van een ongewone herrie. Het plan was dat papi en mami vroeg zouden komen en Jeremy zouden helpen een maaltijd voor die avond klaar te maken. Marta en Eddie en de kinderen zouden pas om een uur of vijf komen. Ik zag op tegen het feestmaal van geroosterd varken en gebakken banaan, zwarte bonen, rijst en yucca dat me te wachten stond, en mijn maag protesteerde bij de gedachte aan de inhoud van de zakken kruidenierswaren die ik in de keuken hoorde ritselen. Het gesprek tussen Jeremy en mijn ouders klonk niet als het gewone, goedgehumeurde geplaag. Het was opgewonden, gespannen. Er werden stemmen verheven en ik hoorde mami duidelijk boven de rest uit. 'De dokter heeft gezegd dat we haar niet van streek moesten maken. Dat weet ik.'

De ruzie ging door en ik vroeg me af of ik in het ziekenhuis rust zou hebben. Ik was weinig vooruitgegaan en ik was mijn belofte aan Jeremy niet vergeten. Natuurlijk ging de ruzie daarover: wanneer en hoe ik naar die psychiatrische kliniek moest. Ik probeerde de kracht te verzamelen om uit bed te gaan en te gaan inpakken en vroeg me af wat we over mijn afwezigheid tegen Lucinda moesten zeggen. Jeremy had een school voor haar gevonden en hij had zijn rooster rond haar afspraken bij het academisch ziekenhuis van Los Angeles gepland. Ze zou na de kerstvakantie met haar lessen beginnen. Ze wist dat ik Jeremy hier niet mee kon helpen omdat ik nog niet in orde was, maar ze schreef mijn ziekte toe aan wat we meegemaakt hadden en leek te begrijpen dat het niet in mijn belang was erover te praten.

Ze stonden nu vlak voor de slaapkamerdeur en ze probeerden rustig te blijven, maar de angst in hun stemmen deed me huiveren. Toen kwamen ze binnen, met rode gezichten.

'Jeremy, niet doen,' zei mami. Haar gezicht was opgezet van ongerustheid.

'We moeten hier nog even over praten,' voegde papi er resoluut aan toe.

Jeremy schudde zijn hoofd. 'Ik heb nog nooit iets voor Nora

verzwegen, en ik ben niet van plan daar nu mee te beginnen.'
'Maar ze is niet de Nora die we kennen,' zei mami dringend.
'Begrijp je dat niet? Nora is ziek, en als ze dit leest, wordt het misschien erger.'
'Wat is er aan de hand met tía Nora?' Lucinda's stemmetje vanaf de drempel maakte dat iedereen zweeg.
'Niets, lieverdje.' Mami leidde haar met een beschermende arm om haar heen de kamer binnen. 'Je tía Nora is nog een beetje zwak, maar ze wordt weer helemaal beter.'
Jeremy hield me een envelop voor. 'Die is gisteren voor je gekomen. Hij is een paar dagen voordat Alicia gestorven is afgestempeld.' Hij keek naar papi en mami, die er angstig gespannen bij stonden en Lucinda vasthielden. 'Je ouders zijn van streek omdat ze denken dat Alicia's brieven je eerder kwaad dan goed hebben gedaan. Ze zeggen dat je te kwetsbaar bent om er nu nog een te lezen.' De brief schommelde in zijn hand tussen ons in heen en weer. 'Wat vind jij?'
Ik haalde diep adem en nam de envelop van hem aan en draaide hem in mijn hand om. De drie poststempels naast het adres in Havana bevestigden Jeremy's vermoeden dat de brief zoek was geraakt, en ik herkende het fijne handschrift van Alicia op de voorkant van de envelop. Ik keek er een aantal lange ogenblikken naar en zag Alicia voor me tijdens haar laatste dagen op de bank.
'Ik geloof dat ik deze alleen wil lezen,' zei ik zonder op te kijken. Ze draaiden zich allemaal om om de kamer uit te gaan en ik stak mijn hand uit naar Lucinda. 'Blijf bij me, Lucinda. Je mami zou gewild hebben dat je erbij was.'
Lucinda rende naar het bed en nestelde zich tegen me aan. Ik voelde dat ze haar hoofd op mijn schouder legde terwijl ik de envelop openscheurde en langzaam de vellen papier openvouwde.

Lieve Nora,
Als je dit leest wil ik dat je je voorstelt dat je onder onze palmen op Varadero ligt te luieren en dat je omhoogkijkt naar de hemel. Want daar stel ik me op dit moment voor dat ik ben. Jij zit naast me, je luistert en lacht zoals altijd, dus zweven mijn zorgen weg op de bries. Hoewel ik in de verleiding ben zal ik je nu niet over mijn zorgen schrijven. Ik schrijf je in plaats daarvan over iets wat je altijd hebt willen weten, vanaf dat we kleine meisjes waren die op het strand speelden. Zelfs nu hoor ik je stem nog die me vraagt terwijl we

naar de zon door de bomen kijken: 'Heb je God gezien? Wat heb je Hem gevraagd?' Ik denk dat ik je nu wel kan vertellen dat ik Hem om een engelbewaarder heb gevraagd, om altijd op me te passen. Jarenlang heb ik gedacht dat Hij niet geluisterd had, want de engelbewaarder verscheen niet, zoals ik hem verwachtte, bij mijn bed met vleugels van zachte veren en een zijden jurk zoals op de schilderijen in de kerk. Maar nu weet ik dat jij, nichtjelief, mijn engelbewaarder en troost bent geweest, in de moeilijkste momenten van mijn leven. Zelfs wacht ik nu vredig op de dood omdat ik weet dat jij met alles wat je bent voor Lucinda zult zorgen, en daarvoor zou ik graag mijn leven en nog meer geven.

In feite ben je niet alleen mijn engelbewaarder geweest, maar ook mijn biechtmoeder, en ik ben bang dat ik je nog iets moet opbiechten. Bijna twee jaar lang heb ik de Amerikaanse dollars die jij zo zorgvuldig in je brieven stopte eruit gehaald en ze bij de vlam van mijn kaars een voor een verbrand. Ik wilde niet toegeven hoe ik verlangde naar je Amerikaanse leven, je mooie huis, je warme water uit de kraan, de supermarkten die dag en nacht geopend zijn en de schreeuwerige verslaggevers die een hekel hebben aan alle politici en niet bang zijn ze voor de tv te beledigen. Ik nam het je kwalijk dat je een eigen telefoon had en dat je in een schoon bed sliep na een lekkere maaltijd en dat je 's ochtends bij het wakker worden een kop sterke koffie dronk, en dat soort dingen.

Ik probeerde aan mijn jaloezie te ontkomen door mezelf ervan te overtuigen dat jij en alle mensen als jij Cuba hadden verraden en dat ik het ook verried met mijn jaloezie. Ik vraag je om vergeving. Maar ik voel me niet meer schuldig en ik denk dat jij dat ook niet moet doen, omdat we ons land niet verraden hebben, Nora. Ons land heeft óns verraden. Jij en allen die vertrokken zijn, zijn wezen, net als Lucinda wees zal zijn. En net zoals ze jou als haar nieuwe moeder zal omhelzen als ik weg ben, zo moet jij je Amerikaanse leven omhelzen met je hele hart en ziel, zelfs als de tranen van het verdriet van het weggaan nog vochtig zijn in je ogen. Omdat je als je wacht tot je tranen droog zijn eeuwig zult wachten.

Maar vergeet nooit, Nora, vergeet nooit het Cuba dat we gekend hebben, en vertel het aan Lucinda en aan je eigen kinderen al voor ze oud genoeg zijn om het te begrijpen, zo-

dat het een deel van hen wordt, zoals het deel van ons ge-
worden is. Vertel hun hoe we zwommen in het blauwgroene
water van de Caribische zee en hoe we zoete mango's aten
tot het sap over ons gezicht liep. Vertel hun over de bals met
chaperonnes en de witlinnen pakken en hoe de musici hun
muziek speelden waarmee ze zelfs de maan van zijn stille
plaatsje in de lucht naar beneden konden lokken.

En vergeet nooit de oude droom... de klanken van beto-
vering... de bries die de ziel streelt... onze palmbomen in de
lucht.

Alle liefs, Alicia

Jeremy klopte zachtjes, en toen hij geen reactie hoorde, keek hij
om een hoekje en trof hij mij en Lucinda huilend in elkaars armen
aan nadat we de brief van Alicia drie keer gelezen hadden. Hij wist
niet of hij wel of niet moest binnenkomen, maar ik stak mijn hand
naar hem uit en hij liep snel door de kamer en nam ons beiden in
zijn armen.

'Ik hou van je, Jeremy,' fluisterde ik, en ik voelde mijn kracht
terugkomen terwijl mijn tranen stroomden. 'Alsjeblieft, vergeef
me.'

Epiloog

Bijna een jaar later werd Alicia Garcia-McLaughlin geboren. Toen ik met haar thuiskwam uit het ziekenhuis, keek Lucinda naar haar door haar driedubbele brillenglazen waardoor haar ogen eruitzagen als enorme smaragden.

'Ze heeft naar me gelachen, tía Nora. Ik zag haar lachen.' Lucinda barstte zowat van trots.

Later die avond legde Lucinda haar hoofd in mijn schoot terwijl ik Alicita in mijn armen wiegde. Over een paar minuten, als hij klaar was met scripties nakijken, zou Jeremy zijn hoofd om de hoek van de deur van de kinderkamer steken en Lucinda eraan herinneren dat het tijd was voor haar oogdruppels en dat ze haar tanden moest poetsen voor ze naar bed ging en dat het er niet toe deed dat ze ze die dag al een keer gepoetst had. Lucinda zou klagen dat ze helemaal niet moe was en een paar extra minuutjes proberen los te bedelen. Die kreeg ze bijna altijd van hem, omdat hij net als ik wist dat het heerlijk was dat ze zich gewoon als een meisje van haar leeftijd gedroeg.

'Vertel me het verhaal nog eens, tía Nora,' zei ze, terwijl ze even in mijn knie kneep.

'Nog eens?'

'Ja, maar begin nu met het stuk dat ik zo mooi vind, meteen aan het begin.'

Ik schraapte mijn keel en strekte mijn benen langzaam om mijn kleine meisje niet wakker te maken, maar ik keek in haar slapende gezichtje terwijl ik sprak, wetend dat ze me door haar dromen heen hoorde.

'Wat ik het heerlijkste aan Cuba vind is de warmte. De manier waarop die zich naar mijn vingers en tenen uitstrekt zodat het voelt alsof ik deel van de zon ben... alsof hij binnen in me groeit...'

'Tía Nora?'

'Ja, Lucinda?'

'Zullen we Cuba ooit terugzien? Zullen we ooit nog naar huis gaan?'

Ik was in de verleiding haar met dezelfde variaties op 'misschien' te antwoorden die ik van mijn ouders gekregen had nadat ik voor de eerste keer al die jaren geleden uit Cuba vertrokken was. 'Misschien, als de dingen veranderen,' zeiden ze dan. 'We weten niet zeker wat er gebeuren zal.' Deze kruimeltjes hoop deden weinig om het verlangen van mijn ziel naar mijn vaderland te bevredigen.

Ik trok zachtjes aan Lucinda's springerige krullen en het silhouet van haar wang bolde op door haar glimlach. Maar ik wist wel dat ze graag mijn antwoord wilde horen, en ik wist dat ik haar eerlijk moest beantwoorden, zoals ik alles eerlijk deed.

Ik zoog mijn eigen angst op en dwong mezelf uit te ademen met een hart dat eerder veerkrachtig was dan resoluut. 'Ja, Lucinda,' zei ik tegen haar. 'Ik weet zeker dat we Cuba eens weer zullen zien, maar tot dan, en misschien ook daarna, is dit ons thuis.'